图灵程序设计丛书

TURING

挑战

（第2版）程序设计 竞赛

【日】秋叶拓哉 岩田阳一 北川宜稔 著

巫泽俊 庄俊元 李津羽 译

陈越 翁恺 王灿 审

U0224536

人民邮电出版社

北京

图书在版编目（CIP）数据

挑战程序设计竞赛：第2版 / （日）秋叶拓哉，（日）
岩田阳一，（日）北川宜稔著；巫泽俊，庄俊元，李津羽
译. -- 北京：人民邮电出版社，2013.6
　（图灵程序设计丛书）
ISBN 978-7-115-32010-0

Ⅰ. ①挑… Ⅱ. ①秋… ②岩… ③北… ④巫… ⑤庄
… ⑥李… Ⅲ. ①程序设计 Ⅳ. ①TP311.1

中国版本图书馆CIP数据核字(2013)第115495号

Programming Contest Challenge Book, The Second edition
Copyright © 2010, 2012 Takuya Akiba, Yoichi Iwata, Masatoshi Kitagawa
Chinese translation rights in simplified characters arranged with Mynavi Corporation
through Japan UNI Agency, Inc., Tokyo

内 容 提 要

　　本书对程序设计竞赛中的基础算法和经典问题进行了汇总，分为准备篇、初级篇、中级篇与高级篇4
章。作者结合自己丰富的参赛经验，对严格筛选的110多道各类试题进行了由浅入深、由易及难的细致讲解，
并介绍了许多实用技巧。每章后附有习题，供读者练习，巩固所学。
　　本书适合程序设计人员、程序设计竞赛爱好者以及高校计算机专业师生阅读。

◆ 著　　　[日]秋叶拓哉　岩田阳一　北川宜稔
　　译　　　巫泽俊　庄俊元　李津羽
　　审　　　陈越　翁恺　王灿
　　责任编辑　乐馨
　　执行编辑　徐骞
　　责任印制　焦志炜

◆ 人民邮电出版社出版发行　　北京市丰台区成寿寺路11号
　　邮编　100164　电子邮件　315@ptpress.com.cn
　　网址　http://www.ptpress.com.cn
　　北京七彩京通数码快印有限公司印刷

◆ 开本：800×1000　1/16
　　印张：26.5　　　　　　　　2013年6月第1版
　　字数：626千字　　　　　　2025年1月北京第49次印刷
　　著作权合同登记号　图字：01-2012-6696号

定价：79.00元
读者服务热线：(010)84084456-6009　印装质量热线：(010)81055316
反盗版热线：(010)81055315
广告经营许可证：京东市监广登字 20170147 号

译 者 序

程序设计竞赛因其涉及的知识面广，比赛形式激烈有趣，吸引了越来越多的学生参与其中。参赛者不但可以从中锻炼算法设计能力，还能够提高代码编写能力。其中的佼佼者也受到了越来越多国际知名公司的重视和欢迎。

本书的几位作者是世界公认的顶尖选手，在竞赛和学术领域都取得了令人瞩目的成就。他们结合自己的专业知识和比赛经验，将自己的心得和技巧集结成书。

全书将不同的算法和例题按专题编排成小节，再将不同的小节由易到难分成四章，这样即便是初出茅庐的新手也不会有太大的阅读障碍。书中涵盖了在程序设计竞赛中会用到的大多数算法和技巧，并在附录中补充了书中未介绍但也比较有用的算法。在题材的安排上，作者取舍得当，主次分明，循序渐进，不以华而不实的奇技淫巧误导读者，又具有一定深度，相信即便是经验丰富的老将同样能从书中有所斩获。本书在结合例题进行讲解时，不是简单地堆砌问题和代码，而是注重引导读者更好地理解和运用算法来分析解决问题。对于正在学习数据结构与算法的读者而言，把它作为一本练习和拓展的参考书也是很好的选择。

本书在日本广受好评，还先后在中国台湾地区和韩国出版。近年来程序设计竞赛在亚洲发展很快，在中国大陆也出版了不少相关书籍，但鲜见高质量的佳作。所以，在读到此书时，我们非常惊喜，迫切希望中国大陆也能引进这样的好书。2012年初，我们通过作者的推特了解到了本书第二版的出版，一些前辈们踊跃翻译计算机专业书籍的经历也鼓舞了我们，让我们萌生了亲自翻译此书的念头并联系了图灵教育。非常幸运的是，图灵教育也正考虑引进此书，于是有了今天呈现在各位读者面前的简体中文版。

在翻译上，我们力求做到既尊重国内选手的习惯，又符合计算机专业的表述。在修正原书中的一些笔误的同时，加入了一些译者注，以方便国内读者理解。但由于译者水平有限，不足之处在所难免，还望读者多多包涵，并不吝提出意见和建议。

在翻译过程中,秋叶拓哉、岩田阳一和北川宜稔三位作者耐心地对我们的一些疑问和笔误给予了一一解答和确认。浙江大学的陈越、王灿和翁恺三位老师不但将我们领进了"快乐"竞赛的大门,还拨冗审阅了译稿并提出了宝贵的意见。网上不少同好也对本书的出版给予了关切和支持。在此谨对他们表示感谢。

巫泽俊　庄俊元　李津羽
2013年5月6日于浙江大学

前　　言

如今，形形色色的程序设计竞赛层出不穷，听说过Google Code Jam、TopCoder、ACM-ICPC的读者恐怕不在少数。本书要介绍的正是这类以在规定时间内、又快又准地解决尽可能多的题目为目标的程序设计竞赛。

程序设计竞赛内涵丰富，即便是经验老道的程序员，要想在比赛中取得好成绩也绝非易事。要在程序设计竞赛中取胜，不仅需要运用灵活的想象和丰富的知识得出正确的算法，还需要一气呵成地实现并调试通过。

另一方面，程序设计竞赛对新手而言亦非遥不可及。为了让更多的参赛选手体会到比赛的乐趣，大多数比赛都会准备若干面向初学者的题目。另外，即便未能在比赛中取得好成绩，通过比赛，也能够使自己的能力得到有效的锻炼。最重要的是，大家能够享受到激烈的比赛带来的乐趣。

本书的作者们参加过众多程序设计竞赛，在平时的练习和学习中，也获得了各种各样的知识与技巧，本书将这些知识技巧总结成册，主要介绍算法及其在相关问题中的应用。本书依照由易及难的顺序对问题进行讲解，章节的编排也参考了主题的难易程度及其相互的联系，内容较多的主题则按难易程度划分为多个子主题分别介绍。各个主题由算法介绍和例题讲解穿插而成。

只要是具有编程基础知识的读者，均适合阅读本书。书中的源代码均用C++实现，不过只用到了其基本功能，所以即便读者不熟悉C++也不影响阅读。

【关于再版】

令人惊喜的是，本书的第1版受到了广大读者的高度评价，在此表示感谢。特别是一些并不热衷于程序设计竞赛的读者也购买了本书。这是因为通过本书不仅可以学到算法，更能学到其设计和运用的思想。这正是本书划时代的亮点。

本书第2版追加了计算几何、搜索减枝、分治法和字符串相关算法4个主题。此外还追加了方便读者加深理解的练习题，并为学有余力的读者列出了书中未涉及的拓展主题，进一步丰富了本书内容。

目　　录

第 1 章
蓄势待发——准备篇

1.1 何谓程序设计竞赛

➡ 首先，让我们来说明一下程序设计竞赛到底是什么。

顾名思义，程序设计竞赛就是以程序设计为主题举办的竞赛。世界上有解题竞赛、性能竞赛、创意竞赛等各种各样的程序设计竞赛。本书主要介绍解题竞赛。

解题竞赛在开始时会告知选手题目的数量，选手的目标是解决其中尽可能多的题目。程序设计竞赛中题目的形式如下。

抽　签

你的朋友提议玩一个游戏：将写有数字的 n 个纸片放入口袋中，你可以从口袋中抽取 4 次纸片，每次记下纸片上的数字后都将其放回口袋中。如果这 4 个数字的和是 m，就是你赢，否则就是你的朋友赢。你挑战了好几回，结果一次也没赢过，于是怒而撕破口袋，取出所有纸片，检查自己是否真的有赢的可能性。请你编写一个程序，判断当纸片上所写的数字是 k_1，$k_2, \cdots, k_n$ 时，是否存在抽取 4 次和为 m 的方案。如果存在，输出 Yes；否则，输出 No。

⚠ **限制条件**
- $1 \leqslant n \leqslant 50$
- $1 \leqslant m \leqslant 10^8$
- $1 \leqslant k_i \leqslant 10^8$

样例 1

输入

```
n = 3
m = 10
k = {1, 3, 5}
```

输出

Yes（例如 4 次抽取的结果是 1、1、3、5，和就是 10）

样例 2

输入

```
n = 3
m = 9
k = {1, 3, 5}
```

输出

No（不存在和为9的抽取方案）

求解这个问题，可以编写如下程序。

```cpp
#include <cstdio>

const int MAX_N = 50;


int main() {
  int n, m, k[MAX_N];

  // 从标准输入读入
  scanf("%d %d", &n, &m);
  for (int i = 0; i < n; i++) {
    scanf("%d", &k[i]);
  }

  // 是否找到和为m的组合的标记
  bool f = false;

  // 通过四重循环枚举所有方案
  for (int a = 0; a < n; a++) {
    for (int b = 0; b < n; b++) {
      for (int c = 0; c < n; c++) {
        for (int d = 0; d < n; d++) {
          if (k[a] + k[b] + k[c] + k[d] == m) {
            f = true;
          }
        }
      }
    }
  }

  // 输出到标准输出
  if (f) puts("Yes");
  else puts("No");

  return 0;
}
```

在许多比赛中，源代码一经提交就会自动编译并运行。预先准备好的输入文件将被重定向作为程序的标准输入。通过判断程序对应的输出是否正确，来判断解答是否正确。

当然，程序的运行是有时间限制的。在大多数比赛中，运行时间限制在若干秒。一旦程序运行的时间超过了限制，程序就会被强行结束，当做不正确的解答处理。因此，在比赛中还必须考虑高效的解法。

例如，本题中有 $1 \leqslant n \leqslant 50$ 这个条件，像上面那样单纯的四重循环的程序，不用 1 秒就能得出答案。

但是，如果变成 $1 \leqslant n \leqslant 1000$ 又会怎样呢？四重循环的程序即便运行很多秒也不会结束，这将被判为不正确。不过，这道题有更为高效的解法，即便是 $1 \leqslant n \leqslant 1000$ 的情况，也能够按要求求解（将在 1.6 节中再讨论）。

由此，可以说程序设计竞赛是综合了以下两个要素的复合竞赛：

- 设计高效且正确的算法
- 正确地实现

并且，为了设计算法，

- 灵活的想象力
- 算法的基础知识

也是必不可少的。

1.2 最负盛名的程序设计竞赛

▐▶程序设计竞赛有着各种各样的形式，在此，我们来介绍其中最负盛名的几个。

1.2.1 世界规模的大赛——Google Code Jam（GCJ）

它是Google公司几乎每年都会举办的世界规模的程序设计竞赛，参赛者要在2~3小时内解决大约4道题。一旦从在线（Online）进行的几轮预选中胜出，就能够参加现场（Onsite）总决赛。该赛事的特点是，每道题都备有Small和Large两组输入数据。即便是难度系数较大的问题，只要输入规模足够小，依然可以简单地求解，这一形式深受广大参赛者的喜欢。另外，GCJ并不在服务器上自动执行程序，而是要求将源代码和本地执行的结果一同提交。

1.2.2 向高排名看齐！——TopCoder

TopCoder公司是一家策划并举办程序设计竞赛的公司，它举办的比赛涉及多个领域。其中之一就是算法（Algorithm）比赛，该赛事大致每周都以SRM（Single Round Match）的形式举办一场，其具有以下特点。

(1) 在1小时15分钟的短时间内挑战3道题。

(2) 提交的结果在比赛结束前是不知道的，整个过程中稍有失误，就会变成0分。

(3) 在编码阶段（coding phase）结束后，还有一个挑战阶段（challege phase）。该阶段可以查找别人代码中的漏洞。如果能够提供一组输入数据，使别人的程序返回错误的结果，就能得到额外的分数。

其中第3条是该赛事独一无二的特点[1]，也是阅读别人代码的好机会。TopCoder还有一个深受大家喜欢的等级分系统（rating system），它会依据SRM的结果给参赛选手排名。另外，TopCoder还会举办一年一度的TCO（TopCoder Open）公开赛。一旦从在线进行的几轮预选中胜出，就能够参加在拉斯维加斯[2]举办的总决赛。

---

① 随后提到的Codeforces也参考TopCoder提供了类似但不完全一样的hack功能。——译者注
② 最初几年，TCO的决赛地点都在拉斯维加斯，不过自2011年起，每年的决赛都选择在美国不同城市举办，如好莱坞、奥兰多和华盛顿。——译者注

1.2.3　历史最悠久的竞赛——ACM-ICPC

ACM-ICPC是由美国计算机协会（ACM）主办的、面向大学生的竞赛，也是历史最悠久的程序设计竞赛。这是一个三人一队的团队比赛，选手要在5个小时内解决大约10道题。因为比赛中三名选手共用一台电脑，题量又比其他赛事多，并且多是一些实现复杂的问题，所以团队配合显得异常重要。想要从日本参加该项赛事，首先要参加在线进行的国内预选赛，胜出后才能参加亚洲区域赛，取得前几名的好成绩后才能够参加世界总决赛。[①]

1.2.4　面向中学生的信息学奥林匹克竞赛——JOI-IOI

信息学奥林匹克竞赛是学科奥林匹克竞赛的一种，是以初中生和高中生为参赛对象的程序设计竞赛。在日本，首先要参加日本信息学奥林匹克竞赛，取得优异成绩后，才能作为日本国家队选手参加国际信息学奥林匹克竞赛。[②]其他比赛都需要尽可能快地解决尽可能多的问题，而信息学奥林匹克竞赛只要在规定时间内求解问题即可，成绩与所用时间无关，但是它相对其他比赛而言，求解每道题所花的时间要长得多。虽然是面向中学生的比赛，每年所出问题的难度却是非常高的。

1.2.5　通过网络自动评测——Online Judge（OJ）

在互联网上，有一些被称为Online Judge的系统，它们能够自动评测以往程序设计竞赛中的题目。利用该系统就可以练习了。另外，其中一些Online Judge也会定期举办自己的比赛，不妨去参加一下。在此列举几个有名的Online Judge。

- PKU Online Judge（POJ）
  题库中有大量的题目。
- 会津大学Online Judge（AOJ）
  还包含日语题。
- Sphere Online Judge（SPOJ）
  允许使用各种各样的编程语言。
- SGU Online Contester
  具有模拟参加历史比赛的虚拟赛功能。
- UVa Online Judge
  老字号Online Judge，经常举办比赛。
- Codeforces
  与TopCoder一样定期举办比赛，又同其他网站一样不断维护历届题库。

---

① 中国大陆的大学生若想晋级世界总决赛，通常也需要参加大陆任意赛区的网络预赛和现场区域赛并获得前几名。当然根据规则也有可能从亚洲其他地区获得出线权，其具体规则比较复杂并可能不断变化，大家可以从网上获得最新的规则。——译者注

② 中国大陆的中学生首先要闯过全国联赛（NOIP）、全国竞赛（NOI）和国家队选拔赛（CTSC）三关，才能参加国际信息学奥林匹克竞赛（IOI）。——译者注

1.3 本书的使用方法

▣ 在此，就本书所涉及的内容、使用方法及注意点做一下说明。

1.3.1 本书所涉及的内容

本书主要讲解程序设计竞赛中的经典问题和基础算法，并介绍便捷的实用技巧。如果仅仅是死记经典问题和基础算法，遇到难解的应用问题或是需要灵活想象力的问题时，仍然会难以下手。因此，为了加深理解，我们通过选自POJ的经典题和部分原创题来介绍实践中的例子。

另外，每章末尾都备有挑战GCJ中实战题目的小栏目，里面都是精选出来的题目。尽管要找到正确的解法恐怕不太容易，还是建议读者先自己试着多思考一下。在此基础上再阅读题解，能够得到更深刻的理解。

当然，在本书所介绍的解法之外，还会有更简洁或更高效的解法。大家不妨多试着去思考一下别的解法。

1.3.2 所用的编程语言

比赛中可用的编程语言各色各异，而C++在几乎所有比赛中都可用。它的运行速度快，库函数丰富，因而人气很高。本书选择C++作为所用的编程语言，并基本按照g++的规范来编写源代码。

1.3.3 题目描述的处理

在世界规模的大赛中，理所当然是用英语来描述题目的。不过，因为题目描述中的英语不那么难，所用的单词往往也非常有限，所以很快就能习惯。当然，这不是英语考试，字典也是允许自由使用的。另外，其中有些比赛会针对日本选手提供日语版的题目描述。英语的阅读理解不是题目的关键，因此本书的题目都与最开始的例子一样用中文概述①。

1.3.4 程序结构

在许多比赛中，程序都从标准输入按指定格式读入数据。输入并非问题的关键，所以本书的程序

---

① 原书为用日语描述。——译者注

都假设输入数据已经由main函数读入并保存在全局变量中，再通过调用solve函数来求解。例如对于最初的例子，程序将变成这样。

```cpp
// 读入输入数据后保存在这里
int n, m, k[MAX_N];

void solve() {
  bool f = false;

  for (int a = 0; a < n; a++) {
    for (int b = 0; b < n; b++) {
      for (int c = 0; c < n; c++) {
        for (int d = 0; d < n; d++) {
          if (k[a] + k[b] + k[c] + k[d] == m) {
            f = true;
          }
        }
      }
    }
  }

  if (f) puts("Yes");
  else puts("No");
}
```

1.3.5　练习题

每章末尾都会介绍与本章所涉及主题相关的题目。请利用它们来加深理解、巩固知识、培养实践能力。各个主题下的题目大致是按照难易程度排列的，其中亦包含非常难的应用问题。

1.3.6　读透本书后更上一层楼的练习方法

独自练习提高时，不妨同时使用Online Judge和TopCoder的Practice Room。特别是TopCoder，既提供了解题教程，又可以阅读别人的代码，当你无论如何都想不到解法时，还可以把它们作为参考，因而在此推荐。

1.4 如何提交解答

▥▶这里以POJ和GCJ为例，介绍提交解答的方法。

1.4.1 POJ 的提交方法

接下来，我们试着在POJ里提交写好的程序。用户需要在POJ注册后才能提交。注册页面除了用户名和密码外，还有email地址等信息的输入框，这些不是非填不可的。

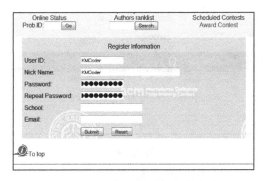

注册页面

成功登录之后，让我们试提交一下测试题A+B Problem。

题目描述页面

A+B Problem从标准输入读入两个整数*a*和*b*，并将它们的和*a*+*b*输出到标准输出。A+B Problem里还提供了提示示例。让我们试提交下面这个程序。

```
#include <cstdio>

int main() {
  int a, b;
  scanf("%d %d", &a, &b);
  printf("%d\n", a + b);
  return 0;
}
```

可以通过题目描述最下方的Submit链接提交。结果如下。

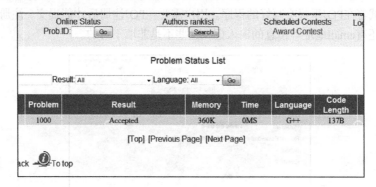

Accepted

顺利获得Accepted，表示所提交解答是正确的。如果程序输入了错误的答案，则会变成Wrong Answer。试将`printf("%d\n", a + b)`替换成`printf("%d\n", a * b)`再提交，果然就返回了Wrong Answer。

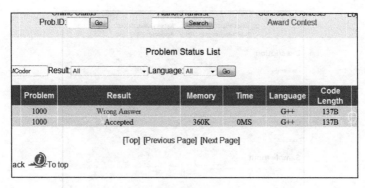

Wrong Answer

和比赛一样，Online Judge对程序的运行时间是有限制的。对于A+B Problem，这个限制是1000ms。让我们试提交一个超时的程序。在*printf*的后面加上一行*for* (;;); 后就返回了Time Limit Exceeded。

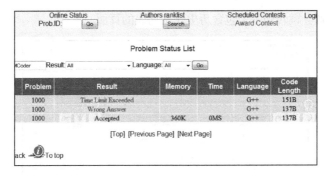

Time Limit Exceeded

系统的使用方法大致就是这样。此外，提交后的返回结果还有以下其他几种。

Runtime Error	表示程序因为非法内存访问或未处理异常而结束。
Memory Limit Exceeded	表示程序使用的内存超过规定的内存限制。
Presentation Error	表示虽然程序输出的答案是对的，但是换行或空格等不符合输出格式要求。
Output Limit Exceeded	表示程序输出了过多的内容。
Compile Error	表示所提交的源代码没能通过编译。这时打开Online Status的"Compile Error"链接还可以看到具体的编译错误信息。
System Error, Validator Error	表示系统发生错误无法正常判题。

1.4.2 GCJ 的提交方法

现在来说明GCJ的提交方法。正式的比赛也是通过这个网站通知和进行的。比赛的规则和日程都在这里，请认真查阅。

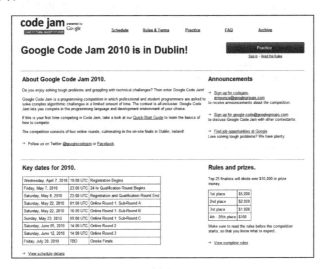

首页

按下Practice按钮，就会跳转到一个包含历史比赛列表的页面。

历届比赛列表等信息

虽然GCJ无需注册也能练习，不过正式参赛还是需要注册的，所以不妨提前注册好。在Upcoming Contest区域可以看到最近比赛的安排。如果比赛开始，这里则会显示参赛链接。

本书所介绍的GCJ的题目，都标注有场次及题号，便于读者练习。

从Previous Contests的列表中点击比赛名称，就会跳转到练习页面。虽然称为练习页面，和正式比赛的页面是一样的。在左下角的Top Scores中可以看到正式比赛中选手的得分，点击Full scoreboard还能看到更详细的结果。

在Full scoreboard中不光有详细的得分，还可以下载到正式比赛中选手所提交的源代码。页面左侧中央位置还有一个Submissions框，显示有正式比赛中各个问题的提交情况和分数。

Round 1A 2008

页面右侧从上到下依次是提交表单、题目描述、输入格式、输出格式、限制条件和样例。限制条件除了有Small和Large之分外，与POJ的基本无异。

点击名为Download A-small.in的链接，就会开始下载输入文件。正式比赛中，一下载输入文件就开始倒计时，如果超过了时间限制，就会得到Time expired，相当于Incorrect。下载好输入文件后，就可以将其交给写好的程序处理并将答案保存到输出文件。点击Submit按钮就能看到提交表单。在your output file中选择包含答案的输出文件，在source file(s)中选择源代码[1]，然后点击Submit file按钮提交。练习时，结果会马上返回。

正式比赛中，提交Small后马上就会返回Correct或是Incorrect。如果是Incorrect，则可以再反复不断尝试[2]。Large则要等到比赛结束后才知道是否正确。在提交时间限制内可以多次提交，但一旦过了这个时间，就不能再提交了。所以比赛中意外点击下载了Large的输入数据就糟糕了，比赛中需要多加注意[3]。

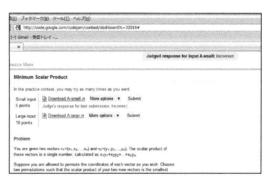

答案错误的情况（Incorrect）

按下Submit按钮后的页面

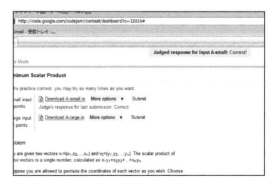

答案正确的情况（Correct）

---

① 只有正式比赛中才需要提交源代码。

② 每次Incorrect的尝试都会追加罚时。

③ 为此，GCJ的系统被设计成用户通过Small后才能下载Large的输入数据。——译者注

比赛最终是按照总分从大到小排名的。比赛时没有必要在解决了Small之后勉强去尝试对应的Large。解不出Large时，优先尝试已经有较多人解决的题目或估计能很快解决的Small是更为有效的策略。

在不同年份不同轮次，GCJ的规则都可能有变化，详细的规则请参见GCJ的主页。

1.5 以高效的算法为目标

➠本节介绍算法设计中至关重要的复杂度的估算方法。

1.5.1 什么是复杂度

在设计满足问题要求的算法时,复杂度的估算是非常重要的。我们不可能把每个想到的算法都去实现一遍看看是否足够快。应当通过估算算法的复杂度来判断所想的算法是否足够高效。

在分析复杂度时,我们通常考虑它与什么成正比,并称之为算法的阶。例如1.1节的程序执行了四重循环,每重n次,运行时间与n^4成正比。我们将与n^4成正比写作$O(n^4)$,将对应的运行时间写作$O(n^4)$时间[①]。

1.5.2 关于运行时间

程序的运行时间不光取决于复杂度,也会受诸如循环体的复杂性等因素的影响。但是,因此造成的差距多数情况下最多也就几十倍。另一方面,忽略其余因素,$n=1000$时,$O(n^3)$时间的算法和$O(n^2)$时间的算法的差距就是1000倍。因此要缩短程序的运行时间,主要应该从复杂度入手。

估算出算法的复杂度后,只要将数值可能的最大值代入复杂度的渐近式中,就能简单地判断算法是否能够满足运行时间限制的要求。例如,考虑$O(n^2)$时间的算法,假设题目描述中的限制条件为$n \leq 1000$,将$n=1000$代入n^2就得到了1000000。在这个数值的基础上,我们就可以结合下表进行判断了。

假设时间限制为1秒

1000000	游刃有余
10000000	勉勉强强
100000000	很悬,仅限循环体非常简单的情况

[①] 这里介绍的大O记号,严格来说并不是通过正比关系定义的,不过刚开始时这样理解也无妨。另外,我们也常常省略"时间"二字,用$O(n^4)$来表示与n^4成正比的运行时间。

1.6 轻松热身

➡️ 本节通过对几个问题的解析，和大家一起了解程序设计竞赛中题目的风格，学习设计算法并估算复杂度的过程。其中有一些问题比较复杂，不能想到它们的解法也不要紧，能够通过阅读题解体会到其中的趣味就好。

1.6.1　先从简单题开始

三角形

有 n 根棍子，棍子 i 的长度为 a_i。想要从中选出 3 根棍子组成周长尽可能长的三角形。请输出最大的周长，若无法组成三角形则输出 0。

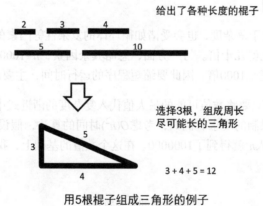

给出了各种长度的棍子

选择3根，组成周长尽可能长的三角形

3 + 4 + 5 = 12

用5根棍子组成三角形的例子

⚠️ **限制条件**
- $3 \leqslant n \leqslant 100$
- $1 \leqslant a_i \leqslant 10^6$

样例 1

输入

```
n = 5
a = {2, 3, 4, 5, 10}
```

输出

12（选择3、4、5时）

 样例 2

输入

```
n = 4
a = {4, 5, 10, 20}
```

输出

0（无论怎么选都无法组成三角形）

选择3根棍子，它们能组成三角形的充要条件为

　　　　最长棍子的长度 < 其余两根棍子的长度之和。

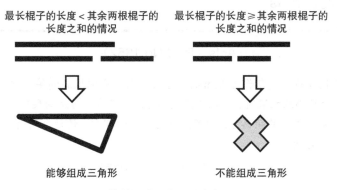

能够组成三角形的条件

于是我们可以试想这样一种算法：首先用三重循环枚举所有的棍子选择方案，再利用上式判断能否组成三角形。如果可以，那么该三角形的周长就是备选答案。

这里用了三重循环，所以复杂度是$O(n^3)$。将$n=100$代入n^3得到10^6，可知这个复杂度是足够低的[①]。

```
// 输入
int n, a[MAX_N];

void solve() {
    int ans = 0; // 答案

    // 让i < j < k，这样棍子就不会被重复选中了
    for (int i = 0; i < n; i++) {
```

──────────────

① 本题还有$O(n\log n)$时间更高效的算法，留给有兴趣的读者思考。

```
for (int j = i + 1; j < n; j++) {
  for (int k = j + 1; k < n; k++) {
    int len = a[i] + a[j] + a[k];      // 周长
    int ma = max(a[i], max(a[j], a[k])); // 最长棍子的长度
    int rest = len - ma;               // 其余两根棍子的长度之和

    if (ma < rest) {
      // 可以组成三角形，如果可以更新答案则更新
      ans = max(ans, len);
    }
  }
}

// 输出
printf("%d\n", ans);
}
```

1.6.2 POJ 的题目 Ants

Ants（POJ No.1852）

n 只蚂蚁以每秒 1cm 的速度在长为 L cm 的竿子上爬行。当蚂蚁爬到竿子的端点时就会掉落。由于竿子太细，两只蚂蚁相遇时，它们不能交错通过，只能各自反向爬回去。对于每只蚂蚁，我们知道它距离竿子左端的距离 x_i，但不知道它当前的朝向。请计算所有蚂蚁落下竿子所需的最短时间和最长时间。

各个蚂蚁正朝向哪边是不知道的

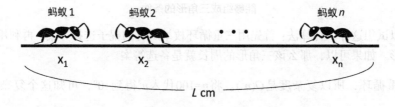

蚂蚁 1   蚂蚁 2   · · ·   蚂蚁 n

x_1 x_2 x_n

L cm

竿子和蚂蚁的情况

⚠ **限制条件**
- $1 \leqslant L \leqslant 10^6$
- $1 \leqslant n \leqslant 10^6$
- $0 \leqslant x_i \leqslant L$

样例

输入

```
L = 10
n = 3
x = {2, 6, 7}
```

输出

```
min = 4（左、右、右）
max = 8（右、右、右）
```

首先很容易想到一个穷竭搜索[①]算法，即枚举所有蚂蚁的初始朝向的组合，这可以利用递归函数实现（详见2.1节）。

每只蚂蚁的初始朝向都有2种可能，n只蚂蚁就是$2 \times 2 \times \cdots \times 2 = 2^n$种。如果$n$比较小，这个算法还是可行的，但指数函数随着$n$的增长会急剧增长。

2^n增长的趋势

n	1	5	10	20	30	100	10000	1000000
2^n	2	32	1024	1048576	10^9	10^{30}	10^{3010}	10^{301030}

穷竭搜索的运行时间也随之急剧增长。一般把指数阶的运行时间叫做指数时间。指数时间的算法无法处理稍大规模的输入。

接下来，让我们来考虑比穷竭搜索更高效的算法。首先对于最短时间，看起来所有蚂蚁都朝向较近的端点走会比较好。事实上，这种情况下不会发生两只蚂蚁相遇的情况，而且也不可能在比此更短的时间内走到竿子的端点。

接下来，为了思考最长时间的情况，让我们看看蚂蚁相遇时会发生什么。

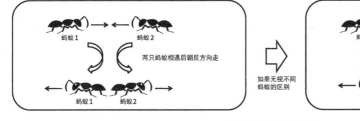

相遇后会发生什么

事实上，可以知道两只蚂蚁相遇后，当它们保持原样交错而过继续前进也不会有任何问题。这样

---

① 也叫蛮力搜索，口语中常简称暴搜。——译者注

看来,可以认为每只蚂蚁都是独立运动的,所以要求最长时间,只要求蚂蚁到竿子端点的最大距离就好了。

这样,不论最长时间还是最短时间,都只要对每只蚂蚁检查一次就好了,这是$O(n)$时间的算法。对于限制条件$n \leq 10^6$,这个算法是够用的,于是问题得解。

```
// 输入
int L, n;
int x[MAX_N];

void solve() {
  // 计算最短时间
  int minT = 0;
  for (int i = 0; i < n; i++) {
    minT = max(minT, min(x[i], L - x[i]));
  }

  // 计算最长时间
  int maxT = 0;
  for (int i = 0; i < n; i++) {
    maxT = max(maxT, max(x[i], L - x[i]));
  }

  printf("%d %d\n", minT, maxT);
}
```

这个问题可以说是考察想象力类型问题的经典例子。有很多这样的问题,虽然开始不太明白,但想通之后,最后的程序却是出乎意料地简单。

1.6.3　难度增加的抽签问题

如果将最开始的抽签问题中关于n的限制条件改为$1 \leq n \leq 1000$(题目描述参见1.1节),那么应该如何求解呢?最初的四重循环算法是$O(n^4)$时间的,将n=1000带入n^4得到10^{12},这是远远不够的,必须改进算法。

```
for (int a = 0; a < n; a++) {
  for (int b = 0; b < n; b++) {
    for (int c = 0; c < n; c++) {
      for (int d = 0; d < n; d++) {
        if (k[a] + k[b] + k[c] + k[d] == m) {
          f = true;
        }
      }
    }
  }
}
```

上面是最初所记载的程序的循环部分。最内侧关于d的循环所做的事就是

    检查是否有d使得$k_a + k_b + k_c + k_d = m$

通过对式子移向，就能得到另一种表达方式

    检查是否有d使得$k_d = m - k_a - k_b - k_c$

就是说，检查数组k中所有元素，判断是否有$m-k_a-k_b-k_c$。

让我们着眼这一点来考虑快速的检查方法。虽然也有利用数据结构优化的方法（在2.4节介绍），这里要介绍的是名为二分搜索的算法。

1. 二分搜索与$O(n^3 \log n)$的算法

记所要查找的值$m-k_a-k_b-k_c$为x。预先把数组k排好序，然后看k中央的数字[①]，可知

- 如果它比x小，x只可能在它的后面半段。
- 如果它比x大，x只可能在它的前面半段。

如果再将上述方法运用在已经减半的x的存在区间上，x的存在区间就变成了初始的1/4。这样反复操作就可以不断缩小x的存在区间，最终可以确定x存在与否。

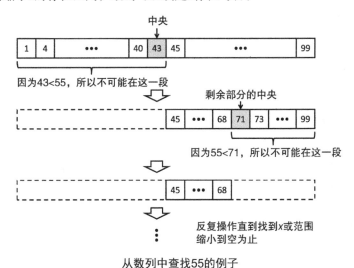

从数列中查找55的例子

二分搜索算法每次将候选区间减小至大约原来的一半。因此，要判断长度为n的有序数组k中是否包含x，只要反复执行约$\log_2 n$次就完成了。二分查找的复杂度是$O(\log n)$时间的，我们称这种阶的运行时间为对数时间。即便n变得很大时，对数时间的算法依然非常快速。

---

① 如果元素个数是偶数，是没有中间数字的，这时候观察离中间最近的某边的值。

即使 n 变得很大，$\log_2 n$ 也依然很小

n	1	10	100	1000	10^6	10^9
$\log_2 n$	0	3	7	10	20	30

将最内侧的循环替换成二分搜索算法之后，就变成

- 排序 $O(n\log n)$ 时间
- 循环 $O(n^3\log n)$ 时间

$n^3\log n$ 比 $n\log n$ 大，所以这里合起来当作 $O(n^3\log n)$ 时间。于是，我们得到了在 $O(n^3\log n)$ 时间内解决抽签问题的算法。

```cpp
// 输入
int n, m, k[MAX_N];

bool binary_search(int x) {
  // x的存在范围是k[l], k[l+1], ..., k[r-1]
  int l = 0, r = n;

  // 反复操作直到存在范围为空
  while (r - l >= 1) {
    int i = (l + r) / 2;
    if (k[i] == x) return true; // 找到x
    else if (k[i] < x) l = i + 1;
    else r = i;
  }

  // 没找到x
  return false;
}

void solve() {
  // 为了执行二分查找需要先排序
  sort(k, k + n);

  bool f = false;

  for (int a = 0; a < n; a++) {
    for (int b = 0; b < n; b++) {
      for (int c = 0; c < n; c++) {
        // 将最内侧的循环替换成二分查找
        if (binary_search(m - k[a] - k[b] - k[c])) {
          f = true;
        }
      }
    }
  }

  if (f) puts("Yes");
  else puts("No");
}
```

事实上，像binary_search这样的函数，多数情况下无需自己实现，可以使用标准实现。例如C++的STL中就含有提供基本同样功能的函数。

2. $O(n^2 \log n)$的算法

但是，将n=1000带入$n^3\log n$，会发现这依然是远远不够的，必须要对算法做进一步优化。刚才我们只着眼于四重循环程序中最内层的循环。接下来，让我们着眼于内侧的两个循环。

同刚才一样的思路，内侧的两个循环是在

检查是否有c和d使得$k_c + k_d = m - k_a - k_b$。

这种情况并不能直接使用二分搜索。但是，如果预先枚举出$k_c + k_d$所得的n^2个数字并排好序，便可以利用二分搜索了[①]。

该算法

- 排序$O(n^2\log n)$时间
- 循环$O(n^2\log n)$时间

总的也是$O(n^2\log n)$时间。这样就可以确信即便n=1000也能妥善应对了。

```
// 输入
int n, m, k[MAX_N];

// 保存2个数的和的数列
int kk[MAX_N * MAX_N];

bool binary_search(int x) {
  // x的存在范围是kk[l], kk[l+1], …, kk[r-1]
  int l = 0, r = n * n;

  // 反复操作直到存在范围为空
  while (r - l >= 1) {
    int i = (l + r) / 2;
    if (kk[i] == x) return true; // 找到x
    else if (kk[i] < x) l = i + 1;
    else r = i;
  }

  // 没找到x
  return false;
}

void solve() {
  // 枚举k[c]+k[d]的和
  for (int c = 0; c < n; c++) {
```

①确切地说，去除重复后$n(n+1)/2$个数字就够了，不过为了方便可以写成枚举n^2个数字。

```
  for (int d = 0; d < n; d++) {
    kk[c * n + d] = k[c] + k[d];
  }
}

// 排序以便进行二分搜索
sort(kk, kk + n * n);

bool f = false;
for (int a = 0; a < n; a++) {
  for (int b = 0; b < n; b++) {
    // 将内侧的两个循环替换成二分搜索
    if (binary_search(m - k[a] - k[b])) {
      f = true;
    }
  }
}

if (f) puts("Yes");
else puts("No");
}
```

本问题既需要二分搜索这一基础算法知识，也需要将四个数分成两两考虑的想象力。此外，像这样从复杂度较高的算法出发，不断降低复杂度直到满足问题要求的过程，也是设计算法时常会经历的一个过程。

第 2 章
初出茅庐——初级篇

2.1 最基础的"穷竭搜索"

⟹穷竭搜索是将所有的可能性罗列出来，在其中寻找答案的方法。这里我们主要介绍深度优先搜索和广度优先搜索这两种方法。

2.1.1 递归函数

在一个函数中再次调用该函数自身的行为叫做递归，这样的函数被称作递归函数。例如，我们想要编写一个计算阶乘的函数int fact(int n)，当然，用循环来实现也是可以的。但是根据阶乘的递推式$n! = n \times (n-1)!$，我们可以写成如下形式：

```
int fact(int n) {
  if (n == 0) return 1;
  return n * fact(n - 1);
}
```

在编写一个递归函数时，函数的停止条件是必须存在的。在刚刚的例子中，当$n=0$时fact并不是继续调用自身，而是直接返回1。如果没有这一条件存在，函数就会无限地递归下去，程序就会失控崩溃了。

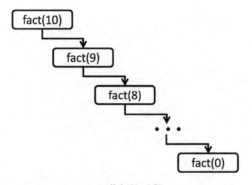

fact递归的过程

我们再来试试编写计算斐波那契数列的函数int fib(int n)。斐波那契数列的定义是$a_0=0$、$a_1=1$以及$u_n=u_{n-1}+u_{n-2}$ $(n>1)$。这里，初项的条件就对应了递归的终止条件。数列的定义直接写成函数就可以了。

```
int fib(int n) {
  if (n <= 1) return n;
  return fib(n - 1) + fib(n - 2);
}
```

实际使用这个函数时，即使是求fib(40)这样的n较小时的结果，也要花费相当长的时间。这是因为这个函数在递归时，会像下图一样按照指数级别扩展开来。

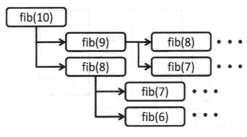

fib(10) 递归的过程

在斐波那契数列中，如果fib(n)的n是一定的，无论多少次调用都会得到同样的结果。因此如果计算一次之后，用数列将结果存储起来，便可优化之后的计算。（上图中）fib(10)被调用时同样的n被计算了很多次，因此可以获得很大的优化空间。这种方法是出于记忆化搜索或者动态规划的想法，之后我们会介绍。

```
int memo[MAX_N + 1];

int fib(int n) {
  if (n <= 1) return n;
  if (memo[n] != 0) return memo[n];
  return memo[n] = fib(n - 1) + fib(n - 2);
}
```

2.1.2 栈

栈（Stack）是支持push和pop两种操作的数据结构。push是在栈的顶端放入一组数据的操作。反之，pop是从其顶端取出一组数据的操作。因此，最后进入栈的一组数据可以最先被取出（这种行为被叫做LIFO: Last In First Out，即后进先出）。

通过使用数组或者列表等结构可以很容易实现栈，不过C++、Java等程序语言的标准库已经为我们准备好了这一常用结构，在比赛中需要时不妨使用它们。C++的标准库中，stack::pop完成的仅仅是移除最顶端的数据。如果要访问最顶端的数据，需要使用stack::top函数（这个操作通常也被称为peek）。

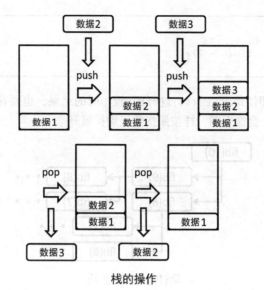

栈的操作

函数调用的过程是通过使用栈实现的。因此,递归函数的递归过程也可以改用栈上的操作来实现。现实中需要如此改写的场合并不多,不过作为使用栈的练习试试看也是不错的。以下是使用stack的例子:

```
#include <stack>
#include <cstdio>

using namespace std;

int main() {
  stack<int> s;               // 声明存储int类型数据的栈
  s.push(1);                  // {} → {1}
  s.push(2);                  // {1} → {1,2}
  s.push(3);                  // {1,2} → {1,2,3}
  printf("%d\n", s.top());    // 3
  s.pop();                    // 从栈顶移除 {1,2,3}→{1,2}
  printf("%d\n", s.top());    // 2
  s.pop();                    // {1,2} → {1}
  printf("%d\n", s.top());    // 1
  s.pop();                    // {1} → {}
  return 0;
}
```

2.1.3   队列

队列(Queue)与栈一样支持push和pop两个操作。但与栈不同的是,pop完成的不是取出最顶端的元素,而是取出最底端的元素。也就是说最初放入的元素能够最先被取出(这种行为被叫做FIFO: First In First Out,即先进先出)。

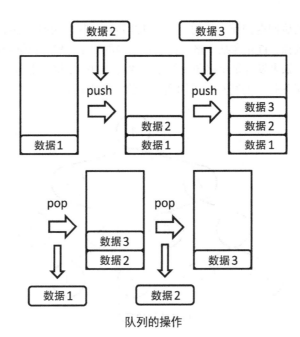

队列的操作

如同栈一样，C++、Java等的标准库也预置了队列。Java与C++中的函数的名称与用途稍有不同，因此使用时要注意。此外，在C++中queue::front是用来访问最底端数据的函数。以下是使用queue的例子：

```
#include <queue>
#include <cstdio>

using namespace std;

int main() {
  queue<int> que;              // 声明存储int类型数据的队列
  que.push(1);                 // {} → {1}
  que.push(2);                 // {1} → {1,2}
  que.push(3);                 // {1,2} → {1,2,3}
  printf("%d\n", que.front()); // 1
  que.pop();                   // 从队尾移除 {1,2,3}→{2,3}
  printf("%d\n", que.front()); // 2
  que.pop();                   // {2,3} → {3}
  printf("%d\n", que.front()); // 3
  que.pop();                   // {3} → {}
  return 0;
}
```

2.1.4 深度优先搜索

深度优先搜索（DFS，Depth-First Search）是搜索的手段之一。它从某个状态开始，不断地转移状态直到无法转移，然后回退到前一步的状态，继续转移到其他状态，如此不断重复，直至找到最终的解。例如求解数独，首先在某个格子内填入适当的数字，然后再继续在下一个格子内填入数字，如此继续下去。如果发现某个格子无解了，就放弃前一个格子上选择的数字，改用其他可行的数字。根据深度优先搜索的特点，采用递归函数实现比较简单。

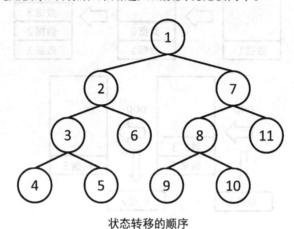

状态转移的顺序

我们来试着解答一下下面的题目：

部分和问题

给定整数 a_1、a_2、$\cdots$、a_n，判断是否可以从中选出若干数，使它们的和恰好为 k。

⚠️**限制条件**

- $1 \leqslant n \leqslant 20$
- $-10^8 \leqslant a_i \leqslant 10^8$
- $-10^8 \leqslant k \leqslant 10^8$

样例1

输入

```
n=4
a={1,2,4,7}
k=13
```

输出

```
Yes (13 = 2 + 4 + 7)
```

输入

```
n=4
a={1,2,4,7}
k=15
```

输出

```
No
```

从a_1开始按顺序决定每个数加或不加，在全部n个数都决定后再判断它们的和是不是k即可。因为状态数是2^{n+1}，所以复杂度是$O(2^n)$。如何实现这个搜索，请参见下面的代码。注意a的下标与题目描述中的下标偏移了1。在程序中使用的是0起始的下标规则，题目描述中则是1开始的，这一点要注意避免搞混。

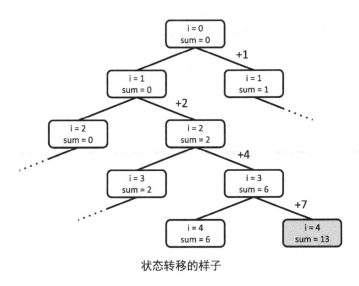

状态转移的样子

```cpp
// 输入
int a[MAX_N];
int n, k;

// 已经从前i项得到了和sum，然后对于i项之后的进行分支
bool dfs(int i, int sum) {
    // 如果前n项都计算过了，则返回sum是否与k相等
    if (i == n) return sum == k;

    // 不加上a[i]的情况
    if (dfs(i + 1, sum)) return true;

    // 加上a[i]的情况
```

```
    if (dfs(i + 1, sum + a[i])) return true;

    // 无论是否加上a[i]都不能凑成k就返回false
    return false;
}

void solve() {
    if (dfs(0, 0)) printf("Yes\n");
    else printf("No\n");
}
```

深度优先搜索从最开始的状态出发，遍历所有可以到达的状态。由此可以对所有的状态进行操作，或者列举出所有的状态。

Lake Counting （POJ No.2386）

有一个大小为 $N×M$ 的园子，雨后积起了水。八连通的积水被认为是连接在一起的。请求出园子里总共有多少水洼？（八连通指的是下图中相对 W 的*的部分）

```
***
*W*
***
```

⚠️限制条件
- $N, M \leqslant 100$

样例

输入

```
N=10, M=12
园子如下图（'W'表示积水，'.'表示没有积水）
W........WW.
.WWW.....WWW
....WW...WW.
.........WW.
.........W..
..W......W..
.W.W.....WW.
W.W.W.....W.
.W.W......W.
..W.......W.
```

输出

3

从任意的W开始，不停地把邻接的部分用'.'代替。1次DFS后与初始的这个W连接的所有W就都被替换成了'.'，因此直到图中不再存在W为止，总共进行DFS的次数就是答案了。8个方向共对应了8种状态转移，每个格子作为DFS的参数至多被调用一次，所以复杂度为$O(8 \times N \times M) = O(N \times M)$。

```
// 输入
int N, M;
char field[MAX_N][MAX_M + 1]; // 园子

// 现在位置(x,y)
void dfs(int x, int y) {
  // 将现在所在位置替换为.
  field[x][y] = '.';

  // 循环遍历移动的8个方向
  for (int dx = -1; dx <= 1; dx++) {
    for (int dy = -1; dy <= 1; dy++) {
      // 向x方向移动dx，向y方向移动dy，移动的结果为（nx,ny)
      int nx = x + dx, ny = y + dy;
      // 判断(nx,ny)是不是在园子内，以及是否有积水
      if (0 <= nx && nx < N && 0 <= ny && ny < M && field[nx][ny] == 'W') dfs(nx, ny);
    }
  }
  return ;
}

void solve() {
  int res = 0;
  for (int i = 0; i < N; i++) {
    for (int j = 0; j < M; j++) {
      if (field[i][j] == 'W') {
        // 从有W的地方开始dfs
        dfs(i, j);
        res++;
      }
    }
  }
  printf("%d\n", res);
}
```

2.1.5 宽度优先搜索

宽度优先搜索（BFS，Breadth-First Search）也是搜索的手段之一。它与深度优先搜索类似，从某个状态出发探索所有可以到达的状态。

与深度优先搜索的不同之处在于搜索的顺序，宽度优先搜索总是先搜索距离初始状态近的状态。也就是说，它是按照开始状态→只需1次转移就可以到达的所有状态→只需2次转移就可以到达的所有状态→……这样的顺序进行搜索。对于同一个状态，宽度优先搜索只经过一次，因此复杂度为O(状态数 × 转移的方式)。

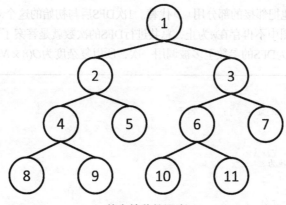

状态转移的顺序

深度优先搜索（隐式地）利用了栈进行计算，而宽度优先搜索则利用了队列。搜索时首先将初始状态添加到队列里，此后从队列的最前端不断取出状态，把从该状态可以转移到的状态中尚未访问过的部分加入队列，如此往复，直至队列被取空或找到了问题的解。通过观察这个队列，我们就可以知道所有的状态都是按照距初始状态由近及远的顺序被遍历的。

迷宫的最短路径

给定一个大小为 $N×M$ 的迷宫。迷宫由通道和墙壁组成，每一步可以向邻接的上下左右四格的通道移动。请求出从起点到终点所需的最小步数。请注意，本题假定从起点一定可以移动到终点。

⚠️限制条件
• $N, M \leq 100$

🔵 样例

输入

N=10，M=10（迷宫如下图所示。'#'，'.'，'S'，'G'分别表示墙壁、通道、起点和终点）

```
#S######.#
......#..#
.#.##.##.#
.#.......#
##.##.####
....#.#...#
.#######.#
....#....
.####.###.
....#...G#
```

输出

22

宽度优先搜索按照距开始状态由近及远的顺序进行搜索，因此可以很容易地用来求最短路径、最少操作之类问题的答案。这个问题中，状态仅仅是目前所在位置的坐标，因此可以构造成pair或者编码成int来表达状态。当状态更加复杂时，就需要封装成一个类来表示状态了。转移的方式为四方向移动，状态数与迷宫的大小是相等的，所以复杂度是$O(4 \times N \times M)=O(N \times M)$。

宽度优先搜索中，只要将已经访问过的状态用标记管理起来，就可以很好地做到由近及远的搜索。这个问题中由于要求最短距离，不妨用d[N][M]数组把最短距离保存起来。初始时用充分大的常数INF来初始化它，这样尚未到达的位置就是INF，也就同时起到了标记的作用。

虽然到达终点时就会停止搜索，可如果继续下去直到队列为空的话，就可以计算出到各个位置的最短距离。此外，如果搜索到最后，d依然为INF的话，便可得知这个位置就是无法从起点到达的位置。

在今后的程序中，使用像INF这样充分大的常数的情况还很多。不把INF当作例外，而是直接参与普通运算的情况也很常见。这种情况下，如果INF过大就可能带来溢出的危险。

假设INF=$2^{31}-1$。例如想用d[nx][ny]=min(d[nx][ny], d[x][y]+1)来更新d[nx][ny]，就会发生INF+1=-2^{31}的情况。这一问题中d[x][y]总不等于INF，所以没有问题。但是为了防止这样的问题，一般会将INF设为放大2~4倍也不会溢出的大小（可参考2.5节Floyd-Warshall算法等）。

因为要向4个不同方向移动，用dx[4]和dy[4]两个数组来表示四个方向向量。这样通过一个循环就可以实现四方向移动的遍历。

```cpp
const int INF = 100000000;

// 使用pair表示状态时，使用typedef会更加方便一些
typedef pair<int, int> P;

// 输入
char maze[MAX_N][MAX_M + 1];    // 表示迷宫的字符串的数组
int N, M;
int sx, sy;                     // 起点坐标
int gx, gy;                     // 终点坐标

int d[MAX_N][MAX_M];            // 到各个位置的最短距离的数组

// 4个方向移动的向量
int dx[4] = {1, 0, -1, 0}, dy[4] = {0, 1, 0, -1};

// 求从(sx, sy)到(gx, gy)的最短距离
// 如果无法到达，则是INF
int bfs() {
```

```
queue<P> que;
// 把所有的位置都初始化为INF
for (int i = 0; i < N; i++)
  for (int j = 0; j < M; j++) d[i][j] = INF;
// 将起点加入队列，并把这一地点的距离设置为0
que.push(P(sx, sy));
d[sx][sy] = 0;

// 不断循环直到队列的长度为0
while (que.size()) {
  // 从队列的最前端取出元素
  P p = que.front(); que.pop();
  // 如果取出的状态已经是终点，则结束搜索
  if (p.first == gx && p.second == gy) break;

  // 四个方向的循环
  for (int i = 0; i < 4; i++) {
    // 移动之后的位置记为(nx, ny)
    int nx = p.first + dx[i], ny = p.second + dy[i];

    // 判断是否可以移动以及是否已经访问过（d[nx][ny]!=INF即为已经访问过）
    if (0 <= nx && nx < N && 0 <= ny && ny < M && maze[nx][ny] != '#' &&
       d[nx][ny] == INF) {
      // 可以移动的话，则加入到队列，并且到该位置的距离确定为到p的距离+1
      que.push(P(nx, ny));
      d[nx][ny] = d[p.first][p.second] + 1;
    }
  }
}
return d[gx][gy];
}

void solve() {
  int res = bfs();
  printf("%d\n", res);
}
```

宽度优先搜索与深度优先搜索一样，都会生成所有能够遍历到的状态，因此需要对所有状态进行处理时使用宽度优先搜索也是可以的。但是递归函数可以很简短地编写，而且状态的管理也更简单，所以大多数情况下还是用深度优先搜索实现。反之，在求取最短路时深度优先搜索需要反复经过同样的状态，所以此时还是使用宽度优先搜索为好。

宽度优先搜索会把状态逐个加入队列，因此通常需要与状态数成正比的内存空间。反之，深度优先搜索是与最大的递归深度成正比的。一般与状态数相比，递归的深度并不会太大，所以可以认为深度优先搜索更加节省内存。

此外，也有采用与宽度优先搜索类似的状态转移顺序，并且注重节约内存占用的迭代加深深度优先搜索（IDDFS，Iterative Deepening Depth-First Search）。IDDFS是一种在最开始将深度优先搜索的递归次数限制在1次，在找到解之前不断增加递归深度的方法。这种方法会在4.5节详细介绍。

2.1.6 特殊状态的枚举

虽然生成可行解空间多数采用深度优先搜索，但在状态空间比较特殊时其实可以很简短地实现。比如，C++的标准库中提供了next_permutation这一函数，可以把 n 个元素共 $n!$ 种不同的排列生成出来。又或者，通过使用位运算，可以枚举从 n 个元素中取出 k 个的共 C_n^k 种状态或是某个集合中的全部子集等。3.2节将介绍如何利用位运算枚举状态。

```cpp
bool used[MAX_N];
int perm[MAX_N];

// 生成{0,1,2,3,4,...,n-1}的n!种排列

void permutation1(int pos, int n) {
  if (pos == n) {
    /*
     * 这里编写需要对perm进行的操作
     */
    return ;
  }

  // 针对perm的第pos个位置，究竟使用0~n-1中的哪一个进行循环
  for (int i = 0; i < n; i++) {
    if (!used[i]) {
      perm[pos] = i;
      // i已经被使用了，所以把标志设置为true
      used[i] = true;
      permutation1(pos + 1, n);
      // 返回之后把标志复位
      used[i] = false;
    }
  }
  return ;
}

#include <algorithm>

// 即使有重复的元素也会生成所有的排列
// next_permutation是按照字典序来生成下一个排列的
int perm2[MAX_N];

void permutation2(int n) {
  for (int i = 0; i < n; i++) {
    perm2[i] = i;
  }
  do {
    /*
     * 这里编写需要对perm2进行的操作
     */
  } while (next_permutation(perm2, perm2 + n));
// 所有的排列都生成后，next_permutation会返回false
  return ;
}
```

2.1.7 剪枝

顾名思义，穷竭搜索会把所有可能的解都检查一遍，当解空间非常大时，复杂度也会相应变大。比如n个元素进行排列时状态数总共有$n!$个，复杂度也就成了$O(n!)$。这样的话，即使$n=15$计算也很难较早终止。这里简单介绍一下此类情形要如何进行优化。

深度优先搜索时，有时早已很明确地知道从当前状态无论如何转移都不会存在解。这种情况下，不再继续搜索而是直接跳过，这一方法被称作剪枝。

我们回想一下深度优先搜索的例题"部分和问题"。这个问题中的限制条件如果变为$0 \leq a_i \leq 10^8$，那么在递归中只要sum超过k了，此后无论选择哪些数都不可能让sum等于k，所以此后没有必要继续搜索。

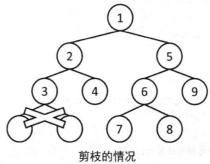

剪枝的情况

关于更多更高级的搜索手段，我们会在4.5节进行详细介绍。

专栏　栈内存和堆内存

调用函数时，主调的函数所拥有的局部变量等信息需要存储在特定的内存区域。这个区域被称作栈内存区。另一方面，利用 new 或者 malloc 进行分配的内存区域被称为堆内存。

栈内存在程序启动时被统一分配，此后不能再扩大。由于这一区域有上限，所以函数的递归深度也有上限。虽然与函数中定义的局部变量的数目有关，不过一般情况下 C 和 C++ 中进行上万次的递归是可以的。在 Java 中，在执行程序时可以用参数指定栈的大小。不同的程序设计竞赛所采用的设置各有不同，建议大家预先进行确认。GCJ 的话，程序是在自己的机器上执行的，所以可以自行设置参数。

全局变量被保存在堆内存区[①]。通常不推荐使用全局变量，但是在程序设计竞赛中，由于函数通常不是那么多，并且常常会有多个函数访问同一个数组，因此利用全局变量就很方便。此外，有时必须要申请巨大的数组，与放置在栈内存上相比，将其放置在堆内存上可以减少栈溢出的危险。同时，通常只需定义满足最大需要的数列大小，但如果再额外定义大一些，能很好地避免粗心导致的诸如忘记保留字符串末尾的'\0'的空间之类的漏洞。

---

① 此处原文表述有误。显式初始化的全局变量保存在数据段中，而未显式初始化的全局变量保存在BSS段中。——译者注

2.2 一往直前！贪心法

▶贪心法就是遵循某种规则，不断贪心地选取当前最优策略的算法设计方法。本节通过几个经典贪心问题的展示，来介绍贪心法。

2.2.1 硬币问题

硬币问题

有 1 元、5 元、10 元、50 元、100 元、500 元的硬币各 C_1、C_5、C_{10}、C_{50}、C_{100}、C_{500} 枚。现在要用这些硬币来支付 A 元，最少需要多少枚硬币？假定本题至少存在一种支付方案。

⚠️ **限制条件**
- $0 \leqslant C_1, C_5, C_{10}, C_{50}, C_{100}, C_{500} \leqslant 10^9$
- $0 \leqslant A \leqslant 10^9$

样例

输入

```
C₁ = 3, C₅ = 2, C₁₀ = 1, C₅₀ = 3, C₁₀₀ = 0, C₅₀₀ = 2, A = 620
```

输出

```
6（500元硬币1枚，50元硬币2枚，10元硬币1枚，5元硬币2枚，合计6枚）
```

这是个贴近生活的简单问题。凭直觉，可以得出如下正确的解答。

- 首先尽可能多地使用500元硬币；
- 剩余部分尽可能多地使用100元硬币；
- 剩余部分尽可能多地使用50元硬币；
- 剩余部分尽可能多地使用10元硬币；
- 剩余部分尽可能多地使用5元硬币；
- 最后的剩余部分使用1元硬币支付。

或者，简而言之，

- 优先使用面值大的硬币。

该算法可以说是贪心算法中最简单的例子。上节的搜索算法和下节的动态规划算法是在多种策略中选取最优解，而贪心算法则不同，它遵循某种规则，不断地选取当前最优策略。例如在此题中，"优先使用面值大的硬币"就是在计算过程中所遵循的规则。并且，我们只考虑"尽可能多的使用面值大的硬币"这一种当前最优策略。

如果问题能够用贪心算法来求解的话，那么它通常是非常高效的。如果把这里的硬币问题当作一种背包问题（参考下节的第一个问题），那么比起用下节将要介绍的动态规划算法求解，贪心算法更简单高效。

```
// 硬币的面值
const int V[6] = {1, 5, 10, 50, 100, 500};

// 输入
int C[6]; // C[0] = C_1, C[1] = C_5, ...
int A;

void solve() {
  int ans = 0;

  for (int i = 5; i >= 0; i--) {
    int t = min(A / V[i], C[i]); // 使用硬币i的枚数
    A -= t * V[i];
    ans += t;
  }

  printf("%d\n", ans);
}
```

2.2.2 区间问题

现在，让我们来考虑一下如下问题：

区间调度问题

有 n 项工作，每项工作分别在 s_i 时间开始，在 t_i 时间结束。对于每项工作，你都可以选择参与与否。如果选择了参与，那么自始至终都必须全程参与。此外，参与工作的时间段不能重叠（即使是开始的瞬间和结束的瞬间的重叠也是不允许的）。

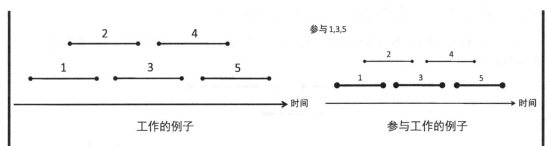

你的目标是参与尽可能多的工作, 那么最多能参与多少项工作呢?

⚠️**限制条件**
- $1 \leqslant N \leqslant 100000$
- $1 \leqslant s_i \leqslant t_i \leqslant 10^9$

样例

输入

```
n = 5, s = {1, 2, 4, 6, 8}, t = {3, 5, 7, 9, 10}
（对应上图）
```

输出

```
3（选取工作1、3、5）
```

这个问题也可以通过贪心算法来求解, 但不像前面的硬币问题那么简单。我们可以设计出各种各样的贪心算法, 例如下面的算法就是其中最容易想到的一种。

■ 在可选的工作（也就是和目前已选的工作都不重叠的工作）中, 每次都选取开始时间最早的工作。

该算法有一些不能正确处理的情况, 例如对于下面的情况, 该算法就无法得到正确的结果。

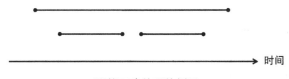

不能正确处理的例子

因此, 如果我们不慎重地选择一个正确的规则, 就会得到错误的算法。另外, 我们还能够想到下列几种算法。

(1) 在可选的工作中, 每次都选取结束时间最早的工作。
(2) 在可选的工作中, 每次都选取用时最短的工作。

(3) 在可选的工作中，每次都选取与最少可选工作有重叠的工作。

算法一是正确的，而其余两种都可以找到对应的反例。或者说，在有些情况下，它们所选取的工作并非最优。

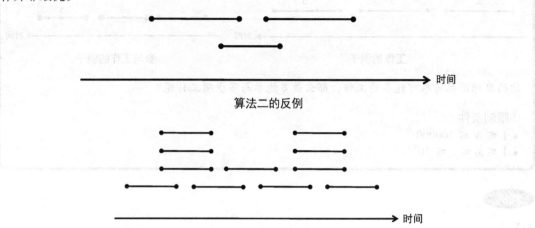

算法二的反例

算法三的反例

```
const int MAX_N = 100000;

// 输入
int N, S[MAX_N], T[MAX_N];

// 用于对工作排序的pair数组
pair<int, int> itv[MAX_N];

void solve() {
  // 对pair进行的是字典序比较
  // 为了让结束时间早的工作排在前面，把T存入first，把S存入second
  for (int i = 0; i < N; i++) {
    itv[i].first = T[i];
    itv[i].second = S[i];
  }
  sort(itv, itv + N);

  // t是最后所选工作的结束时间
  int ans = 0, t = 0;
  for (int i = 0; i < N; i++) {
    if (t < itv[i].second) {
      ans++;
      t = itv[i].first;
    }
  }

  printf("%d\n", ans);
}
```

专栏　贪心算法的证明

结束时间越早之后可选的工作也就越多。这是该算法能够正确处理问题的一个直观解释。但是，这不能算是严格意义上的证明。我们可以按下面的方法来证明。

(1) 与其他选择方案相比，该算法的选择方案在选取了相同数量的更早开始的工作时，其最终结束时间不会比其他方案的更晚。

(2) 所以，不存在选取更多工作的选择方案。

(1) 使用归纳法，(2) 使用反证法，就可以完成严格意义上的证明（证明过程较长，在此不再赘述）。

在程序设计竞赛中，只要程序能够正确运行就好了，严格意义上的算法证明并不是必须的。因此可以说，有足够自信的话是不需要证明的。但是，如果不能坚信算法是正确的，当程序不能正确运行时，就会搞不明白到底是算法设计有问题还是程序实现有问题。有时候在头脑中简单地思考一下证明也是挺好的。

2.2.3　字典序最小问题

Best Cow Line （POJ 3617）

给定长度为 N 的字符串 S，要构造一个长度为 N 的字符串 T。起初，T 是一个空串，随后反复进行下列任意操作。

- 从 S 的头部删除一个字符，加到 T 的尾部
- 从 S 的尾部删除一个字符，加到 T 的尾部

目标是要构造字典序[①]尽可能小的字符串 T。

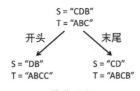

操作示例

⚠️**限制条件**
- $1 \leq N \leq 2000$
- 字符串 S 只包含大写英文字母

[①] 字典序是指从前到后比较两个字符串大小的方法。首先比较第1个字符，如果不同则第1个字符较小的字符串更小，如果相同则继续比较第2个字符……如此继续，来比较整个字符串的大小。

样例

输入

```
N = 6
S = "ACDBCB"
```

输出

ABCBCD（如下图所示进行操作）

输入数据对应的最优操作

从字典序的性质上看，无论 T 的末尾有多大，只要前面部分的较小就可以。所以我们可以试一下如下贪心算法：

■　不断取 S 的开头和末尾中较小的一个字符放到 T 的末尾。

这个算法已经接近正确了，只是针对 S 的开头和末尾字符相同的情形还没有定义。在这种情形下，因为我们希望能够尽早使用更小的字符，所以就要比较下一个字符的大小。下一个字符也有可能相同，因此就有如下算法：

■　按照字典序比较 S 和将 S 反转后的字符串 S'。
■　如果 S 较小，就从 S 的开头取出一个文字，追加到 T 的末尾。
■　如果 S' 较小，就从 S 的末尾取出一个文字，追加到 T 的末尾。
（如果相同则取哪个都可以）

根据前面提到的性质，字典序比较类的问题经常能用得上贪心法。

```
// 输入
int N;
char S[MAX_N + 1];

void solve() {
  // 剩余的字符串为S[a], S[a+1], ..., S[b]
  int a = 0, b = N - 1;

  while (a <= b) {
    // 将从左起和从右起的字符串比较
    bool left = false;
```

```
for (int i = 0; a + i <= b; i++) {
  if (S[a + i] < S[b - i]) {
    left = true;
    break;
  }
  else if (S[a + i] > S[b - i]) {
    left = false;
    break;
  }
}

if (left) putchar(S[a++]);
else putchar(S[b--]);
}

putchar('\n');
}
```

①

2.2.4 其他例题

1. Saruman's Army

Saruman's Army （POJ 3069）

直线上有 N 个点。点 i 的位置是 X_i。从这 N 个点中选择若干个，给它们加上标记。对每一个点，其距离为 R 以内的区域里必须有带有标记的点（自己本身带有标记的点，可以认为与其距离为 0 的地方有一个带有标记的点）。在满足这个条件的情况下，希望能为尽可能少的点添加标记。请问至少要有多少点被加上标记？

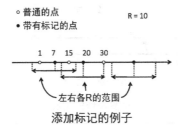

添加标记的例子

⚠️**限制条件**

- $1 \leqslant N \leqslant 1000$
- $0 \leqslant R \leqslant 1000$
- $0 \leqslant X_i \leqslant 1000$

---

① 原始的POJ3617题目要求输出的字符串按照80字符换行，这里的代码还是行不通的。

样例

输入

```
N = 6
R = 10
X = {1, 7, 15, 20, 30, 50}
```

输出

3（如上图所示）

我们从最左边开始考虑。对于这个点，到距其 R 以内的区域内必须要有带有标记的点。（此点位于最左边，所以显然）带有标记的这个点一定在此点右侧（包含这个点自身）。

于是，究竟要给哪个点加上标记呢？答案应该是从最左边的点开始，距离为 R 以内的最远的点。因为更左的区域没有覆盖的意义，所以应该尽可能覆盖更靠右的点。

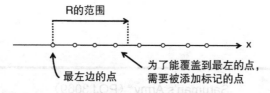

对于最左边的点的观察

如上所示，加上了第一个标记后，剩下的部分也用同样的办法处理。对于添加了符号的点右侧相距超过 R 的下一个点，采用同样的方法找到其右侧 R 距离以内最远的点添加标记。在所有的点都被覆盖之前不断地重复这一过程。

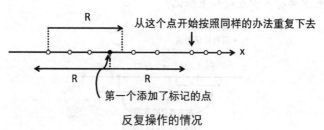

反复操作的情况

```
int N, R;
int X[MAX_N];

void solve() {
  sort(X, X + N);

  int i = 0, ans = 0;
  while (i < N) {
    // s是没有被覆盖的最左的点的位置
    int s = X[i++];
```

```
    // 一直向右前进直到距s的距离大于R的点
    while (i < N && X[i] <= s + R) i++;

    // p是新加上标记的点的位置
    int p = X[i - 1];
    // 一直向右前进直到距p的距离大于R的点
    while (i < N && X[i] <= p + R) i++;

    ans++;
  }

  printf("%d\n", ans);
}
```

2. Fence Repair

Fence Repair （POJ 3253）

农夫约翰为了修理栅栏，要将一块很长的木板切割成 N 块。准备切成的木板的长度为 L_1、L_2、…、L_N，未切割前木板的长度恰好为切割后木板长度的总和。每次切断木板时，需要的开销为这块木板的长度。例如长度为 21 的木板要切成长度为 5、8、8 的三块木板。长 21 的木板切成长为 13 和 8 的板时，开销为 21。再将长度为 13 的板切成长度为 5 和 8 的板时，开销是 13。于是合计开销是 34。请求出按照目标要求将木板切割完最小的开销是多少。

⚠**限制条件**
- $1 \leqslant N \leqslant 20000$
- $0 \leqslant L_i \leqslant 50000$

样例

输入

```
N = 3, L = {8, 5, 8}
```

输出

```
34（对应于题目中的例子）
```

由于木板的切割顺序不确定，自由度很高，这个题目貌似很难入手。但是其实可以用略微奇特的贪心法来求解。

首先，切割的方法可以参见下图的二叉树来描述。二叉树的介绍详见2.4节，如果对这一概念不了解可以先移步学习一下。

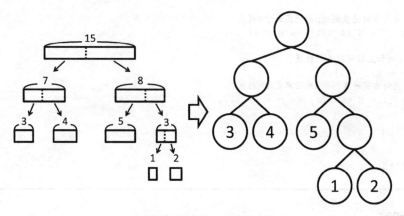

对应切割方法的二叉树的例子

这里每一个叶子节点就对应了切割出的一块块木板。叶子节点的深度就对应了为了得到对应木板所需的切割次数，开销的合计就是各叶子节点的

木板的长度×节点的深度

的总和。例如，上图示例的全部开销就可以这样计算：

$$3 \times 2+4 \times 2+5 \times 2+1 \times 3+2 \times 3=33$$

于是，此时的最佳切割方法首先应该具有如下性质：

最短的板与次短的板的节点应当是兄弟节点

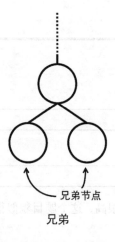

兄弟节点

兄弟

对于最优解来讲，最短的板应当是深度最大的叶子节点之一。所以与这个叶子节点同一深度的兄弟节点一定存在，并且由于同样是最深的叶子节点，所以应该对应于次短的板。

不妨将L按照大小顺序排列, 那么最短的板应该是L_1而次短的则是L_2。如果它们在二叉树中是兄弟节点, 就意味着它们是从一块长度为(L_1+L_2)的板切割得来的。由于切割顺序是自由的, 不妨当作是最后被切割。这样一来, 在这次切割前就有

$$(L_1+L_2), L_3, L_4, \cdots, L_N$$

这样的$N-1$块木板存在。与以上讨论的方式相同, 递归地将这$N-1$块木板的问题求解, 就可以求出整个问题的答案。这样实现的话, 虽然复杂度是$O(N^2)$, 对于题目的输入规模来说, 已经足以在时间限制内通过了。不过本题可以用$O(N\log N)$的时间求解, 我们将在2.4节进行介绍。

```
typedef long long ll;

// 输入
int N, L[MAX_N];

void solve() {
  ll ans = 0;

  // 直到计算到木板为1块时为止
  while (N > 1) {
    // 求出最短的板mii1和次短的板mii2
    int mii1 = 0, mii2 = 1;
    if (L[mii1] > L[mii2]) swap(mii1, mii2);

    for (int i = 2; i < N; i++) {
      if (L[i] < L[mii1]) {
        mii2 = mii1;
        mii1 = i;
      }
      else if (L[i] < L[mii2]) {
        mii2 = i;
      }
    }

    // 将两块板拼合
    int t = L[mii1] + L[mii2];
    ans += t;

    if (mii1 == N - 1) swap(mii1, mii2);
    L[mii1] = t;
    L[mii2] = L[N - 1];
    N--;
  }

  printf("%lld\n", ans);
}
```

专栏　霍夫曼（Huffman）编码

这个问题的解法作为计算霍夫曼编码的算法而被熟知。例如将字符用 0 和 1 组成的序列对应起来后，一篇文章可以用一连串 0 和 1 的序列来表达。一般的字符编码就是这些对应关系当中的一种。但是，不同的字符在文章中出现的频度会有所不同，由此将频度比较高的'e'对应到较短的序列，而将频度比较低的'z'对应到较长的序列的话，文章可以用更短的序列来表达。

霍夫曼编码就是这类编码方法中的一种。在上述算法中，将木板换成字符，长度换成频度就可以了。这样，在生成的二叉树中，从根出发，走向左边就将 0，走向右边就将 1 追加到编码的末尾，到达每个叶子节点时就能得到该节点对应的码字了。

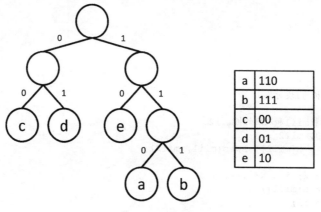

二叉树对应到编码的例子

a	110
b	111
c	00
d	01
e	10

霍夫曼编码是当码字长度为整数情况时最优的编码方案。

2.3 记录结果再利用的"动态规划"

⟫动态规划（DP: Dynamic Programming）是算法的设计方法之一，在程序设计竞赛中经常被选作题材。在此，我们考察一些经典的DP问题，来看看DP究竟是何种类型的算法。

2.3.1 记忆化搜索与动态规划

---

01 背包问题

有 n 个重量和价值分别为 w_i, v_i 的物品。从这些物品中挑选出总重量不超过 W 的物品，求所有挑选方案中价值总和的最大值。

⚠️限制条件
- $1 \leqslant n \leqslant 100$
- $1 \leqslant w_i, v_i \leqslant 100$
- $1 \leqslant W \leqslant 10000$

样例

输入
```
n = 4
(w, v) = {(2, 3), (1, 2), (3, 4), (2, 2)}
W = 5
```

输出
```
7（选择第0、1、3号物品）
```

这是被称为背包问题的一个著名问题。这个问题要如何求解比较好呢？不妨先用最朴素的方法，针对每个物品是否放入背包进行搜索试试看。这个想法实现后的结果请参见如下代码：

```
// 输入
int n, W;
int w[MAX_N], v[MAX_N];

// 从第i个物品开始挑选总重小于j的部分
```

```
int rec(int i, int j) {
  int res;
  if (i == n) {
    // 已经没有剩余物品了
    res = 0;
  } else if (j < w[i]) {
    // 无法挑选这个物品
    res = rec(i + 1, j);
  } else {
    // 挑选和不挑选的两种情况都尝试一下
    res = max(rec(i + 1, j), rec(i + 1, j - w[i]) + v[i]);
  }
  return res;
}

void solve() {
  printf("%d\n", rec(0, W));
}
```

只不过，这种方法的搜索深度是n，而且每一层的搜索都需要两次分支，最坏就需要$O(2^n)$的时间，当n比较大时就没办法解了。所以要怎么办才好呢？为了优化之前的算法，我们看一下针对样例输入的情形下rec递归调用的情况。

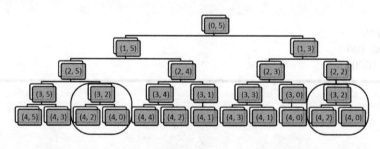

递归地调用

如图所示，rec以(3,2)为参数调用了两次。如果参数相同，返回的结果也应该相同，于是第二次调用时已经知道了结果却白白浪费了计算时间。让我们在这里把第一次计算时的结果记录下来，省略掉第二次以后的重复计算试试看。

```
int dp[MAX_N + 1][MAX_W + 1]; // 记忆化数组

int rec(int i, int j) {
  if (dp[i][j] >= 0) {
    // 已经计算过的话直接使用之前的结果
    return dp[i][j];
  }
  int res;
  if (i == n) {
    res = 0;
  } else if (j < w[i]) {
```

```
      res = rec(i + 1, j);
    } else {
      res = max(rec(i + 1, j), rec(i + 1, j - w[i]) + v[i]);
    }
    // 将结果记录在数组中
    return dp[i][j] = res;
}

void solve() {
    // 用-1表示尚未计算过,初始化整个数组
    memset(dp, -1, sizeof(dp));
    printf("%d\n", rec(0, W));
}
```

这微小的改进能降低多少复杂度呢?对于同样的参数,只会在第一次被调用到时执行递归部分,第二次之后都会直接返回。参数的组合不过nW种,而函数内只调用2次递归,所以只需要$O(nW)$的复杂度就能解决这个问题。只需略微改良,可解的问题的规模就可以大幅提高。这种方法一般被称为记忆化搜索。

专栏　使用memset进行初始化

虽然 memset 按照 1 字节为单位对内存进行填充,−1 的每一位二进制位都是 1,所以可以像 0 一样用 memset 进行初始化。通过使用 memset 可以快速地对高维数组等进行初始化,但是需要注意无法初始化成 1 之类的数值。

专栏　穷竭搜索的写法

如果对记忆化搜索还不是很熟练的话,可能会把前面的搜索写成下面这样

```
// 目前选择的物品价值总和是sum,从第i个物品之后的物品中挑选重量总和小于j的物品
int rec(int i, int j, int sum) {
  int res;
  if (i == n) {
    // 已经没有剩余物品了
    res = sum;
  } else if (j < w[i]) {
    // 无法挑选这个物品
    res = rec(i + 1, j, sum);
  } else {
    // 挑选和不挑选的两种情况都尝试一下
    res = max(rec(i + 1, j, sum), rec(i + 1, j - w[i], sum + v[i]));
  }
  return res;
}
```

在需要剪枝的情况下,可能会像这样把各种参数都写在函数上,但是在这种情况下会让记忆化搜索难以实现,需要注意。

接下来，我们来仔细研究一下前面的算法利用到的这个记忆化数组。记 $dp[i][j]$ 为根据rec的定义，从第 i 个物品开始挑选总重小于 j 时，总价值的最大值。于是我们有如下递推式

$$dp[n][j] = 0$$

$$dp[i][j] = \begin{cases} dp[i+1][j] & (j < w[i]) \\ \max(dp[i+1][j], dp[i+1][j-w[i]]+v[i]) & (其他) \end{cases}$$

如上所示，不用写递归函数，直接利用递推式将各项的值计算出来，简单地用二重循环也可以解决这一问题。

i\j	0	1	2	3	4	5
0	-	-	-	-	-	-
1	-	-	-	-	-	-
2	-	-	-	-	-	-
3	0	0	2	2	-	-
4	0	0	0	0	0	0

i\j	0	1	2	3	4	5
0	0	2	3	5	6	7
1	0	2	2	4	6	6
2	0	0	2	4	4	6
3	0	0	2	2	2	2
4	0	0	0	0	0	0

dp[3][3]=max(dp[4][3], dp[4][1]+2)   dp[0][5]=max(dp[1][5], dp[1][3]+3)

```
int dp[MAX_N + 1][MAX_W + 1]; / DP数组

void solve() {
    for (int i = n - 1; i >= 0; i--) {
        for (int j = 0; j <= W; j++) {
            if (j < w[i]) {
                dp[i][j] = dp[i + 1][j];
            } else {
                dp[i][j] = max(dp[i + 1][j], dp[i + 1][j - w[i]] + v[i]);
            }
        }
    }
    printf("%d\n", dp[0][W]);
}
```

这个算法的复杂度与前面相同，也是 $O(nW)$，但是简洁了很多。以这种方式一步步按顺序求出问题的解的方法被称作动态规划法，也就是常说的DP。解决问题时既可以按照如上方法从记忆化搜索出发推导出递推式，熟练后也可以直接得出递推式。

专栏   注意不要忘记初始化

因为全局数组的内容会被初始化为0，所以前面的源代码中并没有显式地将初项=0进行赋值，不过当一次运行要处理多组输入数据时，必须要进行初始化，这点一定要注意。

专栏　各种各样的DP

刚刚讲到 DP 中关于 i 的循环是逆向进行的。反之，如果按照如下的方式定义递推关系的话，关于 i 的循环就能正向进行。

$dp[i+1][j]$:= 从 0 到 i 这 $i+1$ 个物品中选出总重量不超过 j 的物品时总价值的最大值

$dp[0][j] = 0$

$$dp[i+1][j] = \begin{cases} dp[i][j] & (j < w[i]) \\ \max(dp[i][j], dp[i][j-w[i]]+v[i]) & (其他) \end{cases}$$

i＼j	0	1	2	3	4	5
0	0	0	0	0	0	0
1	0	0	3	3	3	3
2	0	2	3	5	5	5
3	0	2	3	5	6	
4	-	-	-	-	-	

dp[3][4]=max(dp[2][4], dp[2][1]+4)

```
void solve() {
  for (int i = 0; i < n; i++) {
    for (int j = 0; j <= W; j++) {
      if (j < w[i]) {
        dp[i + 1][j] = dp[i][j];
      } else {
        dp[i + 1][j] = max(dp[i][j], dp[i][j - w[i]] + v[i]);
      }
    }
  }
  printf("%d\n", dp[n][W]);
}
```

此外，除了运用递推方式逐项求解之外，还可以把状态转移想象成从"前 i 个物品中选取总重不超过 j 时的状态"向"前 $i+1$ 个物品中选取总重不超过 j" 和"前 $i+1$ 个物品中选取总重不超过 $j+w[i]$ 时的状态"的转移，于是可以实现成如下形式：

i＼j	0	1	2	3	4	5
0	0	0	0	0	0	0
1	0	0	3	3	3	3
2	0	2	3	5	5	5
3	0	2	0	4	6	0
4	0	0	0	0	0	0

dp[3][1]=max(dp[3][1],dp[2][1]), dp[3][4]=max(dp[3][4],dp[2][1]+4)

```
void solve() {
  for (int i = 0; i < n; i++) {
    for (int j = 0; j <= W; j++) {
      dp[i + 1][j] = max(dp[i + 1][j], dp[i][j]);
```

```
        if (j + w[i] <= W) {
            dp[i + 1][j + w[i]] = max(dp[i + 1][j + w[i]], dp[i][j] + v[i]);
        }
    }
}
printf("%d\n", dp[n][W]);
}
```

如果像上述所示，把问题写成从当前状态迁移成下一状态的形式的话，需要注意初项之外也需要初始化（这个问题中，因为价值的总和至少是0，所以初值设为0就可以了，不过根据问题也有可能需要初始化成无穷大）。同一个问题可能会有各种各样的解决方法，诸如搜索的记忆化或者利用递推关系的DP，再或者从状态转移考虑的DP等，不妨先把自己最喜欢的形式掌握熟练。但是，有些问题不用记忆化搜索也许很难求解，反之，不用DP复杂度就会变大的情况也会有，所以最好要掌握各种形式的DP。

最长公共子序列问题

给定两个字符串 $s_1s_2\cdots s_n$ 和 $t_1t_2\cdots t_n$。求出这两个字符串最长的公共子序列的长度。字符串 $s_1s_2\cdots s_n$ 的子序列指可以表示为 $s_{i_1}s_{i_2}\cdots s_{i_m}$ $(i_1<i_2<\cdots<i_m)$ 的序列。

⚠️限制条件
- $1 \leqslant n, m \leqslant 1000$

样例

输入

```
n = 4
m = 4
s = "abcd"
t = "becd"
```

输出

```
3 ("bcd")
```

这个问题是被称为最长公共子序列问题（LCS，Longest Common Subsequence）的著名问题。不妨用如下方式定义试试看：

　　$dp[i][j]:=s_1\cdots s_i$ 和 $t_1\cdots t_j$ 对应的LCS的长度

由此，$s_1\cdots s_{i+1}$ 和 $t_1\cdots t_{j+1}$ 对应的公共子列可能是

　　当 $s_{i+1}=t_{j+1}$ 时，在 $s_1\cdots s_i$ 和 $t_1\cdots t_j$ 的公共子列末尾追加上 s_{i+1}

　　$s_1\cdots s_i$ 和 $t_1\cdots t_{j+1}$ 的公共子列

　　$s_1\cdots s_{i+1}$ 和 $t_1\cdots t_j$ 的公共子列

三者中的某一个，所以就有如下的递推关系成立[①]

$$dp[i+1][j+1] = \begin{cases} \max(dp[i][j]+1, dp[i][j+1], dp[i+1][j]) & (s_{i+1}=t_{j+1}) \\ \max(dp[i][j+1], dp[i+1][j]) & \text{（其他）} \end{cases}$$

这个递推式可用$O(nm)$计算出来，$dp[n][m]$就是LCS的长度。

j\i	0	1(b)	2(e)	3(c)	4(d)
0	0	0	0	0	0
1(a)	0	0	0	0	0
2(b)	0	1	1	1	1
3(c)	0	1	1	2	2
4(d)	0	1	1	2	3

DP数组

```
// 输入
int n, m;
char s[MAX_N], t[MAX_M];

int dp[MAX_N + 1][MAX_M + 1]; // DP数组

void solve() {
  for (int i = 0; i < n; i++) {
    for (int j = 0; j < m; j++) {
      if (s[i] == t[j]) {
        dp[i + 1][j + 1] = dp[i][j] + 1;
      } else {
        dp[i + 1][j + 1] = max(dp[i][j + 1], dp[i + 1][j]);
      }
    }
  }
  printf("%d\n", dp[n][m]);
}
```

2.3.2 进一步探讨递推关系

完全背包问题

有 n 种重量和价值分别为 w_i, v_i 的物品。从这些物品中挑选总重量不超过 W 的物品，求出挑选物品价值总和的最大值。在这里，每种物品可以挑选任意多件。

⚠限制条件
- $1 \leqslant n \leqslant 100$
- $1 \leqslant w_i, v_i \leqslant 100$
- $1 \leqslant W \leqslant 10000$

[①] 如果稍微思考一下就能发现$s_{i+1}=t_{j+1}$时，只需令$dp[i+1][j+1]=dp[i][j]+1$就可以了。

样例

输入

```
n = 3
(w, v) = {(3, 4), (4, 5), (2, 3)}
W = 7
```

输出

10（0号物品选1个，2号物品选2个）

这次同一种类的物品可以选择任意多件了。我们再试着写出递推关系。

令$dp[i+1][j]$:=从前i种物品中挑选总重量不超过j时总价值的最大值。那么递推关系为：

$$dp[0][j] = 0$$
$$dp[i+1][j] = \max\{dp[i][j - k \times w[i]] + k \times v[i] \mid 0 \leqslant k\}$$

让我们试着编写一下按照这个递推关系求解的程序：

```
int dp[MAX_N + 1][MAX_W + 1]; // DP数组

void solve() {
  for (int i = 0; i < n; i++) {
    for (int j = 0; j <= W; j++) {
      for (int k = 0; k * w[i] <= j; k++) {
        dp[i + 1][j] = max(dp[i + 1][j], dp[i][j - k * w[i]] + k * v[i]);
      }
    }
  }
  printf("%d\n", dp[n][W]);
}
```

这次的程序成了三重循环。关于k的循环最坏可能从0循环到W，所以这个算法的复杂度为$O(nW^2)$，这样并不够好。

我们来找一下这个算法中多余的计算（即已经知道结果的计算）。

i\j	0	1	2	3	4	5	6	7
0	0	0	0	0	0	0	0	0
1	0	0	0	4	4	4	8	8
2	0	0	0	4	5	5	8	9
3	0	0	3	4	6	7	9	10

DP数组

在$dp[i+1][j]$的计算中选择$k(k \geqslant 1)$个的情况，与在$dp[i+1][j-w[i]]$的计算中选择$k-1$个的情况是相同的，所以$dp[i+1][j]$的递推中$k \geqslant 1$部分的计算已经在$dp[i+1][j-w[i]]$的计算中完成了。那么可以按照如下方式进行变形：

$$\max\{dp[i][j-k \times w[i]] + k \times v[i] \mid 0 \leqslant k\}$$
$$= \max(dp[i][j], \max\{dp[i][j-k \times w[i]] + k \times v[i] \mid 1 \leqslant k\})$$
$$= \max(dp[i][j], \max\{dp[i][(j-w[i])-k \times w[i]] + k \times v[i] \mid 0 \leqslant k\} + v[i])$$
$$= \max(dp[i][j], dp[i+1][j-w[i]] + v[i])$$

这样一来就不需要关于k的循环了，便可以用$O(nW)$时间解决问题。

∑	0	1	2	3	4	5	6	7
0	0	0	0	0	0	0	0	0
1	0	0	0	4	4	4	8	8
2	0	0	0	4	5	5	8	9
3	0	0	3	4	6	7	9	10

DP数组

```
void solve() {
  for (int i = 0; i < n; i++) {
    for (int j = 0; j <= W; j++) {
      if (j < w[i]) {
        dp[i + 1][j] = dp[i][j];
      } else {
        dp[i + 1][j] = max(dp[i][j], dp[i + 1][j - w[i]] + v[i]);
      }
    }
  }
  printf("%d\n", dp[n][W]);
}
```

此外，此前提到的01背包问题和这里的完全背包问题，可以通过不断重复利用一个数组来实现。

01背包问题的情况

```
int dp[MAX_W + 1]; // DP数组

void solve() {
  for (int i = 0; i < n; i++) {
    for (int j = W; j >= w[i]; j--) {
      dp[j] = max(dp[j], dp[j - w[i]] + v[i]);
    }
  }
  printf("%d\n", dp[W]);
}
```

完全背包问题的情况

```
int dp[MAX_W + 1]; // DP数组

void solve() {
  for (int i = 0; i < n; i++) {
    for (int j = w[i]; j <= W; j++) {
      dp[j] = max(dp[j], dp[j - w[i]] + v[i]);
    }
  }
  printf("%d\n", dp[W]);
}
```

像这样书写的话，两者的差异就变成只有循环的方向了。重复利用数组虽然可以节省内存空间，但使用得不好将有可能留下bug，所以要格外小心。不过出于节约内存的考虑，有时候必须要重复利用数组。也存在通过重复利用能够进一步降低复杂度的问题。这些我们会在后面介绍。

专栏　DP数组的再利用

除上面的情况之外，还有可能通过将两个数组滚动使用来实现重复利用。例如此前的

```
dp[i+1][j]=max(dp[i][j], dp[i+1][j-w[i]]+v[i])
```

这一递推式中，$dp[i+1]$ 计算时只需要 $dp[i]$ 和 $dp[i+1]$，所以可以结合奇偶性写成如下形式：

```
int dp[2][MAX_W + 1]; // DP数组

void solve() {
  for (int i = 0; i < n; i++) {
    for (int j = 0; j <= W; j++) {
      if (j < w[i]) {
        dp[(i + 1) & 1][j] = dp[i & 1][j];
      } else {
        dp[(i + 1) & 1][j] = max(dp[i & 1][j], dp[(i + 1) & 1][j - w[i]] + v[i]);
      }
    }
  }
  printf("%d\n", dp[n & 1][W]);
}
```

---

01 背包问题之 2

有 n 个重量和价值分别为 w_i, v_i 的物品。从这些物品中挑选总重量不超过 W 的物品，求所有挑选方案中价值总和的最大值。

⚠️**限制条件**

- $1 \leq n \leq 100$
- $1 \leq w_i \leq 10^7$
- $1 \leq v_i \leq 100$
- $1 \leq W \leq 10^9$

样例

输入

```
n = 4
(w, v) = {(2, 3), (1, 2), (3, 4), (2, 2)}
W = 5
```

输出

7（选择第0、1、3号物品）

这一问题与最初的01背包问题相比，只是修改了限制条件的大小。此前求解这一问题的方法的复杂度是$O(nW)$，对于这一问题的规模来讲就不够用了。在这个问题中，相比较重量而言，价值的范围比较小，所以可以试着改变DP的对象。之前的方法中，我们用DP针对不同的重量限制计算最大的价值。这次不妨用DP针对不同的价值计算最小的重量。

定义$dp[i+1][j]$:=前i个物品中挑选出价值总和为j时总重量的最小值（不存在时就是一个充分大的数值INF）。由于前0个物品中什么都挑选不了，所以初始值为

```
dp[0][0]=0
dp[0][j]=INF
```

此外，前i个物品中挑选出价值总和为j时，一定有

前$i–1$个物品中挑选价值总和为j的部分

前$i–1$个物品中挑选价值总和为$j–v[i]$的部分，然后再选中第i个物品

这两种方法之一，所以就能得到

$$dp[i+1][j]=\min(dp[i][j],dp[i][j-v[i]]+w[i])$$

这一递推式。最终的答案就对应于令$dp[n][j] \leqslant W$的最大的j。

通过这样求解，复杂度就成了$O(n\Sigma_i v_i)$，对此题限制条件下的输入就可以在时间限制内解出了。当然，如果价值变大了的话，这里的算法也变得不可行了。也就会有像这样需要依据问题的规模来改变算法的情况存在。

```
int dp[MAX_N + 1][MAX_N * MAX_V + 1]; // DP数组

void solve() {
  fill(dp[0], dp[0] + MAX_N * MAX_V + 1, INF);
  dp[0][0] = 0;
  for (int i = 0; i < n; i++) {
    for (int j = 0; j <= MAX_N * MAX_V; j++) {
```

```
    if (j < v[i]) {
      dp[i + 1][j] = dp[i][j];
    } else {
      dp[i + 1][j] = min(dp[i][j], dp[i][j - v[i]] + w[i]);
    }
  }
}
int res = 0;
for (int i = 0; i <= MAX_N * MAX_V; i++) if (dp[n][i] <= W) res = i;
printf("%d\n", res);
}
```

多重部分和问题

有 n 种不同大小的数字 a_i，每种各 m_i 个。判断是否可以从这些数字之中选出若干使它们的和恰好为 K。

⚠ 限制条件
- $1 \leqslant n \leqslant 100$
- $1 \leqslant a_i, m_i \leqslant 100000$
- $1 \leqslant K \leqslant 100000$

样例

输入

```
n = 3
a = {3, 5, 8}
m = {3, 2, 2}
K = 17
```

输出

```
Yes (3*3+8=17)
```

这个问题可以用 DP 求解，不过如何定义递推关系会影响到最终的复杂度。首先我们看一下如下定义：

$dp[i+1][j]$:=用前 i 种数字是否能加和成 j

为了用前 i 种数字加和成 j，也就需要能用前 $i-1$ 种数字加和成 $j, j-a_i, \cdots, j-m_i \times a_i$ 中的某一种。由此我们可以定义如下递推关系：

$dp[i+1][j]=(0 \leqslant k \leqslant m_i$ 且 $k \times a_i \leqslant j$ 时存在使 $dp[i][j-k \times a_i]$ 为真的 $k)$

```
// 输入
int n; // 数列的长度
int K; // 目标的和数
int a[MAX_N]; // 值
int m[MAX_N]; // 个数

bool dp[MAX_N + 1][MAX_K + 1]; // DP数组

void solve() {
  dp[0][0] = true;
  for (int i = 0; i < n; i++) {
    for (int j = 0; j <= K; j++) {
      for (int k = 0; k <= m[i] && k * a[i] <= j; k++) {
        dp[i + 1][j] |= dp[i][j - k * a[i]];
      }
    }
  }
  if (dp[n][K]) printf("Yes\n");
  else printf("No\n");
}
```

这个算法的复杂度是$O(K\Sigma_i m_i)$，这样并不够好。一般用DP求取bool结果的话会有不少浪费，同样的复杂度通常能获得更多的信息。在这个问题中，我们不光求出能否得到目标的和数，同时把得到时a_i这个数还剩下多少个计算出来，这样就可以减少复杂度。

　　$dp[i+1][j]$:=用前i种数加和得到j时第i种数最多能剩余多少个(不能加和得到j的情况下为-1)

按照如上所述定义递推关系，这样如果前$i-1$个数加和能得到j的话，第i个数就可以留下m_i个。此外，前i种数加和出$j-a_i$时第i种数还剩下$k(k>0)$的话，用这i种数加和时第i种数就能剩下$k-1$个。由此我们能得出如下递推式。

$$dp[i+1][j] = \begin{cases} m_i & (dp[i][j] \geq 0) \\ -1 & (j < a_i \text{或者} dp[i+1][j-a_i] \leq 0) \\ dp[i+1][j-a_i]-1 & (\text{其他}) \end{cases}$$

这样，只要看最终是否满足$dp[n][K] \geq 0$就可以知道答案了。

这个递推式可以在$O(nK)$时间内计算出结果。再将数组重复利用的话，就得到了如下代码：

```
int dp[MAX_K + 1]; // DP数组

void solve() {
  memset(dp, -1, sizeof(dp));
  dp[0] = 0;
  for (int i = 0; i < n; i++) {
    for (int j = 0; j <= K; j++) {
      if (dp[j] >= 0) {
        dp[j] = m[i];
      } else if (j < a[i] || dp[j - a[i]] <= 0) {
```

```
        dp[j] = -1;
      } else {
        dp[j] = dp[j - a[i]] - 1;
      }
    }
  }
}
if (dp[K] >= 0) printf("Yes\n");
else printf("No\n");
}
```

最长上升子序列问题

有一个长为 n 的数列 a_0, a_1, ..., a_{n-1}。请求出这个序列中最长的上升子序列的长度。上升子序列指的是对于任意的 $i<j$ 都满足 $a_i<a_j$ 的子序列。

⚠️限制条件
- $1 \leqslant n \leqslant 1000$
- $0 \leqslant a_i \leqslant 1000000$

样例

输入

```
n = 5
a = {4, 2, 3, 1, 5}
```

输出

3（a_1, a_2, a_4 构成的子序列2，3，5最长）

这个问题是被称作最长上升子序列（LIS，Longest Increasing Subsequence）的著名问题。这一问题通过使用DP也能很有效率地求解。我们首先来建立一下递推关系。

　　定义 $dp[i]$:=以 a_i 为末尾的最长上升子序列的长度

以 a_i 结尾的上升子序列是

　　只包含 a_i 的子序列
　　在满足 $j<i$ 并且 $a_j<a_i$ 的以 a_j 为结尾的上升子序列末尾，追加上 a_i 后得到的子序列

这二者之一。这样就能得到如下的递推关系：

　　$dp[i]=\max\{1,dp[j]+1|j<i$ 且 $a_j<a_i\}$

使用这一递推公式可以在 $O(n^2)$ 时间内解决这个问题。

```
// 输入
int n;
int a[MAX_N];

int dp[MAX_N]; // DP数组

void solve() {
  int res = 0;
  for (int i = 0; i < n; i++) {
    dp[i] = 1;
    for (int j = 0; j < i; j++) if (a[j] < a[i]) {
      dp[i] = max(dp[i], dp[j] + 1);
    }
    res = max(res, dp[i]);
  }
  printf("%d\n", res);
}
```

此外还可以定义其他的递推关系。前面我们利用DP求取针对最末位的元素的最长的子序列。如果子序列的长度相同，那么最末位的元素较小的在之后会更加有优势，所以我们再反过来用DP针对相同长度情况下最小的末尾元素进行求解。

$dp[i]$:=长度为i+1的上升子序列中末尾元素的最小值（不存在的话就是INF）

我们来看看如何用DP来更新这个数组。

最开始全部$dp[i]$的值都初始化为INF。然后由前到后逐个考虑数组的元素，对于每个a_j，如果i=0或者$dp[i-1]<a_j$的话，就用$dp[i]$=min($dp[i]$, a_j)进行更新。最终找出使得$dp[i]<$INF的最大的i+1就是结果了。这个DP直接实现的话，能够与前面的方法一样在$O(n^2)$的时间内给出结果，但这一算法还可以进一步优化。首先dp数组中除INF之外是单调递增的，所以可以知道对于每个a_j最多只需要1次更新。对于这次更新究竟应该在什么位置，不必逐个遍历，可以利用二分搜索，这样就可以在$O(n\log n)$时间内求出结果。

```
int dp[MAX_N]; // DP数组

void solve() {
  fill(dp, dp + n, INF);
  for (int i = 0; i < n; i++) {
    *lower_bound(dp, dp + n, a[i]) = a[i];
  }
  printf("%d\n", lower_bound(dp, dp + n, INF) - dp);
}
```

i	0	1	2	3	4
dp[i]	∞	∞	∞	∞	∞

↓ 插入4

i	0	1	2	3	4
dp[i]	4	∞	∞	∞	∞

↓ 插入2

i	0	1	2	3	4
dp[i]	2	∞	∞	∞	∞

↓ 插入3

i	0	1	2	3	4
dp[i]	2	3	∞	∞	∞

↓ 插入1

i	0	1	2	3	4
dp[i]	1	3	∞	∞	∞

↓ 插入5

i	0	1	2	3	4
dp[i]	1	3	5	∞	∞

DP数组的变化

专栏 lower_bound

上面的源代码中使用了 lower_bound 这个 STL 函数。这个函数从已排好序的序列 a 中利用二分搜索找出指向满足 $a_i \geq k$ 的 a_i 的最小的指针。类似的函数还有 upper_bound，这一函数求出的是指向满足 $a_i > k$ 的 a_i 的最小的指针。也许大家觉得这稍微有点复杂，但有了它们，比如长度为 n 的有序数组 a 中的 k 的个数，可以用下面的代码求出

```
upper_bound(a, a+n, k) - lower_bound(a, a+n, k)
```

所以使用熟练了会非常方便。

2.3.3 有关计数问题的 DP

划分数

有 n 个无区别的物品，将它们划分成不超过 m 组，求出划分方法数模 M 的余数。

⚠ **限制条件**
- $1 \leq m \leq n \leq 1000$
- $2 \leq M \leq 10000$

样例

输入

```
n = 4
m = 3
M = 10000
```

输出

```
4 (1+1+2=1+3=2+2=4)
```

这样的划分被称作n的m划分,特别地,$m=n$时称作n的划分数[1]。DP不仅对于求解最优问题有效,对于各种排列组合的个数、概率或者期望之类的计算同样很有用。在此,我们定义如下。

$dp[i][j]=j$的i划分的总数

根据这一定义可以得到怎样的递推关系呢?将j分划分i个的话,可以先取出k个,然后将剩下的$j-k$个分成$i-1$份,这时大家是不是认为也许就可以得到下面的递推式了?

$$dp[i][j] = \sum_{k=0}^{j} dp[i-1][j-k]$$

但很不幸的是,这个递推是不正确的。用这个办法的话,例如1+1+2和1+2+1的划分就被当成是不同的划分来计数了[2]。为了不重复计数,我们需要寻找别的递推关系。考虑n的m划分$a_i(\sum_{i=1}^{m} a_i = n)$,如果对于每个$i$都有$a_i>0$,那么$\{a_i-1\}$就对应了$n-m$的$m$划分。另外,如果存在$a_i=0$,那么这就对应了$n$的$m-1$划分。综上,我们可得出了如下递推关系。

$$dp[i][j] = dp[i][j-i] + dp[i-1][j]$$

这个递推式可以不重复地计算所有的划分,复杂度为$O(nm)$。像这样需要在计数问题中解决重复计算问题时,需要特别小心。

```
// 输入
int n, m;

int dp[MAX_M + 1][MAX_N + 1]; // DP数组

void solve() {
  dp[0][0] = 1;
  for (int i = 1; i <= m; i++) {
    for (int j = 0; j <= n; j++) {
```

---

[1] 将基数为n的集合划分为恰好k个非空集的方法的数目称为第二类Stirling数;而将基数为n的集合划分为任意个非空集的方法的数目称为Bell数。——译者注

[2] 即划分后装入m个不同的箱子。

```
        if (j - i >= 0) {
            dp[i][j] = (dp[i - 1][j] + dp[i][j - i]) % M;
        } else {
            dp[i][j] = dp[i - 1][j];
        }
    }
}
printf("%d\n", dp[m][n]);
}
```

多重集组合数

有 n 种物品，第 i 种物品有 a_i 个。不同种类的物品可以互相区分但相同种类的无法区分。从这些物品中取出 m 个的话，有多少种取法？求出方案数模 M 的余数。

⚠️**限制条件**

- $1 \leqslant n \leqslant 1000$
- $1 \leqslant m \leqslant 1000$
- $1 \leqslant a_i \leqslant 1000$
- $2 \leqslant M \leqslant 10000$

样例

输入

```
n = 3
m = 3
a = {1, 2, 3}
M = 10000
```

输出

```
6 (0+0+3, 0+1+2, 0+2+1, 1+0+2, 1+1+1, 1+2+0)
```

为了不重复计数，同一种类的物品最好一次性处理好。于是我们按照如下方式进行定义。

$dp[i+1][j]$:=从前 i 种物品中取出 j 个的组合总数

为了从前 i 种物品中取出 j 个，可以从前 $i-1$ 种物品中取出 $j-k$ 个，再从第 i 种物品中取出 k 个添加进来，所以可以可以得到如下递推关系

$$dp[i+1][j] = \sum_{k=0}^{\min(j, a[i])} dp[i][j-k]$$

直接计算这个递推关系的话复杂度是 $O(nm^2)$，不过因为我们有

$$\sum_{k=0}^{\min(j,a[i])} dp[i][j-k] = \sum_{k=0}^{\min(j-1,a[i])} dp[i][j-1-k] + dp[i][j] - dp[i][j-1-a_i]$$

所以可以变形为如下形式

$$dp[i+1][j] = dp[i+1][j-1] + dp[i][j] - dp[i][j-1-a_i]$$

这样复杂度就下降到 $O(nm)$ 了。

```
// 输入
int n, m;
int a[MAX_N];

int dp[MAX_N + 1][MAX_M + 1]; // DP数组

void solve() {
  // 一个都不取的方法总是只有一种
  for (int i = 0; i <= n; i++) {
    dp[i][0] = 1;
  }
  for (int i = 0; i < n; i++) {
    for (int j = 1; j <= m; j++) {
      if (j - 1 - a[i] >= 0) {
        // 在有取余的情况下，要避免减法运算的结果出现负数①
        dp[i + 1][j] = (dp[i + 1][j - 1] + dp[i][j] - dp[i][j - 1 - a[i]] + M) % M;
      } else {
        dp[i + 1][j] = (dp[i + 1][j - 1] + dp[i][j]) % M;
      }
    }
  }
  printf("%d\n", dp[n][m]);
}
```

---

① 通常，为了方便，我们在计算过程中只需要保证不会溢出，输出答案时再保证不会是负数。——译者注

2.4 加工并存储数据的数据结构

➡️数据结构指的是存储数据的方式。用不同的方式存储数据，可以对数据做不同的高效操作。本节我们将会讨论"堆"、"二叉搜索树"、"并查集"这三种数据结构。

2.4.1 树和二叉树

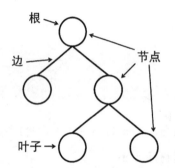

节点、边、根、叶子的例子

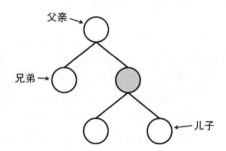

父亲、兄弟、儿子的例子

图中的圆圈代表"节点"，线代表"边"。在这一节里，我们把树的根所表示的节点提到整棵树的最上面。每个节点在保存了各自的信息之外，都还拥有儿子节点。把自己作为儿子的节点叫做父亲节点。拥有同一父亲的节点互为兄弟节点。没有儿子的节点叫做叶子节点。"二叉树"是树中所有节点的儿子个数都不超过2的树。

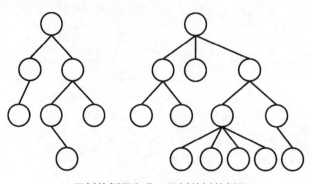

二叉树的例子和非二叉树的树的例子

2.4.2 优先队列和堆

1. 优先队列

能够完成下列操作的数据结构叫做优先队列。

■ 插入一个数值
■ 取出最小的数值（获得数值，并且删除）

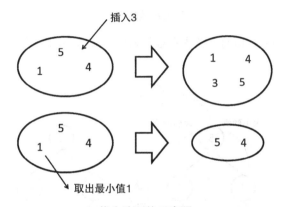

优先队列的示意图

能够使用二叉树高效地解决上述问题的，是一种叫做"堆"[①]的数据结构。

2. 堆的结构

堆就是像下图这样的二叉树。

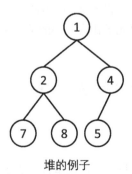

堆的例子

堆最重要的性质就是儿子的值一定不小于父亲的值。除此之外，树的节点是按从上到下、从左到右的顺序紧凑排列的。

---

① 严格来讲，堆也有不同的种类。这是一种叫做二叉堆的数据结构。

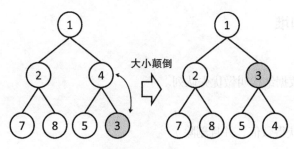

插入数值的例子

如上图所示,在向堆中插入数值时,首先在堆的末尾①插入该数值,然后不断向上提升直到没有大小颠倒为止。

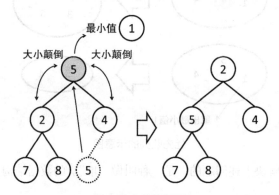

取出最小值的例子

如上图所示,从堆中删除最小值时,首先把堆的最后一个节点的数值复制到根节点上,并且删除最后一个节点。然后不断向下交换直到没有大小颠倒为止。在向下交换的过程中,如果有2个儿子,那么选择数值较小的儿子(如果儿子比自己小的话)进行交换。

3. 堆的操作的复杂度

堆的两种操作所花的时间都和树的深度成正比。因此,如果一共有n个元素,那么每个操作可以在$O(\log n)$的时间内完成。

4. 堆的实现

下面我们来看一下堆的实现的例子。我们不使用指针来表示二叉树,而是如下图所示,给每个节点赋予一个编号,并用数组来存储。此时,儿子的编号就满足如下性质。

- 左儿子的编号是自己的编号 ×2+1
- 右儿子的编号是自己的编号 ×2+2

---

① 为了使数据按照从上倒下、从左到右的顺序紧凑排列,在最下面一层尽可能靠左的节点插入该数值。

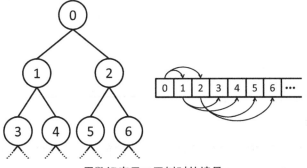

用数组表示二叉树时的编号

```
int heap[MAX_N], sz = 0;
void push(int x) {
  // 自己节点的编号
  int i = sz++;

  while (i > 0) {
    // 父亲节点的编号
    int p = (i - 1) / 2;

    // 如果已经没有大小颠倒则退出
    if (heap[p] <= x) break;

    // 把父亲节点的数值放下来，而把自己提上去
    heap[i] = heap[p];
    i = p;
  }

  heap[i] = x;
}


int pop() {
  // 最小值
  int ret = heap[0];

  // 要提到根的数值
  int x = heap[--sz];

  // 从根开始向下交换
  int i = 0;
  while (i * 2 + 1 < sz) {
    // 比较儿子的值
    int a = i * 2 + 1, b = i * 2 + 2;
    if (b < sz && heap[b] < heap[a]) a = b;

    // 如果已经没有大小颠倒则退出
    if (heap[a] >= x) break;

    // 把儿子的数值提上来
    heap[i] = heap[a];
```

```
    i = a;
  }

  heap[i] = x;

  return ret;
}
```

5. 编程语言的标准库

实际上，大部分情况下并不需要自己实现堆。在许多编程语言的标准中，都包含了优先队列的高效实现。例如在 C++ 中，STL 里的 priority_queue 就是其中之一。不过需要注意的是，priority_queue 与上面讲的优先队列有所不同，取出数值时得到的是最大值。下面是一些使用 priority_queue 的简单例子。

```cpp
#include <queue>
#include <cstdio>
using namespace std;

int main() {
  // 声明
  priority_queue<int> pque;

  // 插入元素
  pque.push(3);
  pque.push(5);
  pque.push(1);

  // 不断循环直到空为止
  while (!pque.empty()) {
    // 获取并删除最大值
    printf("%d\n", pque.top());
    pque.pop();
  }

  return 0;
}
```

6. 需要运用优先队列的题目

Expedition （POJ 2431）

你需要驾驶一辆卡车行驶 L 单位距离。最开始时，卡车上有 P 单位的汽油。卡车每开 1 单位距离需要消耗 1 单位的汽油。如果在途中车上的汽油耗尽，卡车就无法继续前行，因而无法到达终点。在途中一共有 N 个加油站。第 i 个加油站在距离起点 A_i 单位距离的地方[①]，最多

---

① 实际上 POJ 2431 的输入数据中给的是加油站到终点的距离。在这里我们为了方便起见，改成了从起点到加油站的距离。

可以给卡车加 B_i 单位汽油。假设卡车的燃料箱的容量是无限大的，无论加多少油都没有问题。那么请问卡车是否能到达终点？如果可以，最少需要加多少次油？如果可以到达终点，输出最少的加油次数，否则输出–1。

⚠ 限制条件
- $1 \leqslant N \leqslant 10000$
- $1 \leqslant L \leqslant 1000000, 1 \leqslant P \leqslant 1000000$
- $1 \leqslant A_i < L, 1 \leqslant B_i \leqslant 100$

样例

输入

```
N = 4, L = 25, P = 10
A = {10, 14, 20, 21}
B = {10, 5, 2, 4}
```

输出

2（在第1个和第2个加油站加油）

由于加油站的数量N非常大，必须想一个高效的解法。

我们稍微变换一下思考方式。在卡车开往终点的途中，只有在加油站才可以加油。但是，如果认为"在到达加油站i时，就获得了一次在之后的任何时候都可以加B_i单位汽油的权利"，在解决问题上应该也是一样的。而在之后需要加油时，就认为是在之前经过的加油站加的油就可以了。

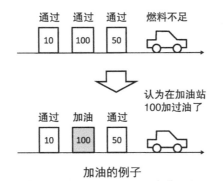

加油的例子

那么，因为希望到达终点时加油次数尽可能少，所以当燃料为0了之后再进行加油看上去是一个不错的方法。在燃料为0时，应该使用哪个加油站来加油呢？显然，应该选能加油量B_i最大的加油站。

为了高效地进行上述操作，我们可以使用从大到小的顺序依次取出数值的优先队列。

■ 在经过加油站 i 时，往优先队列里加入 B_i。
■ 当燃料箱空了时，

- 如果优先队列也是空的，则无法到达终点。
- 否则取出优先队列中的最大元素，并用来给卡车加油。

```cpp
// 输入
int L, P, N;
int A[MAX_N + 1], B[MAX_N + 1];

void solve() {
    // 为了写起来方便，我们把终点也认为是加油站
    A[N] = L;
    B[N] = 0;
    N++;

    // 维护加油站的优先队列
    priority_queue<int> que;

    // ans: 加油次数, pos: 现在所在位置, tank: 油箱中汽油的量
    int ans = 0, pos = 0, tank = P;

    for (int i = 0; i < N; i++) {
        // 接下去要前进的距离
        int d = A[i] - pos;

        // 不断加油直到油量足够行驶到下一个加油站
        while (tank - d < 0) {
            if (que.empty()) {
                puts("-1");
                return;
            }
            tank += que.top();
            que.pop();
            ans++;
        }

        tank -= d;
        pos = A[i];
        que.push(B[i]);
    }

    printf("%d\n", ans);
}
```

Fence Repair （PKU 3253）

题目描述请参照贪心法的"Fence Repair"（详见 2.2 节）

让我们再考虑一下贪心法一节中的 "Fence Repair" 问题。如果用朴素的方法实现的话，时间复杂度是$O(N^2)$。

由于只需从板的集合里取出最短的两块，并且把长度为两块板长度之和的板加入集合中即可，因此如果使用优先队列就可以高效地实现。一共需要进行$O(N)$次$O(\log N)$的操作，因此总的时间复杂度是$O(N \log N)$。

```cpp
typedef long long ll;

// 输入
int N, L[MAX_N];

void solve() {
  ll ans = 0;

  // 声明一个从小到大取出数值的优先队列
  priority_queue<int, vector<int>, greater<int> > que;
  for (int i = 0; i < N; i++) {
    que.push(L[i]);
  }

  // 循环到只剩一块木板为止
  while (que.size() > 1) {
    // 取出最短的木板和次短的木板
    int l1, l2;
    l1 = que.top();
    que.pop();
    l2 = que.top();
    que.pop();

    // 把两块木板合并
    ans += l1 + l2;
    que.push(l1 + l2);
  }

  printf("%lld\n", ans);
}
```

2.4.3　二叉搜索树

1. 二叉搜索树的结构

二叉搜索树是能够高效地进行如下操作的数据结构。

- 插入一个数值
- 查询是否包含某个数值
- 删除某个数值

根据实现的不同，还可以实现其他各种各样的操作，是一种实用性很高的数据结构。二叉搜索树如何储存数值请参见下图。

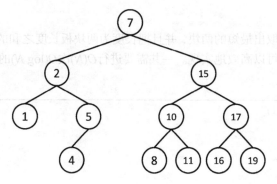

二叉搜索树的例子

所有的节点，都满足左子树上的所有节点都比自己的小，而右子树上的所有节点都比自己大这一条件。

二叉搜索树能够高效地管理数的集合。例如，可以通过如下方法在上图的二叉搜索树中查询是否存在10。

- 根节点的数值是7，比10小，所以往右儿子节点走。
- 走到的节点的数值是15，比10大，所以往左儿子节点走。
- 走到的节点是10，因此10在集合中。

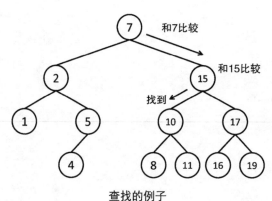

查找的例子

接下来，如何往树中插入新的数值呢？

如果我们按照查找数值的方法试图查找这个数值的节点，就可以知道其对应的节点的所在位置，之后在那个位置插入新的节点即可。例如，我们需要插入数值6。和查找的方法类似，从根节点出发，通过"左→右"两步，就可以知道6应该是5的右儿子，因此在5的右儿子的位置插入6的节点即可（请参见图A）。

最后是删除数值。数值的删除比起之前提到的操作稍微麻烦一些。例如，我们要删除数值15。如果删除了15所在的节点，那么它的两个儿子10和17就悬空了。于是，把11提到15所在的位置就可以解决问题（请参见图B）。

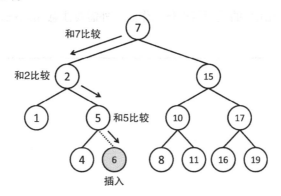

图A：插入数值的例子

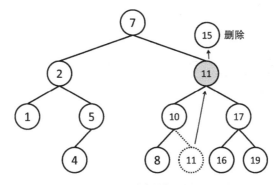

图B：删除的例子

一般来说，需要根据下面几种情况分别进行处理。

- 需要删除的节点没有左儿子，那么就把右儿子提上去。
- 需要删除的节点的左儿子没有右儿子，那么就把左儿子提上去。
- 以上两种情况都不满足的话，就把左儿子的子孙中最大的节点提到需要删除的节点上。

2. 二叉搜索树的复杂度

不论哪一种操作，所花的时间都和树的高度成正比。因此，如果共有n个元素，那么平均每次操作需要$O(\log n)$的时间。

3. 二叉搜索树的实现

下面是二叉搜索树的一种实现方法。

```
node *root = NULL;
root = insert(root, 1);
find(root, 1);
```

像代码中一样,我们使用函数的返回值进行操作。另外需要注意insert、delete返回的是node
结构体的指针。

```
// 表示节点的结构体
struct node {
  int val;
  node *lch, *rch;
};

// 插入数值x
node *insert(node *p, int x) {
  if (p == NULL) {
    node *q = new node;
    q->val = x;
    q->lch = q->rch = NULL;
    return q;
  }
  else {
    if (x < p->val) p->lch = insert(p->lch, x);
    else p->rch = insert(p->rch, x);
    return p;
  }
}

// 查找数值x
bool find(node *p, int x) {
  if (p == NULL) return false;
  else if (x == p->val) return true;
  else if (x < p->val) return find(p->lch, x);
  else return find(p->rch, x);
}

// 删除数值x
node *remove(node *p, int x) {
  if (p == NULL) return NULL;
  else if (x < p->val) p->lch = remove(p->lch, x);
  else if (x > p->val) p->rch = remove(p->rch, x);
  else if (p->lch == NULL) {
    node *q = p->rch;
    delete p;
    return q;
  }
  else if (p->lch->rch == NULL) {
    node *q = p->lch;
    q->rch = p->rch;
    delete p;
    return q;
```

```
  }
  else {
    node *q;
    for (q = p->lch; q->rch->rch != NULL; q = q->rch);
    node *r = q->rch;
    q->rch = r->lch;
    r->lch = p->lch;
    r->rch = p->rch;
    delete p;
    return r;
  }
  return p;
}
```

4. 编程语言的标准库

和堆一样，实际上在许多情况下都不需要自己实现二叉搜索树。许多编程语言都在标准库里实现了简单易用的二叉搜索树。例如在C++中，STL里有set和map容器。set是像前面所说的一样使用二叉搜索树维护集合的容器，而map则是维护键和键对应的值的容器。

下面是一些使用set和map的例子。详细的内容可以参考STL相关的文档和书籍。

```
#include <cstdio>
#include <set>
using namespace std;

int main() {
  // 声明
  set<int> s;

  // 插入元素
  s.insert(1);
  s.insert(3);
  s.insert(5);

  // 查找元素
  set<int>::iterator ite;

  ite = s.find(1);
  if (ite == s.end()) puts("not found");
  else puts("found");                       // 输出found

  ite = s.find(2);
  if (ite == s.end()) puts("not found");  // 输出not found
  else puts("found");

  // 删除元素
  s.erase(3);

  // 其他的查找元素的方法
```

```
if (s.count(3) != 0) puts("found");
else puts("not found");                  // 输出not found

// 遍历所有元素
for (ite = s.begin(); ite != s.end(); ++ite) {
  printf("%d\n", *ite);
}

return 0;
}
```

下面是map的使用方法:

```
#include <cstdio>
#include <map>
#include <string>
using namespace std;

int main() {
  // 声明(int为键, const char*为值)
  map<int, const char*> m;

  // 插入元素
  m.insert(make_pair(1, "ONE"));
  m.insert(make_pair(10, "TEN"));
  m[100] = "HUNDRED";                     // 其他的写法

  // 查找元素
  map<int, const char*>::iterator ite;
  ite = m.find(1);
  puts(ite->second);                      // (输出)ONE

  ite = m.find(2);
  if (ite == m.end()) puts("not found");  // not found
  else puts(ite->second);

  puts(m[10]);                            // 其他的写法

  // 删除元素
  m.erase(10);

  // 遍历一遍所有元素
  for (ite = m.begin(); ite != m.end(); ++ite) {
    printf("%d: %s\n", ite->first, ite->second);
  }

  return 0;
}
```

此外,还有能存放重复键值的multiset和multimap等容器。

专栏 平衡二叉树

考虑一下根据之前的说明，在向二叉树插入节点时，如果以 1, 2, 3, 4, 5······的顺序插入的话会产生什么问题。如果这样插入节点的话，就会像下图一样，变得如同一条链表一般。

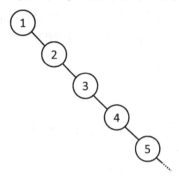

退化的二叉树的例子

如果按照这个顺序插入 n 个元素，树的高度就会变成 n，那么所有的操作就都需要 $O(n)$ 时间才能完成了。所有操作本该都是 $O(\log n)$ 时间的二叉搜索树，如果变成了 $O(n)$，计算的复杂度就完全不同了。

而平衡二叉树恰好能避免这样的问题。平衡二叉树为了避免这种退化的情况发生，巧妙地使用旋转操作来保持树的平衡。

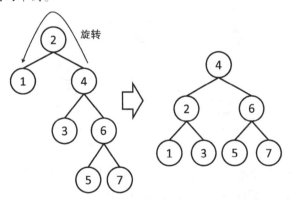

旋转操作的例子

比起普通的二叉搜索树，平衡二叉树在实现上复杂得多。由于在编程语言标准中的二叉搜索树都很好地实现了平衡二叉树，因此，如果功能上足够，应该尽可能使用标准库里的实现。

2.4.4 并查集

1. 并查集是什么

并查集是一种用来管理元素分组情况的数据结构。并查集可以高效地进行如下操作。不过需要注意并查集虽然可以进行合并操作，但是却无法进行分割操作。

- 查询元素a和元素b是否属于同一组。
- 合并元素a和元素b所在的组。

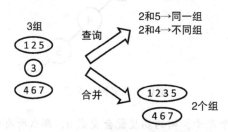

并查集的功能示意图

2. 并查集的结构

并查集也是使用树形结构实现的。不过，不是二叉树。

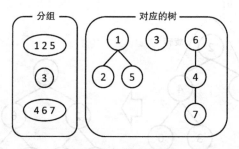

分组和对应的树的例子

每个元素对应一个节点，每个组对应一棵树。在并查集中，哪个节点是哪个节点的父亲以及树的形状等信息无需多加关注，整体组成一个树形结构才是重要的。

(1) 初始化

我们准备n个节点来表示n个元素。最开始时没有边。

初始化状态的例子

(2) 合并

像下图一样，从一个组的根向另一个组的根连边，这样两棵树就变成了一棵树，也就把两个组合并为一个组了。

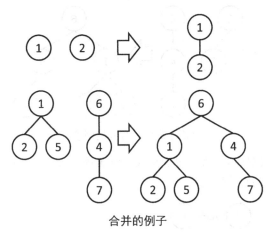

合并的例子

(3) 查询

为了查询两个节点是否属于同一组，我们需要沿着树向上走，来查询包含这个元素的树的根是谁。如果两个节点走到了同一个根，那么就可以知道它们属于同一组。

在下图中，元素2和元素5都走到了元素1，因此它们属于同一组。另一方面，由于元素7走到的是元素6，因此同元素2或元素5属于不同组。

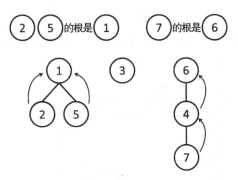

查询的例子

3. 并查集实现中的注意点

正如二叉搜索树的补充讲解（详见2.2节的专栏）中提到的那样，在树形数据结构里，如果发生了退化的情况，那么复杂度就会变得很高。因此，有必要想办法避免退化的发生。在并查集中，只需按照如下方法就可以避免退化。

■ 对于每棵树，记录这棵树的高度（rank）。
■ 合并时如果两棵树的rank不同，那么从rank小的向rank大的连边。

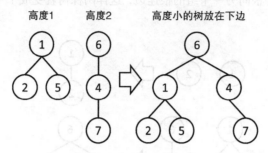

考虑了高度的合并的例子

此外，通过路径压缩，可以使得并查集更加高效。对于每个节点，一旦向上走到了一次根节点，就把这个点到父亲的边改为直接连向根。

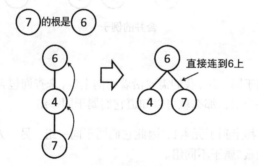

路径压缩的例子1

在此之上，不仅仅是所查询的节点，在查询过程中向上经过的所有的节点，都改为直接连到根上。这样再次查询这些节点时，就可以很快知道根是谁了。

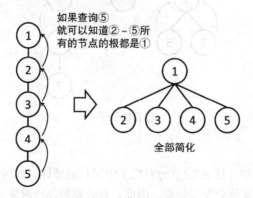

路径压缩的例子2

在使用这种简化的方法时，为了简单起见，即使树的高度发生了变化，我们也不修改rank的值。

4. 并查集的复杂度

加入了这两个优化之后的并查集效率非常高。对n个元素的并查集进行一次操作的复杂度是$O(\alpha(n))$。在这里，$\alpha(n)$是阿克曼（Ackermann）函数的反函数[①]。这比$O(\log(n))$还要快。

不过，这是"均摊复杂度"。也就是说，并不是每一次操作都满足这个复杂度，而是多次操作之后平均每一次操作的复杂度是$O(\alpha(n))$的意思。

5. 并查集的实现

下面是并查集的实现的例子。在例子中，我们用编号代表每个元素。数组par表示的是父亲的编号，par[x]=x时，x是所在的树的根。

```
int par[MAX_N];  // 父亲
int rank[MAX_N]; // 树的高度

// 初始化n个元素
void init(int n) {
  for (int i = 0; i < n; i++) {
    par[i] = i;
    rank[i] = 0;
  }
}

// 查询树的根
int find(int x) {
  if (par[x] == x) {
    return x;
  } else {
    return par[x] = find(par[x]);
  }
}

// 合并x和y所属的集合
void unite(int x, int y) {
  x = find(x);
  y = find(y);
  if (x == y) return;

  if (rank[x] < rank[y]) {
    par[x] = y;
  } else {
    par[y] = x;
    if (rank[x] == rank[y]) rank[x]++;
  }
}
```

————————————

[①] 准确来说，如果记阿克曼函数为A的话，是$f(n)=A(n,n)$的反函数。

```
// 判断x和y是否属于同一个集合
bool same(int x, int y) {
    return find(x) == find(y);
}
```

6. 需要用到并查集的问题

食物链（POJ 1182）

有 N 只动物，分别编号为 $1, 2, \cdots, N$。所有动物都属于 A, B, C 中的其中一种。已知 A 吃 B、B 吃 C、C 吃 A。按顺序给出下面的两种信息共 K 条。

- 第一种：x 和 y 属于同一种类。
- 第二种：x 吃 y。

然而这些信息有可能会出错。有可能有的信息和之前给出的信息矛盾，也有的信息可能给出的 x 和 y 不在 $1, 2, \cdots, N$ 的范围内。求在 K 条信息中有多少条是不正确的。计算过程中，我们将忽视诸如此类的错误信息。

⚠限制条件
- $1 \leqslant N \leqslant 50000$
- $0 \leqslant K \leqslant 100000$

样例

输入

```
N = 100, K = 7
信息有下面7条
第一种，x = 101, y = 1
第二种，x = 1, y = 2
第二种，x = 2, y = 3
第二种，x = 3, y = 3
第一种，x = 1, y = 3
第二种，x = 3, y = 1
第一种，x = 5, y = 5
```

输出

3（第1、4、5条是错误的信息）

由于*N*和*K*很大，所以必须高效地维护动物之间的关系，并快速判断是否产生了矛盾。并查集是维护"属于同一组"的数据结构，但是在本题中，并不只有属于同一类的信息，还有捕食关系的存在。因此需要开动脑筋维护这些关系。

对于每只动物 i 创建3个元素 i–A, i–B, i–C，并用这 $3 \times N$ 个元素建立并查集。这个并查集维护如下信息：

■ i–x 表示"i 属于种类 x"。

■ 并查集里的每一个组表示组内所有元素代表的情况都同时发生或不发生。

例如，如果 i–A 和 j–B 在同一个组里，就表示如果 i 属于种类 A 那么 j 一定属于种类 B，如果 j 属于种类 B 那么 i 一定属于种类 A。因此，对于每一条信息，只需要按照下面进行操作就可以了。

■ 第一种，x 和 y 属于同一种类……合并 x–A 和 y–A、x–B 和 y–B、x–C 和 y–C。

■ 第二种，x 吃 y………………合并 x–A 和 y–B、x–B 和 y–C、x–C 和 y–A。

不过在合并之前，需要先判断合并是否会产生矛盾。例如在第一种信息的情况下，需要检查比如 x–A 和 y–B 或者 y–C 是否在同一组等信息。

```
// 输入 (T是信息的类型)
int N, K;
int T[MAX_K], X[MAX_K], Y[MAX_K];

// 在这里省略了并查集部分的代码
void solve() {
  // 初始化并查集
  // 元素x, x + N, x + 2 * N分别代表x-A, x-B, x-C
  init(N * 3);

  int ans = 0;
  for (int i = 0; i < K; i++) {
    int t = T[i];
    int x = X[i] - 1, y = Y[i] - 1;  // 把输入变成0, …, N-1的范围

    // 不正确的编号
    if (x < 0 || N <= x || y < 0 || N <= y) {
      ans++;
      continue;
    }

    if (t == 1) {
    // "x和y属于同一类"的信息
      if (same(x, y + N) || same(x, y + 2 * N)) {
        ans++;
      }
      else {
        unite(x, y);
        unite(x + N, y + N);
        unite(x + N * 2, y + N * 2);
      }
    }
    else {
      // "x吃y"的信息
      if (same(x, y) || same(x, y + 2 * N)) {
```

```
            ans++;
        }
        else {
            unite(x, y + N);
            unite(x + N, y + 2 * N);
            unite(x + 2 * N, y);
        }
    }
}

    printf("%d\n", ans);
}
```

2.5 它们其实都是 "图"

➡️ 图是表示一些事物或者状态的关系的表达方法。由于许多问题都可以归约为图的问题，人们提出了许多和图相关的算法。因此，在程序设计竞赛中有许多需要直接对图进行处理或是间接用图解决的问题。

2.5.1 图是什么

图由顶点（vertex, node）和边（edge）组成。顶点代表对象。在示意图中，我们使用点或圆来表示。边表示的是两个对象的连接关系。在示意图中，我们使用连接两顶点之间的线段来表示。顶点的集合是V、边的集合是E的图记为$G=(V, E)$，连接两点u和v的边用$e=(u, v)$表示。

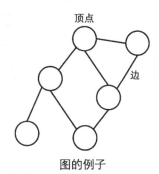

图的例子

1. 图的种类

图大体上分为2种。边没有指向性的图叫做无向图，边具有指向性的图叫做有向图。表示朋友关系的图（顶点表示人、边表示朋友关系的图）和路线图是无向图。表示数值的大小关系的图（顶点表示数值、$A>B$时从A向B连一条边得到的图）和流程图是有向图。

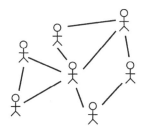

无向图的例子

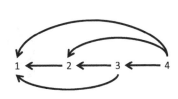

有向图的例子

我们可以给边赋予各种各样的属性。比较具有代表性的有权值（cost）。边上带有权值的图叫做带权图。在不同问题中，权值可以代表距离、时间以及价格等不同的属性。

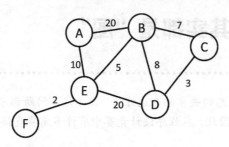

边表示连接城市的道路，权值表示距离

2. 无向图的术语

两个顶点之间如果有边连接，那么就视为两个顶点相邻。相邻顶点的序列称为路径。起点和终点重合的路径叫做圈。任意两点之间都有路径连接的图叫做连通图。顶点连接的边数叫做这个顶点的度。

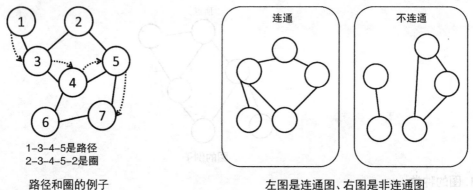

1-3-4-5是路径
2-3-4-5-2是圈

路径和圈的例子   左图是连通图、右图是非连通图

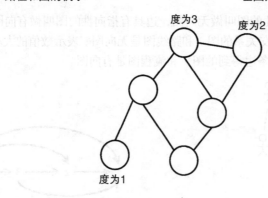

度

没有圈的连通图叫做树（tree），没有圈的非连通图叫做森林。一棵树的边数恰好是顶点数–1。反之，边数等于顶点数–1的连通图就是一棵树。

如果在树上选择一个顶点作为根（root），就可以把根提到最上面，而离根越远的顶点越往下安排其位置。这样的树叫做有根树。不过，对于无根树，有时选择适当的顶点作为根使之变成有根树，可以使问题得到简化。如果把有根树看作家谱图，则可以在顶点之间建立父子关系。也可以认为这是给边加上了方向。

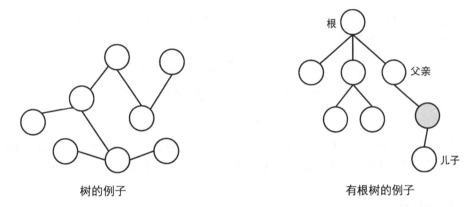

树的例子　　　　　　　　　　　　有根树的例子

3. 有向图的术语

在本书中，以有向图的顶点 v 为起点的边的集合记作 $\delta_+(v)$，以顶点 v 为终点的边的集合记作 $\delta_-(v)$。$|\delta_+(v)|$ 叫做 v 的出度，$|\delta_-(v)|$ 叫做 v 的入度。

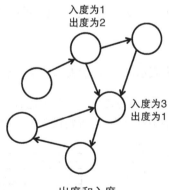

出度和入度

没有圈的有向图叫做DAG（Directed Acyclic Graph）。例如，让我们用顶点表示整数，n 能整除 m 时从 n 向 m 连一条边的图，这就构成一个DAG。像下图一样，在DAG中我们可以给顶点标记一个先后顺序。

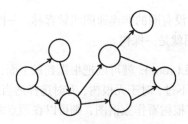

DAG的例子

对于每个顶点我们给它一个编号，第i号顶点叫做v_i。那么存在从顶点v_i到顶点v_j的边时就有$i<j$成立，这样的编号方式叫做拓扑序。

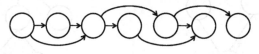

上图的拓扑序

如果把图中的顶点按照拓扑序从左到右排列，那么所有的边都是从左指向右的。因此，通过这样的编号方式，有些DAG问题就可以使用DP来解决了。求解拓扑序的算法叫做拓扑排序。

2.5.2　图的表示

为了能在程序中对图进行处理，需要把顶点和边用具体的数据结构存储下来。在图的表示方法中，比较具有代表性的有邻接矩阵和邻接表。需要注意的是，两种表示方法都有各自的优缺点，根据问题的不同，使用不同的存储方式可能会影响算法的时间复杂度。接下来，记顶点和边的集合为V和E，$|V|$和$|E|$表示顶点和边的个数。另外，在V中，顶点被编号为$0 \sim |V|-1$。

1. 邻接矩阵

邻接矩阵使用$|V| \times |V|$的二维数组来表示图。$g[i][j]$表示的是顶点i和顶点j的关系。

由于在无向图中，只需知道"顶点i和顶点j之间是否有边连着"这样的信息，因此如果顶点i和顶点j之间有边相连，那么$g[i][j]$和$g[j][i]$就设为1，否则设为0。这样就可以表示一个无向图了。

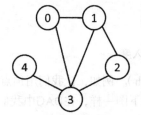

i\j	0	1	2	3	4
0	0	1	0	1	0
1	1	0	1	1	0
2	0	1	0	1	0
3	1	1	1	0	1
4	0	0	0	1	0

无向图和对应的邻接矩阵

由于在有向图中，只需要知道"是否有从顶点i发出指向顶点j的边"这样的信息，因此如果顶点i

有一条指向顶点j的边，那么$g[i][j]$就设为1，否则设为0。这样就可以表示一个有向图了。有向图与无向图不同，并不需要满足$g[i][j]=g[j][i]$。

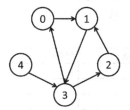

$\diagdown^j_i$	0	1	2	3	4
0	0	1	0	0	0
1	0	0	0	1	0
2	0	1	0	0	0
3	1	0	1	0	0
4	0	0	0	1	0

有向图和对应的邻接矩阵

在带权图中，$g[i][j]$表示的是顶点i到顶点j的边的权值。由于在边不存在的情况下，如果将$g[i][j]$设为0，就无法和权值为0的情况区分开来，因此选取适当的较大的常数INF（只要能和普通的权值区别开来就可以了），然后令$g[i][j]=$INF就好了。当然，在无向图中还是要保持$g[i][j]=g[j][i]$。在一条边上有多种不同权值的情况下，定义多个同样的$|V| \times |V|$数组，或者是使用结构体或类作为数组的元素，就可以和原来一样对图进行处理了。

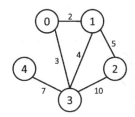

$\diagdown^j_i$	0	1	2	3	4
0	0	2	∞	3	∞
1	2	0	5	4	∞
2	∞	5	0	10	∞
3	3	4	10	0	7
4	∞	∞	∞	7	0

带权图和对应的邻接矩阵

使用邻接矩阵的好处是可以在常数时间内判断两点之间是否有边存在，但是需要花费$O(|V|^2)$的空间。在边很少的稀疏图里十分浪费。例如，如果图是一棵树，因为边数只有$|V|-1$条，所以数组g绝大部分的元素都变成了0。在$|V|$达到1000000时，即使g的每个元素只需要1个字节的空间，整个数组也需要1TB才能存下。

此外，两点之间有重边或者某个顶点有自环（参照下图）的情况需要特别注意。在无权图中，只需要设$g[i][j]$为顶点i到顶点j的边数即可，但是在带权图中却无法这样。大部分情况下，只需要保存权值最小（最大）的边就可以了，所以在这种情况下可以无视其他的边。必须保存所有的边时，可以使用邻接表。

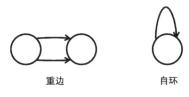

重边 　　　　　　　　自环

重边和自环

2. 邻接表

用邻接矩阵表示稀疏图会浪费大量内存空间。而在邻接表中，是通过把"从顶点0出发有到顶点2, 4, 5的边"这样的信息保存在链表中来表示图的。这样只需要 $O(|V|+|E|)$ 的内存空间。

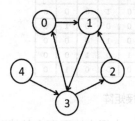

顶点	相邻的顶点的列表
0	1
1	3
2	1
3	0,2
4	3

邻接表

事实上，实现邻接表的方式多种多样，每个人的写法可能都有所不同。下面是邻接表的一种实现方式。输入数据如下所示。

```
3 3（顶点数 边数）
0 1（有一条0到1的边）
0 2（有一条0到2的边）
1 2（有一条1到2的边）
```

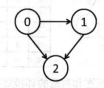

样例1

```
vector<int> G[MAX_V];
/*
 * 边上有属性的情况
 * struct edge { int to, cost; };
 * vector<edge> G[MAX_V];
 */

int main() {
  int V, E;
  scanf("%d %d", &V, &E);
  for (int i = 0; i < E; i++) {
    // 从s向t连边
    int s, t;
    scanf("%d %d", &s, &t);
    G[s].push_back(t);
    // 如果是无向图，则需要再从t向s连边
  }
  /*
   * 图的操作
   */
  return 0;
}
```

样例 2

```cpp
struct vertex {
  vector<vertex*> edge;
  /*
   * 顶点的属性
   */
};
vertex G[MAX_V];

int main() {
  int V, E;
  scanf("%d %d", &V, &E);
  for (int i = 0; i < E; i++) {
    int s, t;
    scanf("%d %d", &s, &t);
    G[s].edge.push_back(&G[t]);
    // G[t].edge.push_back(&G[s]);
  }
  /*
   * 图的操作
   */
  return 0;
}
```

在带权图等边有附加属性的图中，将边用结构体或者类来表示就可以很方便地存储了。邻接表虽然在边数稀少时只需要占用少量内存，但是和邻接矩阵相比实现较为复杂。而且，在邻接表中查询两点间是否有边需要遍历一遍链表才能知道。

2.5.3 图的搜索

通过前面的铺垫，我们已经可以通过程序对图进行处理了。让我们来试着解决下面这道题。

二分图判定

给定一个具有 n 个顶点的图。要给图上每个顶点染色，并且要使相邻的顶点颜色不同。问是否能最多用 2 种颜色进行染色？题目保证没有重边和自环。

⚠限制条件
- $1 \leqslant n \leqslant 1000$

样例 1

输入

n=3（请参见下图）

输出

No（需要3种颜色）

 样例 2

输入

n=4（请参见下图）

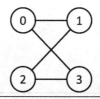

输出

Yes（{0，2}染成红色，{1，3}染成白色即可）

把相邻顶点染成不同颜色的问题叫做图着色问题。对图进行染色所需要的最小颜色数称为最小着色数。最小着色数是2的图称作二分图。

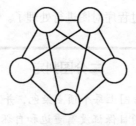

最小着色数是5的图

如果只用2种颜色，那么确定一个顶点的颜色之后，和它相邻的顶点的颜色也就确定了。因此，选择任意一个顶点出发，依次确定相邻顶点的颜色，就可以判断是否可以被2种颜色染色了。这个问题如果用深度优先搜索的话，能够简单地实现。

```
// 输入
vector<int> G[MAX_V]; // 图
int V;                // 顶点数
```

```
int color[MAX_V];        // 顶点i的颜色（1 or -1）

// 把顶点染成1或-1
bool dfs(int v, int c) {
  color[v] = c; // 把顶点v染成颜色c
  for (int i = 0; i < G[v].size(); i++) {
    // 如果相邻的顶点同色，则返回false
    if (color[G[v][i]] == c) return false;
    // 如果相邻的顶点还没被染色，则染成-c
    if (color[G[v][i]] == 0 && !dfs(G[v][i], -c)) return false;
  }
  // 如果所有顶点都染过色了，则返回true
  return true;
}

void solve() {
  for (int i = 0; i < V; i++) {
    if (color[i] == 0) {
      // 如果顶点i还没被染色，则染成1
      if (!dfs(i, 1)) {
        printf("No\n");
        return;
      }
    }
  }
  printf("Yes\n");
}
```

如果是连通图，那么一次dfs就可以访问到所有的顶点。如果题目描述中没有说明，那么有可能图是不连通的，这样就需要依次检查每个顶点是否访问过。判断图是否连通或者是否是一棵树，都只需将dfs进行一些修改就可以了。通过dfs也可以求图的拓扑序。由于每个顶点和每条边都只访问了一次，因此复杂度是$O(|V|+|E|)$。

2.5.4 最短路问题

最短路问题是图论中最基础的问题，在程序设计竞赛试题中也经常出现。最短路是给定两个顶点，在以这两个点为起点和终点的路径中，边的权值和最小的路径。如果把权值当作距离，考虑最短距离的话就很容易理解了。智力游戏中的求解最少步数问题也可以说是一种最短路问题。

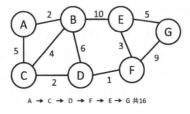

最短路的例子

1. 单源最短路问题1（Bellman-Ford算法）

单源最短路问题是固定一个起点，求它到其他所有点的最短路的问题。终点也固定的问题叫做两点之间最短路问题。但是因为解决单源最短路问题的复杂度也是一样的，因此通常当作单源最短路问题来求解。

记从起点s出发到顶点i的最短距离为$d[i]$。则下述等式成立。

$$d[i]=\min\{d[j]+(\text{从}j\text{到}i\text{的边的权值})|e=(j,i) \in E\}$$

如果给定的图是一个DAG，就可以按拓扑序给顶点编号，并利用这条递推关系式计算出d。但是，如果图中有圈，就无法依赖这样的顺序进行计算。在这种情况下，记当前到顶点i的最短路长度为$d[i]$，并设初值$d[s]=0$，$d[i]=$INF（足够大的常数），再不断使用这条递推关系式更新d的值，就可以算出新的d。只要图中不存在负圈，这样的更新操作就是有限的。结束之后的d就是所求的最短距离了。

```
// 从顶点from指向顶点to的权值为cost的边
struct edge { int from, to, cost; };

edge es[MAX_E];   // 边

int d[MAX_V];     // 最短距离
int V, E;         // V是顶点数，E是边数

// 求解从顶点s出发到所有点的最短距离
void shortest_path(int s) {
  for (int i = 0; i < V; i++) d[i] = INF;
  d[s] = 0;
  while (true) {
    bool update = false;
    for (int i = 0; i < E; i++) {
      edge e = es[i];
      if (d[e.from] != INF && d[e.to] > d[e.from] + e.cost) {
        d[e.to] = d[e.from] + e.cost;
        update = true;
      }
    }
    if (!update) break;
  }
}
```

这个算法叫做Bellman-Ford算法。如果在图中不存在从s可达的的负圈，那么最短路不会经过同一个顶点两次（也就是说，最多通过$|V|-1$条边），while(true)的循环最多执行$|V|-1$次，因此，复杂度是$O(|V| \times |E|)$。反之，如果存在从s可达的负圈，那么在第$|V|$次循环中也会更新d的值，因此也可以用这个性质来检查负圈。如果一开始对所有的顶点i，都把$d[i]$初始化为0，那么可以检查出所有的负圈。

```
// 如果返回true则存在负圈
bool find_negative_loop() {
  memset(d, 0, sizeof(d));

  for (int i = 0; i < V; i++) {
    for (int j = 0; j < E; j++) {
      edge e = es[j];
      if (d[e.to] > d[e.from] + e.cost) {
        d[e.to] = d[e.from] + e.cost;

        // 如果第V次仍然更新了，则存在负圈
        if (i == V - 1) return true;
      }
    }
  }
  return false;
}
```

2. 单源最短路问题2（Dijkstra算法）

让我们考虑一下没有负边的情况。在Bellman-Ford算法中，如果$d[i]$还不是最短距离的话，那么即使进行$d[j]=d[i]+$(从i到j的边的权值)的更新，$d[j]$也不会变成最短距离。而且，即使$d[i]$没有变化，每一次循环也要检查一遍从i出发的所有边。这显然是很浪费时间的。因此可以对算法做如下修改。

(1) 找到最短距离已经确定的顶点，从它出发更新相邻顶点的最短距离。
(2) 此后不需要再关心1中的"最短距离已经确定的顶点"。

在(1)和(2)中提到的"最短距离已经确定的顶点"要怎么得到是问题的关键。在最开始时，只有起点的最短距离是确定的。而在尚未使用过的顶点中，距离$d[i]$最小的顶点就是最短距离已经确定的顶点。这是因为由于不存在负边，所以$d[i]$不会在之后的更新中变小。这个算法叫做Dijkstra算法。

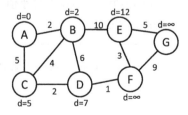

按照A->B->C的顺序确定最短距离后的d的值。下一个使用的是d=7的顶点D。

```
int cost[MAX_V][MAX_V];    // cost[u][v]表示边e=(u,v)的权值（不存在这条边时设为INF）
int d[MAX_V];              // 顶点s出发的最短距离
bool used[MAX_V];          // 已经使用过的图
int V;                     // 顶点数

// 求从起点s出发到各个顶点的最短距离
```

```
void dijkstra(int s) {
  fill(d, d + V, INF);
  fill(used, used + V, false);
  d[s] = 0;

  while(true) {
    int v = -1;
    // 从尚未使用过的顶点中选择一个距离最小的顶点
    for (int u = 0; u < V; u++) {
      if (!used[u] && (v == -1 || d[u] < d[v])) v = u;
    }

    if (v == -1) break;
    used[v] = true;

    for (int u = 0; u < V; u++) {
      d[u] = min(d[u], d[v] + cost[v][u]);
    }
  }
}
```

使用邻接矩阵实现的Dijkstra算法的复杂度是$O(|V|^2)$。使用邻接表的话，更新最短距离只需要访问每条边一次即可，因此这部分的复杂度是$O(|E|)$。但是每次要枚举所有的顶点来查找下一个使用的顶点，因此最终复杂度还是$O(|V|^2)$。在|E|比较小时，大部分的时间花在了查找下一个使用的顶点上，因此需要使用合适的数据结构对其进行优化。

需要优化的是数值的插入（更新）和取出最小值两个操作，因此使用堆就可以了。把每个顶点当前的最短距离用堆维护，在更新最短距离时，把对应的元素往根的方向移动以满足堆的性质。而每次从堆中取出的最小值就是下一次要使用的顶点。这样堆中元素共有$O(|V|)$个，更新和取出数值的操作有$O(|E|)$次，因此整个算法的复杂度是$O(|E| \log |V|)$。

下面是使用STL的priority_queue[①]的实现。在每次更新时往堆里插入当前最短距离和顶点的值对。插入的次数是$O(|E|)$次，因此元素也是$O(|E|)$个。当取出的最小值不是最短距离的话，就丢弃这个值。这样整个算法也可以在同样的复杂度内完成。

```
struct edge { int to, cost; };
typedef pair<int, int> P;  // first是最短距离，second是顶点的编号

int V;
vector<edge> G[MAX_V];
int d[MAX_V];

void dijkstra(int s) {
  // 通过指定greater<P>参数，堆按照first从小到大的顺序取出值
  priority_queue<P, vector<P>, greater<P> > que;
```

① 当所有的边的权值都相等时，单源最短路可以通过广度优先搜索来求解。在这种情况下，Dijkstra算法使用priority_queue和queue具有相同效果。因此复杂度会产生变化，请特别注意。

```
fill(d, d + V, INF);
d[s] = 0;
que.push(P(0, s));

while (!que.empty()) {
  P p = que.top(); que.pop();
  int v = p.second;
  if (d[v] < p.first) continue;
  for (int i = 0; i < G[v].size(); i++) {
    edge e = G[v][i];
    if (d[e.to] > d[v] + e.cost) {
      d[e.to] = d[v] + e.cost;
      que.push(P(d[e.to], e.to));
    }
  }
}
}
```

相对于Bellman-Ford的$O(|V||E|)$的复杂度，Dijkstra算法的复杂度是$O(|E|\log|V|)$，可以更加高效地计算最短路的长度。但是，在图中存在负边的情况下，Dijkstra算法就无法正确求解问题，还是需要使用Bellman-Ford算法。

3. 任意两点间的最短路问题（Floyd-Warshall算法）

求解所有两点间的最短路的问题叫做任意两点间的最短路问题。让我们试着用DP来求解任意两点间的最短路问题。只使用顶点$0\sim k$和i, j的情况下，记i到j的最短路长度为$d[k+1][i][j]$。$k=-1$时，认为只使用i和j，所以$d[0][i][j]=cost[i][j]$。接下来让我们把只使用顶点$0\sim k$的问题归约到只使用$0\sim k-1$的问题上。

只使用$0\sim k$时，我们分i到j的最短路正好经过顶点k一次和完全不经过顶点k两种情况来讨论。不经过顶点k的情况下，$d[k][i][j]=d[k-1][i][j]$。通过顶点k的情况下，$d[k][i][j]=d[k-1][i][k]+d[k-1][k][j]$。合起来，就得到了$d[k][i][j]=\min(d[k-1][i][j], d[k-1][i][k]+d[k-1][k][j])$。这个DP也可以使用同一个数组，不断进行$d[i][j]=\min(d[i][j], d[i][k]+d[k][j])$的更新来实现。

这个算法叫做Floyd-Warshall算法，可以在$O(|V|^3)$时间里求得所有两点间的最短路长度。Floyd-Warshall算法和Bellman-Ford算法一样，可以处理边是负数的情况。而判断图中是否有负圈，只需检查是否存在$d[i][i]$是负数的顶点i就可以了。

```
int d[MAX_V][MAX_V];    // d[u][v]表示边e=(u,v)的权值（不存在时设为INF，不过d[i][i]=0）
int V;                   // 顶点数

void warshall_floyd() {
  for (int k = 0; k < V; k++)
    for (int i = 0; i < V; i++)
      for (int j = 0; j < V; j++) d[i][j] = min(d[i][j], d[i][k] + d[k][j]);
}
```

这样通过三重循环非常简单地就可以求出所有两点间的最短路长度。由于实现起来非常简单，如果复杂度在可以承受的范围之内，单源最短路也可以使用Floyd-Warshall算法进行求解。

4. 路径还原

截至目前，我们都只是在求解最短距离。虽然许多问题只需输出最短距离就可以了，但是也有的问题需要求解最短路的路径。我们以Dijkstra算法为例，试着来求解最短路径。在求解最短距离时，满足$d[j]=d[k]+cost[k][j]$的顶点k，就是最短路上顶点j的前趋节点，因此通过不断寻找前趋节点就可以恢复出最短路。时间度杂度是$O(|E|)$。

此外，如果用prev[j]来记录最短路上顶点j的前趋，那么就可以在$O(|V|)$的时间内完成最短路的恢复。在$d[j]$被$d[j]=d[k]+cost[k][j]$更新时，修改prev[j]=k，这样就可以求得prev数组。在计算从s出发到j的最短路时，通过prev[j]就可以知道顶点j的前趋，因此不断把j替换成prev[j]直到$j=s$为止就可以了。Bellman-Ford算法和Floyd-Warshall算法都可以用类似的方法进行最短路的还原。

```
int prev[MAX_V];   // 最短路上的前趋顶点

// 求从起点s出发到各个顶点的最短距离
void dijkstra(int s) {
  fill(d, d + V, INF);
  fill(used, used + V, false);
  fill(prev, prev + V, -1);
  d[s] = 0;

  while(true) {
    int v = -1;
    for (int u = 0; u < V; u++) {
      if (!used[u] && (v == -1 || d[u] < d[v])) v = u;
    }

    if (v == -1) break;
    used[v] = true;

    for (int u = 0; u < V; u++) {
      if (d[u] > d[v] + cost[v][u]) {
        d[u] = d[v] + cost[v][u];
        prev[u] = v;
      }
    }
  }
}

// 到顶点t的最短路.
vector<int> get_path(int t) {
  vector<int> path;
  for (; t != -1; t = prev[t]) path.push_back(t); // 不断沿着prev[t]走直到t=s
  // 这样得到的是按照t到s的顺序, 所以翻转之
  reverse(path.begin(), path.end());
  return path;
}
```

2.5.5 最小生成树

给定一个无向图,如果它的某个子图中任意两个顶点都互相连通并且是一棵树,那么这棵树就叫做生成树(Spanning Tree)。如果边上有权值,那么使得边权和最小的生成树叫做最小生成树(MST,Minimum Spanning Tree)。

例如我们假设有这样一个图:把顶点看作村庄,边看作计划要修建的道路。为了在所有的村庄间通行,恰好修建村庄数目−1条道路时的情形就对应了一棵生成树。修建道路需要投入建设费,那么求解使得道路建设费用最小的生成树就是最小生成树问题。

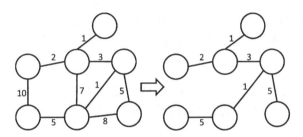

最小生成树(权值和17)

生成树

常见的求解最小生成树的算法有Kruskal算法和Prim算法。很显然,生成树是否存在和图是否连通是等价的,因此我们假定图是连通的。

1. 最小生成树问题1(Prim算法)

首先我们介绍Prim算法。Prim算法和Dijkstra算法十分相似,都是从某个顶点出发,不断添加边的算法。

首先,我们假设有一棵只包含一个顶点v的树T。然后贪心地选取T和其他顶点之间相连的最小权值的边,并把它加到T中。不断进行这个操作,就可以得到一棵生成树了。接下来我们来证明通过这个方法得到的生成树就是最小生成树。

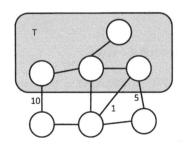

T和T以外的顶点之间的边的最小权值

我们令 V 表示顶点的集合。假设现在已经求得的生成树的顶点的集合是 X (⊂V), 并且存在在 V 上的最小生成树使得 T 是它的一个子图。下面我们证明存在一棵最小生成树使得 T 是它的一个子图并且它包含了连接 X 和 V \ X 之间的边中权值最小的边。记连接 X 和 V \ X 的权值最小的边为 e, 它连接着 V(∈X) 和 u(∈V \ X)。根据假设, 存在一棵 V 上的最小生成树使得 T 是它的一个子图。如果 e 也在这棵最小生成树上, 问题就得到证明了, 所以我们假设 e 不在这棵树上。因为生成树本质是一棵树, 所以在添加了 e 之后就产生了圈。

圈上的边中, 必然存在一条和 e 不同的边 f 连接着 X 和 V \ X。从 e 的定义可以知道 f 的权值不会比 e 小。因此, 我们把 f 从树中删除, 然后加上 e 就可以得到一棵新的生成树, 并且总权值不超过原来的生成树。因此可以说存在同时包含 e 和 T 的最小生成树。所以把 e 加入 T 中满足最初的假设。可以这样不断地加入新的边, 直到 X=V。因为存在 V 上的最小生成树使得 T 是它的一个子图, 而 X=V, 所以 T 就是 V 上的最小生成树。

让我们看一下如何查找最小权值的边。把 X 和顶点 V 连接的边的最小权值记为 mincost[v]。在向 X 里添加顶点 u 时, 只需要查看和 u 相连的边就可以了。对于每条边, 更新 mincost[v]=min(mincost[v], 边 (u,v) 的权值)即可。

如果每次都遍历未包含在 X 中的点的 mincost[v], 需要 $O(|V|^2)$ 时间。不过和 Dijkstra 算法一样, 如果使用堆来维护 mincost 时间复杂度就是 $O(|E| \log |V|)$。

```
int cost[MAX_V][MAX_V];  // cost[u][v]表示边e=(u,v)的权值 ( 不存在的情况下设为INF )
int mincost[MAX_V];      // 从集合X出发的边到每个顶点的最小权值
bool used[MAX_V];        // 顶点i是否包含在集合X中
int V;                   // 顶点数

int prim() {
  for (int i = 0; i < V; ++i) {
    mincost[i] = INF;
    used[i] = false;
  }
  mincost[0] = 0;
  int res = 0;

  while(true) {
    int v = -1;
    // 从不属于X的顶点中选取从X到其权值最小的顶点
    for (int u = 0; u < V; u++) {
      if (!used[u] && (v == -1 || mincost[u] < mincost[v])) v = u;
    }

    if (v == -1) break;
    used[v] = true;     // 把顶点v加入X
    res += mincost[v];  // 把边的长度加到结果里
```

```
        for (int u = 0; u < V; u++) {
            mincost[u] = min(mincost[u], cost[v][u]);
        }
    }
    return res;
}
```

2. 最小生成树问题2（Kruskal算法）

下面我们介绍Kruskal算法。Kruskal算法按照边的权值的顺序从小到大查看一遍，如果不产生圈（重边等也算在内），就把当前这条边加入到生成树中。至于这个算法为什么是正确的，其实和Prim算法证明的思路基本相同，在此就不详细说明了。

接下来我们介绍如何判断是否产生圈。假设现在要把连接顶点 u 和顶点 v 的边 e 加入生成树中。如果加入之前 u 和 v 不在同一个连通分量里，那么加入 e 也不会产生圈。反之，如果 u 和 v 在同一个连通分量里，那么一定会产生圈。可以使用并查集高效地判断是否属于同一个连通分量。

Kruskal算法在边的排序上最费时，算法的复杂度是 $O(|E| \log |V|)$。

```
struct edge { int u, v, cost; };

bool comp(const edge& e1, const edge& e2) {
    return e1.cost < e2.cost;
}

edge es[MAX_E];
int V, E;                    // 顶点数和边数

int kruskal() {
    sort(es, es + E, comp);  // 按照edge.cost的顺序从小到大排列
    init_union_find(V);      // 并查集的初始化
    int res = 0;
    for (int i = 0; i < E; i++) {
        edge e = es[i];
        if (!same(e.u, e.v)) {
            unite(e.u, e.v);
            res += e.cost;
        }
    }
    return res;
}
```

2.5.6 应用问题

让我们试着用图论的算法解决问题。

Roadblocks（POJ No.3255）

某街区共有 R 条道路、N 个路口。道路可以双向通行。问 1 号路口到 N 号路口的次短路长度是多少？次短路指的是比最短路长度长的次短的路径。同一条边可以经过多次。

⚠限制条件
- $1 \le N \le 5000$
- $1 \le R \le 100000$

样例

输入

N=4,R=4，图如下图所示

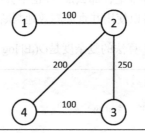

输出

450（1->2->4 是长度为 300 的最短路，1->2->3->4 是长度为 450 的次短路）

我们把路口看作顶点，把道路看作边的无向图。虽然用 Dijkstra 等算法可以简单地求得最短路，但是次短路应该怎么算呢？Dijkstra 算法的思路是依次确定尚未确定的顶点中距离最小的顶点。按照这个思路对算法进行少许修改，就可以简单地求出次短路了。

到某个顶点 v 的次短路要么是到其他某个顶点 u 的最短路再加上 $u{\to}v$ 的边，要么是到 u 的次短路再加上 $u{\to}v$ 的边，因此所需要求的就是到所有顶点的最短路和次短路。因此，对于每个顶点，我们记录的不仅仅是最短距离，还有次短的距离。接下去只要用与 Dijkstra 算法相同的做法，不断更新这两个距离就可以求出次短路了。

```
// 输入
int N, R;
vector<edge> G[MAX_N];   // 图的邻接表表示

int dist[MAX_N];         // 最短距离
int dist2[MAX_N];        // 次短距离

void solve() {
  priority_queue<P, vector<P>, greater<P> > que;
```

```
fill(dist, dist + N, INF);
fill(dist2, dist2 + N, INF);
dist[0] = 0;
que.push(P(0, 0));

while (!que.empty()) {
  P p = que.top(); que.pop();
  int v = p.second, d = p.first;
  if (dist2[v] < d) continue;
  for (int i = 0; i < G[v].size(); i++) {
    edge &e = G[v][i];
    int d2 = d + e.cost;
    if (dist[e.to] > d2) {
      swap(dist[e.to], d2);
      que.push(P(dist[e.to], e.to));
    }
    if (dist2[e.to] > d2 && dist[e.to] < d2) {
      dist2[e.to] = d2;
      que.push(P(dist2[e.to], e.to));
    }
  }
}
printf("%d\n", dist2[N - 1]);
}
```

Conscription（POJ No.3723）

需要征募女兵 N 人，男兵 M 人。每征募一个人需要花费 10000 美元。但是如果已经征募的人中有一些关系亲密的人，那么可以少花一些钱。给出若干的男女之间的 1~9999 之间的亲密度关系，征募某个人的费用是 10000−（已经征募的人中和自己的亲密度的最大值）。要求通过适当的征募顺序使得征募所有人所需费用最小。

⚠️**限制条件**
- $1 \leq N, M \leq 10000$
- $0 \leq R \leq 50000$
- $0 < d < 10000$

样例

输入

N=5,M=5,R=8
关系有如下R个（(x,y,d)表示的是第x号男兵和第y号女兵之间的亲密度是d）

(x,y,d)={(4,3,6831),(1,3,4583),(0,0,6592),(0,1,3063),(3,3,4975),(1,4,2049),(4,2,2104),(2,2,781)}

输出

```
71071
```

让我们设想一下这样一个无向图: 在征募某个人a时, 如果使用了a和b之间的关系, 那么就连一条a到b的边。假设这个图中存在圈, 那么无论以什么顺序征募这个圈上的所有人, 都会产生矛盾。因此可以知道这个图是一片森林。反之, 如果给了一片森林那么就可以使用对应的关系确定征募的顺序。

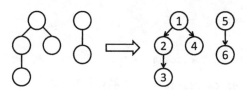

给定无向森林   变成有向森林并加上顺序

因此, 把人看作顶点, 关系看作边, 这个问题就可以转化为求解无向图中的最大权森林问题。最大权森林问题可以通过把所有边权取反之后用最小生成树的算法求解。[①]

```
// 输入
int N, M, R;
int x[MAX_R], y[MAX_R], d[MAX_R];

void solve() {
  V = N + M;
  E = R;
  for (int i = 0; i < R; i++) {
    es[i] = (edge){x[i], N + y[i], -d[i]};
  }
  printf("%d\n", 10000 * (N + M) + kruskal());
}
```

Layout (POJ No.3169)

农夫约翰养了 N 头牛, 编号分别是1到 N。现在, 它们要进食, 按照编号顺序排成了一排。在它们之间有一些牛关系比较好, 所以希望彼此之间不超过一定距离, 也有一些牛关系比较不好, 所以希望彼此之间至少要满足某个距离。此外, 牛的性格比较犟, 所以有可能有多头牛挤在同一个位置上。给出了 ML 个关系好的牛的信息 (AL,BL,DL) 以及 MD 个关系不好的牛的信息 (AD,BD,DD)。这表示的是牛 AL 与牛 BL 之间的最大距离 DL 和牛 AD 与牛 BD 之间的最小距离 DD。在满足这些条件的排列方法中, 求1号牛和 N 号牛之间的最大距离。如果不存在任何一种排列方法满足条件则输出-1。无限大的情况输出-2。

[①] 在这个问题中, 完全没有用到男女之间的二分图结构。而在许多问题中, 如果有特殊的结构, 往往会考虑如何利用这个结构, 当然也有像此题一样设置了无用的陷阱条件的题目, 需要注意。

⚠ **限制条件**

- $2 \leqslant N \leqslant 1000$
- $1 \leqslant ML, MD \leqslant 10000$
- $1 \leqslant AL < BL \leqslant N$
- $1 \leqslant AD < BD \leqslant N$
- $1 \leqslant DL, DD \leqslant 1000000$

样例

输入

```
N=4, ML=2, MD=1
(AL, BL, DL)={(1,3,10),(2,4,20)}
(AD, BD, DD)={(2,3,3)}
```

输出

```
27(0,7,10,27)
```

记第i号牛的位置是$d[i]$。首先，牛是按照编号顺序排列的，所以有$d[i] \leqslant d[i+1]$成立。其次，对于每对关系好的牛之间的最大距离限制，都有$d[AL]+DL \geqslant d[BL]$成立。同样，对于每对关系不好的牛，都有$d[AD]+DD \leqslant d[BD]$成立。因此，原问题可以转化为在满足这三类不等式的情况下，求解d的$d[N]-d[1]$的最大值的问题。这是线性规划问题，可以使用单纯形法等较复杂的算法求解。但是这道题有更加简单的解法。

这些不等式的特点是所有的式子的两边都只出现了1个变量[①]。实际上，图上的最短路问题也可以用这样的形式表示出来。记从起点s出发，到各个顶点v的最短距离为$d(v)$。因此，对于每条权值为w的边$e=(v,u)$，都有$d(v)+w \geqslant d(u)$成立。反之，在满足全部这些约束不等式的d中，$d(v)-d(s)$的最大值就是从s到v的最短距离。需要注意这里不是最小值，而是最大值对应着最短距离。

把原来的问题和最短路问题进行比较就可以发现，两个问题都是完全一样的形式。也就是说，可以通过把原来的问题的每一个约束不等式对应成图中的一条边来构图，然后通过解决最短路问题来解决原问题。首先把顶点编号为$1 \sim N$。$d[i] \leqslant d[i+1]$变形为$d[i+1]+0 \geqslant d[i]$，因此从顶点$i+1$向顶点i连一条权值为0的边。同样$d[AL]+DL \geqslant d[BL]$对应从顶点AL向顶点BL连一条权值为DL的边，$d[AD]+DD \leqslant d[BD]$对应从顶点BD向顶点AD连一条权值为$-DD$的边。所求的问题是$d[N]-d[1]$的最大值，对应为顶点1到顶点N的最短距离。由于图中存在负权边，因此不使用Dijkstra算法而是使用Bellman-Ford算法求解。即使这样复杂度也只有$O(N(N+ML+MD))$，可以在规定时间内求解。

---

① 这种特殊形式的不等式方程组又叫做差分约束系统。——译者注

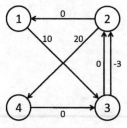

样例的输入对应的图

```
// 输入
int N, ML, MD;
int AL[MAX_ML], BL[MAX_ML], DL[MAX_ML];
int AD[MAX_MD], BD[MAX_MD], DD[MAX_MD];

int d[MAX_N]; // 最短距离
bool updated; // 是否有更新

void update(int& x, int y) {
  if (x > y) {
    x = y;
    updated = true;
  }
}

// 用Bellman-Ford算法计算d
void bellmanford() {
  for (int k = 0; k <= N; k++) {
    updated = false;
    // 从i+1到i的权值为0
    for (int i = 0; i + 1 < N; i++) {
      if (d[i + 1] < INF) update(d[i], d[i + 1]);
    }
    // 从AL到BL的权值为DL
    for (int i = 0; i < ML; i++) {
      if (d[AL[i] - 1] < INF) update(d[BL[i] - 1], d[AL[i] - 1] + DL[i]);
    }
    // 从BD到AD的权值为-DD
    for (int i = 0; i < MD; i++) {
      if (d[BD[i] - 1] < INF) update(d[AD[i] - 1], d[BD[i] - 1] - DD[i]);
    }
  }
}

void solve() {
  // 检查是否存在负圈
  fill(d, d + N, 0);
  bellmanford();
  if (updated) {
    printf("-1\n");
    return;
  }

  fill(d, d + N, INF);
  d[0] = 0;
  bellmanford();
  int res = d[N - 1];
  if (res == INF) res = -2;
  printf("%d\n", res);
}
```

2.6 数学问题的解题窍门

▣▶数学，特别是数论与计算机科学有着密切的联系，所以也常被选作题材。虽然数学问题大多需要使用特定方法求解，但其中有几个基础算法扮演着重要的角色。

2.6.1 辗转相除法

1. 求最大公约数

让我们来看一下如下问题。

线段上格点的个数

给定平面上的两个格点[①]$P_1=(x_1, y_1)$和$P_2=(x_2, y_2)$，线段P_1P_2上，除P_1和P_2以外一共有几个格点？

⚠️**限制条件**
- $-10^9 \leqslant x_1, x_2, y_1, y_2 \leqslant 10^9$

样例

输入

```
P1 = (1, 11), P2 = (5, 3)
```

输出

```
(2, 9)、(3, 7)、(4, 5)三个点
```

检查所有满足$\min(x_1, x_2) \leqslant x \leqslant \max(x_1, x_2)$且$\min(y_1, y_2) \leqslant y \leqslant \max(y_1, y_2)$的格点虽然可以得到正确的答案，但复杂度却是$O(|x_1-x_2| \times |y_1-y_2|)$，对坐标的绝对值较大的情况难以处理。其实这道题的答案如右图所示，是$|x_1-x_2|$和$|y_1-y_2|$的最大公约数–1（要注意特判$|x_1-x_2|$=0且$|y_1-y_2|$=0时的答案是0）。

那么，该怎样计算最大公约数呢？虽然可以从1开始依次检查是否能整除，这也比$O(|x_1-x_2| \times |y_1-y_2|)$要快得多了，不过在此要介绍给大家一个更为快速的辗转相除法。

---

① 格点是指横纵坐标均为整数的点。——译者注

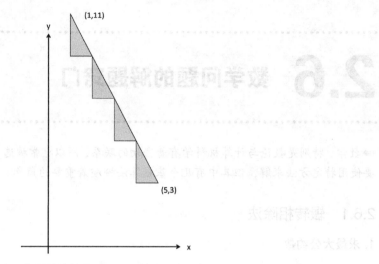

小三角形的边长是(4/gcd(4,8), 8/gcd(4,8))

设gcd(*a*, *b*)是计算自然数*a*和*b*的最大公约数的函数，*a*除*b*得到的商和余数分别为*p*和*q*。因为*a*=*b*×*p*+*q*，所以gcd(*b*, *q*)既整除*a*又整除*b*，也就整除gcd(*a*, *b*)。反之，因为*q*=*a*−*b*×*p*，同理可证gcd(*a*, *b*)整除gcd(*b*, *q*)。因此可以知道gcd(*a*, *b*)=gcd(*b*, *a* % *b*)。不断这样操作下去，由于gcd的第二个参数总是不断减小的，最终会得到gcd(*a*, *b*)=gcd(*c*, 0)。0和*c*的最大公约数是*c*，所以gcd(*c*, 0)=*c*，这样就计算出了gcd(*a*, *b*)。辗转相除法的程序实现如下所示。

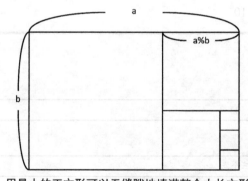

用最小的正方形可以无缝隙地填满整个大长方形

```
int gcd(int a, int b) {
  if (b == 0) return a;
  return gcd(b, a % b);
}
```

2. 复杂度

接下来让我们来估算辗转相除法的复杂度。假设*a*和*b*是两个自然数。如果*b*>*a*，就有gcd(*b*, *a* % *b*)=gcd(*b*, *a*)，经过一次递归以后就变成了*a*>*b*，所以不妨假设*a*>*b*。这时函数会按照gcd(*a*, *b*) → gcd(*b*,

$a \% b) \rightarrow \gcd(a \% b, b \% (a \% b))$ 这样递归下去。当 $b > a/2$ 时有 $a\%b = a - b < a/2$，当 $b < a/2$ 则 $a\%b < b < a/2$，于是经过两次递归后，第一个参数要小于原来的一半。所以其复杂度在 $O(\log \max(a, b))$ 以内。虽然这只是粗略的估计，但已经足以证明辗转相除法是非常高效的了。

3. 扩展欧几里德算法[①]

对辗转相除法做一些扩展，就能求解如下问题。

双六[②]

一个双六上面有向前向后无限延续的格子，每个格子都写有整数。其中 0 号格子是起点，1 号格子是终点。而骰子上只有 $a, b, -a, -b$ 四个整数，所以根据 a 和 b 的值的不同，有可能无法到达终点。

```
• • •  -4 -3 -2 -1  0  1  2  3  4  • • •
```
双六

掷出四个整数各多少次可以到达终点呢？如果解不唯一，输出任何一组皆可。如果无解，输出 -1。

⚠ **限制条件**
- $1 \leq a, b \leq 10^9$

样例

输入
```
a = 4, b = 11
```

输出
```
3001（3×a-1×b=1）
```

这个问题用数学语言表述就是"求整数 x 和 y 使得 $ax + by = 1$"。可以发现，如果 $\gcd(a, b) \neq 1$，显然无解。反之，如果 $\gcd(a, b) = 1$，就可以通过扩展原来的辗转相除法来求解。事实上，一定存在整数对 (x, y) 使得 $ax + by = \gcd(a, b)$，并可以用同样的算法求得。

设 int extgcd(int a, int b, int& x, int& y) 是求解该方程的函数，其返回值是 $\gcd(a, b)$。与 gcd 一样，我们可以递归地定义 extgcd。假设已经求得了

[①] 按照习惯，这里将 Euclidean algorithm 译作辗转相除法，而将 Extended Euclidean algorithm 译作扩展欧几里德算法。

——译者注

[②] 双六是一种类似大富翁的桌上游戏。——译者注

$bx'+(a\%b)y'=\gcd(a, b)$

的整数解x'和y'。再将

$a\%b=a-(a/b)\times b$

代入后就得到

$ay'+b(x'-(a/b)\times y')=\gcd(a, b)$

而当$b=0$时则有

$a\times 1+b\times 0=a=\gcd(a, b)$

将上述数学语言转化成代码后，就得到了如下程序。

```
int extgcd(int a, int b, int& x, int& y) {
  int d = a;
  if (b != 0) {
    d = extgcd(b, a % b, y, x);
    y -= (a / b) * x;
  } else {
    x = 1; y = 0;
  }
  return d;
}
```

4. ax+by=gcd(a,b)的解的大小

只要看一下递归的方法就能知道，extgcd的复杂度和gcd的复杂度是相同的。但该函数所求的$ax+by=\gcd(a,b)$的解的大小又如何呢？事实上，如果$ab\neq 0$，可以知道$|x|\leq b$且$|y|\leq a$。下面用归纳法来证明这一结论。

在$b=0$的前一步，即$a\%b=0$时有$x=0$且$y=1$，结论显然成立。假设调用extgcd(b, a % b, y', x')后有$|x'|$ $\leq b$且$|y'|\leq a\%b$。在extgcd(a, b, x, y)中$x=x'$，$y=y'-(a/b)x'$，所以有如下不等式成立。

$|x|=|x'|\leq b$, $|y|=|y'-(a/b)x'|\leq |y'|+(a/b)\times |x'|\leq a\%b+(a/b)\times b=a$

专栏   关于证明与规律

■ 程序设计竞赛中，常常需要证明自己针对问题的设想是否成立。虽说是证明，但不光可以从数学上严密地证明，还可以通过尝试一些样例来验证设想是否成立，或是利用历史积累的已知结论，或是凭借直觉勇往直前。能够轻而易举地证明或是已经了解既有结论的情况除外。不过时间紧迫又缺少证明思路时，建议大家至少要测试一些数据来验证。最好不要单凭直觉盲目冒进。另外，有些规律虽然对一般情况成立，却不能很好处理一些边界情况。在本节最开始的问题中，线段两端点重合的情况就是这样一个例子。即使找到了规律，也不要就此大意，最好充分考虑一下是否有特殊情况或反例。

2.6.2 有关素数的基础算法

素数广泛应用于密码学中,因而也有很多相关算法。不过程序设计竞赛涉及的主要是埃氏筛法、简单的素性测试和整数分解这类算法。

1. 素性测试

素数判定

给定整数 n,请判断 n 是不是素数。

⚠ **限制条件**
- $1 \leq n \leq 10^9$

 样例 1

输入

```
53
```

输出

```
Yes
```

 样例 2

输入

```
295927
```

输出

```
No(295927=541×547)
```

所谓素数,是指恰好有2个约数的整数。因为 n 的约数都不超过 n,所以只要检查 $2 \sim n-1$ 的所有整数是否整除 n 就能判定 n 是不是素数。在此,如果 d 是 n 的约数,那么 n/d 也是 n 的约数。由 $n=d \times n/d$ 可知 $\min(d, n/d) \leq \sqrt{n}$,所以只要检查 $2 \sim \sqrt{n}$ 的所有整数就足够了。同理可知,整数分解和约数枚举都可以在 $O(\sqrt{n})$ 时间完成。虽然还有更为高效的算法[①],不过多数情况下这已经足够了。

---

① 费马测试、ρ算法、数域筛法等。

```
// 假设输入都是正数
// 素性测试O(√n )
bool is_prime(int n) {
  for (int i = 2; i * i <= n; i++) {
    if (n % i == 0) return false;
  }
  return n != 1; // 1是例外
}
```

```
// 约数枚举O(√n )
vector<int> divisor(int n) {
  vector<int> res;
  for (int i = 1; i * i <= n; i++) {
    if (n % i == 0) {
      res.push_back(i);
      if (i != n / i) res.push_back(n / i);
    }
  }
  return res;
}
```

```
// 整数分解O(√n )
map<int, int> prime_factor(int n) {
  map<int, int> res;
  for (int i = 2; i * i <= n; i++) {
    while (n % i == 0) {
      ++res[i];
      n /= i;
    }
  }
  if (n != 1) res[n] = 1;
  return res;
}
```

2. 埃氏筛法

如果只对一个整数进行素性测试，通常$O(\sqrt{n})$的算法就足够了。但如果要对许多整数进行素性测试，则有更为高效的算法。我们来看一下如下问题。

素数的个数

给定整数n，请问n以内有多少个素数？

⚠️限制条件

- $n \leqslant 10^6$

样例1

输入

```
11
```

输出

```
5(2、3、5、7、11共5个素数)
```

 样例2

输入

```
1000000
```

输出

```
78498
```

要枚举n以内素数，可以用埃氏筛法。这是一个与辗转相除法一样古老的算法。

首先，将2到n范围内的所有整数写下来。其中最小的数字2是素数。将表中所有2的倍数都划去。表中剩余的最小数字是3，它不能被更小的数整除，所以是素数。再将表中所有3的倍数都划去。依此类推，如果表中剩余的最小数字是m时，m就是素数。然后将表中所有m的倍数都划去。像这样反复操作，就能依次枚举n以内的素数。

2	3	4	5	6	7	8	9	10	11	12	13	14	15	16	17	18	19	20
2	3	-	5	-	7	-	9	-	11	-	13	-	15	-	17	-	19	-
2	3	-	5	-	7	-	-	-	11	-	13	-	-	-	17	-	19	-

```cpp
int prime[MAX_N];          // 第i个素数
bool is_prime[MAX_N + 1];   // is_prime[i]为true表示i是素数

// 返回n以内素数的个数
int sieve(int n) {
  int p = 0;
  for (int i = 0; i <= n; i++) is_prime[i] = true;
  is_prime[0] = is_prime[1] = false;
  for (int i = 2; i <= n; i++) {
    if (is_prime[i]) {
      prime[p++] = i;
      for (int j = 2 * i; j <= n; j += i) is_prime[j] = false;
    }
  }
  return p;
}
```

埃氏筛法的复杂度仅有 $O(n\log\log n)$。对于程序设计竞赛中的数据规模，将它的复杂度看作大致是线性的也无妨。

3. 区间筛法

区间内素数的个数

给定整数 a 和 b，请问区间 $[a, b)$ 内有多少个素数？

⚠️ **限制条件**
- $a < b \leq 10^{12}$
- $b - a \leq 10^6$

样例 1

输入

```
22 37
```

输出

```
3 (23、29、31共3个素数)
```

样例 2

输入

```
a = 22801763489, b = 22801787297
```

输出

```
1000
```

区间 $[a, b)$ 指的是所有满足 $a \leq x < b$ 的整数（根据背景也可能是实数）所构成的集合[①]。

在素性判定这一小节中已经讲过，b 以内的合数的最小质因数一定不超过 $\sqrt{b}$。如果有 $\sqrt{b}$ 以内的素数表的话，就可以把 埃氏筛法运用在 $[a, b)$ 上了。也就是说，先分别做好 $[2, \sqrt{b})$ 的表和 $[a, b)$ 的表，然后从 $[2, \sqrt{b})$ 的表中筛得素数的同时，也将其倍数从 $[a, b)$ 的表中划去，最后剩下的就是区间 $[a, b)$ 内的素数了。

---

① 作为题外话，表示区间的时候，用左闭右开的形式往往更方便。STL 和 Java 标准库（如 iterator 和 substring）中的区间也大多是左闭右开的。

```
typedef long long ll;

bool is_prime[MAX_L];
bool is_prime_small[MAX_SQRT_B];

// 对区间[a, b)内的整数执行筛法。is_prime[i - a] = true ⟺ i是素数
void segment_sieve(ll a, ll b) {
  for (int i = 0; (ll)i * i < b; i++) is_prime_small[i] = true;
  for (int i = 0; i < b - a; i++) is_prime[i] = true;

  for (int i = 2; (ll)i * i < b; i++) {
    if(is_prime_small[i]) {
      for (int j = 2 * i; (ll)j * j < b; j += i) is_prime_small[j] = false;  // 筛[2, √b)
      for (ll j = max(2LL, (a + i - 1) / i) * i; j < b; j += i) is_prime[j - a] = false;
      // 筛[a, b)
    }
  }
}
```

2.6.3 模运算

1. 为什么需要求余数

在程序设计竞赛中，如果计算结果超出了64位整数的范围，则可能会要求输出结果对合适的数取模后的余数。这样可以消除在高精度计算方面，语言的差异所带来的不利因素。例如，Java中有支持高精度计算的类BigInteger，而C++和C则不得不靠自己实现。另一方面，高精度乘法不同实现的复杂度也不一样，因此，对算法本身的评价变得更为困难。正因为此类理由，程序设计竞赛中经常出现余数的计算。

2. 基本的模运算

计算除以m的余数，可以说成是"对m取模"或"以m为模"。接下来我们都统一用"对m取模"。为了使表述更简单，我们将a和b除以m后所得的余数相等记作$a \equiv b(\bmod m)$，又将a除以m所得的余数记作$a \bmod m$，并规定$0 \leq a \bmod m \leq m-1$。在某些环境中，$a$是负数时$a \% m$的结果也是负的，此时改为$a \% m + m$就能保证结果在0~$m$-1的范围内[①]。假设$a \equiv c(\bmod m)$且$b \equiv d(\bmod m)$，那么有以下基本的模运算律成立。

$a+b \equiv c+d(\bmod m)$

$a-b \equiv c-d(\bmod m)$

$a \times b \equiv c \times d(\bmod m)$

实际问题中m可能达到10^9的规模，计算$a \times b$时，虽然余数可以保存在32位整数中，但求模以前的结果可能无法保存在32位整数中，需要注意避免发生溢出。当有发生溢出的潜在危险时，从最开

---

① 当然，如果恰好整除的话，结果是0，不需要加m。——译者注

始就将所有的变量设为64位整数类型不失为一个好办法。

在模运算的世界中可以很自然地计算+、−、×，但对于除法却需要多加注意。例如，虽然2≡8(mod 6)，但是2/2=1≢4=8/2(mod 6)。当$a×c≡b×c$(mod m)时，$(a-b)×c$可以被m整除。假设$d=\gcd(c, m)$，$(a-b)×(c/d)$就可以被m/d整除，又因为c/d和m/d互素，所以$a-b$被m/d整除，即$a≡b$(mod $m/\gcd(m, c)$)。虽然≡构成的表达式和=构成的表达式基本支持相同的运算，不过也有像这样，需要回到定义，当作$a-b$整除m来理解的情况。

2.6.4 快速幂运算[1]

除数学问题之外，也有很多地方用到了幂运算。在此，给大家介绍一种能够非常高效地计算幂运算的快速幂运算算法——反复平方法。

Carmichael Numbers （UVa No.10006）

我们把对任意的$1<x<n$都有$x^n≡x$(mod n)成立的合数 n 称为 Carmichael Number。对于给定的整数 n，请判断它是不是 Carmichael Number。

⚠️ **限制条件**
- $2 < n < 65000$

样例 1

输入

17

输出

No(17是素数)

样例 2

输入

561

输出

Yes

---

[1] 这里所介绍的是Exponentiation by Squaring最基本的算法2^k-ary方法。在Knuth所著的TAOCP中，该算法被称为Russian Peasant algorithm。——译者注

输入

```
4
```

输出

```
NO ( 2⁴≡ 0(mod 4) )
```

此题中，有n个待检查的数，如果每个数都按定义$O(n)$复杂度来计算幂，则总的复杂度为$O(n^2)$，不能满足要求。让我们来考虑加速幂运算的方法。如果$n=2^k$，可以将其表示为

$$x^n = ((x^2)^2)\cdots$$

只要做k次平方运算就可以轻松求得。由此我们可以想到，先将n表示为2的幂次的和。

$$n = 2^{k_1} + 2^{k_2} + 2^{k_3}\cdots$$

就有

$$x^n = x^{2^{k_1}} x^{2^{k_2}} x^{2^{k_3}}\cdots$$

只要在依次求 x^{2^i} 的同时进行计算就好了，最终得到了$O(\log n)$计算幂运算的算法。大家不妨自己选择合适的数字模拟一下以便加深理解。

$$x^{22}=x^{16}\times x^4\times x^2$$

（22转成二进制数是10110）

```
typedef long long ll;

ll mod_pow(ll x, ll n, ll mod) {
  ll res = 1;
  while (n > 0) {
    if (n & 1) res = res * x % mod;   // 如果二进制最低位为1，则乘上x^(2^i)
    x = x * x % mod;                  // 将x平方
    n >>= 1;
  }
  return res;
}
```

也可以像下面这样来理解。当n为偶数时有$x^n=((x^2)^{(n/2)})$，递归转为$n/2$的情况。n为奇数时有$x^n=((x^2)^{(n/2)})\times x$，同样也递归转为$n/2$的情况。这样不断递归下去，每次$n$都减半，于是可以在$O(\log n)$时间内完成幂运算。

```
ll mod_pow(ll x, ll n, ll mod) {
  if (n == 0) return 1;
  ll res = mod_pow(x * x % mod, n / 2, mod);
  if (n & 1) res = res * x % mod;
  return res;
}
```

事实上，这道题不用幂运算也能求解。对于给定的n，存在$O(\sqrt{n})$时间的判定方法。另外，还有先通过$O(n)$时间预处理，再对每个查询在$O(1)$时间内判定的算法。请大家试着思考一下。

2.7 一起来挑战 GCJ 的题目（1）

➡️让我们一起运用迄今所介绍的技巧，实际挑战一下GCJ的题目吧。

2.7.1 Minimum Scalar Product

Minimum Scalar Product（2008 Round1A A）

有两个向量 $v_1=(x_1, x_2, ..., x_n)$ 和 $v_2=(y_1, y_2, \cdots, y_n)$，允许任意交换 v_1 和 v_2 各自的分量的顺序。请计算 v_1 和 v_2 的内积 $x_1y_1+\cdots+x_ny_n$ 的最小值。

⚠️限制条件

Small

- $1 \leqslant n \leqslant 8$
- $-1000 \leqslant x_i, y_i \leqslant 1000$

Large

- $100 \leqslant n \leqslant 800$
- $-100000 \leqslant x_i, y_i \leqslant 100000$

样例1

输入

```
n = 3
v₁ = (1, 3, -5)
v₂ = (-2, 4, 1)
```

输出

令v_1 = (-5, 1, 3)，v_2 = (4, 1, -2)就可以得到最小值$v_1 \times v_2$ = -25

样例2

输入

```
n = 5
v₁ = (1, 2, 3, 4, 5)
v₂ = (1, 0, 1, 0, 1)
```

输出

令v_1 = (1, 2, 3, 4, 5), v_2 = (1, 1, 1, 0, 0)就可以得到最小值6

v_1和v_2各自的分量的顺序都可以任意交换，因此可以先把v_1的顺序固定下来只交换v_2的顺序。为了方便分析先将v_1按升序排好序。接下来枚举v_2的分量所有的排列顺序，一共有$n!$种排列，还需要对每种排列计算内积，总的复杂度是$O(n! \times n)$。这个算法在Small的情况，因为$n \leqslant 8$所以没有问题，但在Large的情况时就远远不够了。

在此隐约会觉得把v_2按降序或者升序排序的话，所得的内积是最小的。事实上，如果将v_2按降序排序的话，所给的两个样例都能够得到最小值。这个设想的确是对的，v_1和v_2的内积在将v_1按升序，将v_2按降序排序时取得最小值。下面我们来证明这一设想。首先考虑$n=2$的情况。

考虑$v_1=(x_1, x_2)$, $v_2=(y_1, y_2)$，假设v_1已经按升序排好序了，即有$x_1 \leqslant x_2$，比较$x_1 \times y_1 + x_2 \times y_2$和$x_2 \times y_1 + x_1 \times y_2$的大小关系。

$$x_1 \times y_1 + x_2 \times y_2 - x_2 \times y_1 - x_1 \times y_2 = x_1(y_1 - y_2) + x_2(y_2 - y_1) = (x_1 - x_2)(y_1 - y_2)$$

由此可知，$y_1 \geqslant y_2 \Leftrightarrow x_1 \times y_1 + x_2 \times y_2 \leqslant x_2 \times y_1 + x_1 \times y_2$。因此$n=2$时结论成立。

接下来考虑n大于2的情况。如果v_2不是按降序排序的，那么存在$i<j$使得$y_i<y_j$，根据对$n=2$的情况的分析可以知道，交换y_i和y_j后就得到了更小的内积。因此，当将v_2按降序排序时，所得的内积最小。

数组排序的复杂度为$O(n\log n)$，所以发现这一结论后，只要做两次排序就可以简单高效地计算答案了。那么，要怎样才能去想到这个设想呢？

首先就是靠直觉。比较容易想到的姑且先排序试试看。

第二个就是样例。原本的问题描述中并没有说明v_1和v_2在什么情况下取得最小值。但是，因为样例的规模比较小，所以可以手工验算。因而可以找到使得内积最小的v_1和v_2。通过观察对应的v_1和v_2，想要得到刚才的结论也并不是那么难。

第三个就是像证明中的那样，从像$n=2$这样小规模的情况出发，推广到一般的情况从而证明结论。在这个问题中，很容易证明对$n=2$的情况结论成立，接着同样可以证明对一般的情况结论都成立。

最后需要注意的是，即使推导出了正确的算法，如果程序的实现中有漏洞的话也是徒劳。在这道题中，v_1的分量和v_2的分量的乘积可能会导致32位整数溢出。即使认为找到了正解，不到最后提交结果正确的那一刻，都不能掉以轻心呢。

```
typedef long long ll;

// 输入
int n;
int v1[MAX_N], v2[MAX_N];

void solve() {
  sort(v1, v1 + n);
  sort(v2, v2 + n);
  ll ans = 0;
  for (int i = 0; i < n; i++) ans += (ll)v1[i] * v2[n - i - 1];
  printf("%lld\n", ans);
}
```

2.7.2 Crazy Rows

Crazy Rows（2009 Round2 A）

给定一个由 0 和 1 组成的矩阵。只允许交换相邻的两行（第 i 行和第 $i+1$ 行），要把矩阵化成下三角矩阵（主对角线上方的元素都是 0），最少需要交换几次?输入的矩阵保证总能化成下三角矩阵。

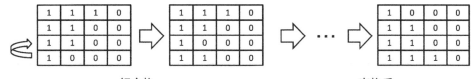

行交换　　　　　　　　　　　　变换后

⚠限制条件
Small
- $1 \leq N \leq 8$

Large
- $1 \leq N \leq 40$

样例 1

输入

```
N = 2
矩阵
10
11
```

输出

0(输入已经是下三角矩阵)

样例 2

输入

```
N = 3

矩阵
001
100
010
```

输出

2(交换第1行和第2行，再交换第2行和第3行，得到下三角矩阵)

样例 3

输入

```
N = 4

矩阵
1110
1100
1100
1000
```

输出

4

最先想到的是尝试所有 $N!$ 种交换方案。但在 Large 中，由于最大的 $N=40$，这当然是行不通的。

暂且先考虑一下最后应该把哪一行交换到第1行。最后的第1行应该具有 00...0 或是 10...0 的形式。可以交换到第1行的行当然也可以交换到第2及之后的行，当有多个满足条件的行时，选择离第1行近的行对应的最终费用要小。大家肯定都已注意到了这一点吧。有兴趣的读者不妨自己证明一下。

确定第1行之后，就没有必要再移动它了，于是对于之后的行就可以以同样的思路处理。

在这道题中，每行的0和1的位置并不重要，只要知道每行最后一个1所在的位置就足够了。如果先将这些位置预先计算好，那么就能降低行交换时的复杂度。直接按矩阵的形式处理的复杂度是 $O(N^3)$，而预先计算后再处理的复杂度降为 $O(N^2)$。

```
// 输入
int N;
int M[MAX_N][MAX_N];    // 矩阵

int a[MAX_N];                  // a[i]表示第i行最后出现的1的位置——1~n-1

void solve() {
  int res = 0;
  for (int i = 0; i < N; i++) {
    a[i] = -1;   // 如果第i行不含1的话，就当作-1
    for (int j = 0; j < N; j++) {
      if (M[i][j] == 1) a[i] = j;
    }
  }
  for (int i = 0; i < N; i++) {
    int pos = -1;      // 要移动到第i行的行
    for (int j = i; j < N; j++) {
      if (a[j] <= i) {
        pos = j;
        break;
      }
    }

    // 完成交换
    for (int j = pos; j > i; j--) {
      swap(a[j], a[j - 1]);
      res++;
    }
  }
  printf("%d\n", res);
}
```

2.7.3　Bribe the Prisoners

Bribe the Prisoners（2009 Round 1C C）

如下图所示，一个监狱里有 P 个并排着的牢房。从左至右依次编号为 $1, 2, \cdots, P$。最初所有的牢房里都住着一个囚犯。相邻的两个牢房之间有一个窗户，可以通过它与相邻牢房里的囚犯对话。

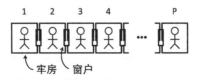

监狱的情况

现在要释放一些囚犯。如果释放某个牢房里的囚犯，其相邻的牢房里的囚犯就会知道，因而发怒暴动。所以，释放某个牢房里的囚犯同时，必须要贿赂两旁相邻牢房里的囚犯一枚金币。

另外，为了防止释放的消息在相邻牢房间传开，不仅两旁直接相邻的牢房，所有可能听到消息的囚犯，即直到空牢房为止或直到监狱两端为止,此间的所有囚犯都必须给一枚金币。

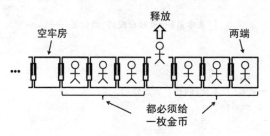

释放后给金币的例子

现在要释放 $a_1, a_2, \cdots, a_Q$ 号牢房里的 Q 名囚犯，释放的顺序还没确定。如果选择所需金币数量尽量少的顺序释放，最少需要多少枚金币？

⚠限制条件
- $1 \leqslant N \leqslant 100$
- $Q \leqslant P$

Small
- $1 \leqslant P \leqslant 100$
- $1 \leqslant Q \leqslant 5$

Large
- $1 \leqslant P \leqslant 10000$
- $1 \leqslant Q \leqslant 100$

样例 1

输入

```
P = 8, Q = 1, A = {3}
```

输出

7（必须要给剩下的7个人一枚金币）

样例 2

输入

```
P = 20, Q = 3, A = {3, 6, 14}
```

输出

35（按照牢房14、牢房6、牢房3的顺序释放，则需要19 + 12 + 4即35枚金币，是最少的）

这道题的关键是，释放了某个囚犯之后，就把连续的牢房分成了两段，此后这两段就相互独立了。

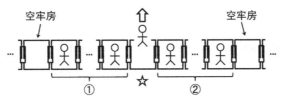

释放后分成两部分的情况

释放上图中☆里的囚犯时

- 此时所需的金币数量
- 释放左侧部分（①）所需的金币总数
- 释放右侧部分（②）所需的金币总数

这三者的总和就是所需的金币总数。只要不断递归地枚举最初释放的囚犯并计算对应的金币总数，就能求出答案了。

这里，递归计算过程中作为计算对象的连续部分，其两端是空牢房或监狱两端。因此，作为计算对象的连续部分一共有 $O(Q^2)$ 个。所以，利用动态规划按顺序计算，就能够在 $O(Q^3)$ 时间内求解。

```
// 输入
int P, Q, A[MAX_Q + 2];  // A中保存输入数据，下标从1开始

// dp[i][j] := 释放(i, j)所需的金币①
int dp[MAX_Q + 1][MAX_Q + 2];

void solve() {
  // 为了处理方便，将两端加入A中②
  A[0] = 0;
  A[Q + 1] = P + 1;

  // 初始化
  for (int q = 0; q <= Q; q++) {
    dp[q][q + 1] = 0;
  }

  // 从短的区间开始填充dp
  for (int w = 2; w <= Q + 1; w++) {
    for (int i = 0; i + w <= Q + 1; i++) {
      // 计算dp[i][j]
      int j = i + w, t = INT_MAX;
```

---

① dp[i][j]表示的是，将从A[i]号囚犯到A[j]号囚犯（不含两端的囚犯）的连续部分里的所有囚犯都释放时，所需的最少金币总数。

② 为了更方便地处理两端的情况，我们把左端当成0号囚犯，右端当成Q+1号囚犯。这样，dp[0][Q+1]就是答案。

```
    // 枚举最初释放的囚犯，计算最小的费用
    for (int k = i + 1; k < j; k++) {
        t = min(t, dp[i][k] + dp[k][j]);
    }

    // 最初的释放还需要与所释放囚犯无关的A[j]-A[i]-2枚金币
    dp[i][j] = t + A[j] - A[i] - 2;
    }
}

printf("%d\n", dp[0][Q + 1]);
}
```

2.7.4 Millionaire

Millionaire （2008 APAC local onsites C）

你被邀请到某个电视节目中去玩下面这个游戏。一开始你有 x 元钱，接着进行 M 轮赌博。每一轮，可以将所持的任意一部分钱作为赌注。赌注不光可以是整数，也可以是小数。一分钱不押或全押都没有关系。每一轮都有 P 的概率可以赢，赢了赌注就会翻倍，输了赌注就没了。如果你最后持有 1000000 元以上的钱的话，就可以把这些钱带回家。请计算当你采取最优策略时，获得 1000000 元以上的钱并带回家的概率。

⚠ 限制条件
- $0 \leqslant P \leqslant 1.0$
- $1 \leqslant X \leqslant 1000000$

Small
- $1 \leqslant M \leqslant 5$

Large
- $1 \leqslant M \leqslant 15$

样例 1

输入

M = 1, P = 0.5, X = 500000

输出

0.500000(一开始便全押)

输入

```
M = 3, P = 0.75, X = 600000
```

输出

```
0.843750
```

1. 该问题的难点

"连续性"是这个问题的一大特点。每一轮可押的赌注不一定非是整数，因而有无限种可能，所以完全无法穷竭搜索。

2. 化连续为离散

但是，认真思考一下就会发现，我们只需要检查 "无限种可能"中的"有限种可能"就足够了，因而可以设计对应的算法。首先来思考一下最后一轮会出现哪些情况。

- 如果你持有1000000元以上的钱，就没有再赌的必要了。有1的概率可以带钱回家。
- 如果你持有500000元以上的钱，不妨全押了。有P的概率可以带钱回家。虽然不全押也是可以的，不过因为要求要达到1000000元，所以不论怎样都是这轮赢了就能带钱回家，输了就不能带钱回家。
- 如果你持有不到500000元的钱，那已经无可奈何了。有0的概率可以带钱回家。

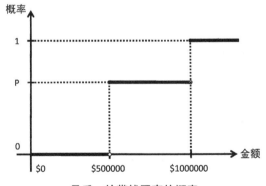

最后一轮带钱回家的概率

虽然赌注是连续的（有无限种可能），但实际的概率是像上面这样的阶梯函数。因此，只需考虑处于这三个范围中的哪一个就可以了。

那么，最后两轮时又如何呢？同样地，这次也分为5种情况。

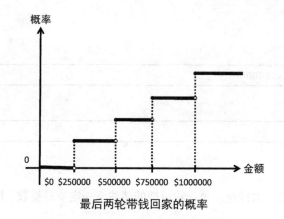

最后两轮带钱回家的概率

某个范围中，即使所持的钱数不同，最后可以带钱回家的概率也是完全一样的。而且同样地，M 轮时只要考虑 2^M+1 种情况就足够了。这样，就可以设计出穷竭搜索的算法了。

3. 动态规划

接下来，将穷竭搜索改成动态规划，就能够求解 Large 了。

```
// 输入
int M, X;
double P;

double dp[2][(1 << MAX_M) + 1];

void solve() {
  int n = 1 << M;

  double *prv = dp[0], *nxt = dp[1];
  memset(prv, 0, sizeof(double) * (n + 1));
  prv[n] = 1.0;

  for (int r = 0; r < M; r++) {
    for (int i = 0; i <= n; i++) {
      int jub = min(i, n - i);
      double t = 0.0;
      for (int j = 0; j <= jub; j++) {
        t = max(t, P * prv[i + j] + (1 - P) * prv[i - j]);
      }
      nxt[i] = t;
    }
    swap(prv, nxt);
  }

  int i = (ll)X * n / 1000000;
  printf("%.6f\n", prv[i]);
}
```

练　习　题

2.1　最基础的"穷竭搜索"

■ 深度优先搜索

POJ 1979: Red and Black

AOJ 0118: Property Distribution

AOJ 0033: Ball

POJ 3009: Curling 2.0

■ 广度优先搜索

AOJ 0558: Cheese

POJ 3669: Meteor Shower

AOJ 0121: Seven Puzzle

■ 穷竭搜索

POJ 2718: Smallest Difference

POJ 3187: Backward Digit Sums

POJ 3050: Hopscotch

AOJ 0525: Osenbei

2.2　一往直前！贪心法

■ 区间

POJ 2376: Cleaning Shifts

POJ 1328: Radar Installation

POJ 3190: Stall Reservations

■ 其他

POJ 2393: Yogurt factory

POJ 1017: Packets

POJ 3040: Allowance

POJ 1862: Stripies

POJ 3262: Protecting the Flowers

2.3　记录结果再利用的"动态规划"

■ 基础的动态规划算法

POJ 3176: Cow Bowling

POJ 2229: Sumsets

POJ 2385: Apple Catching

POJ 3616: Milking Time

POJ 3280: Cheapest Palindrome

■ 优化递推关系式

POJ 1742: Coins

POJ 3046: Ant Counting

POJ 3181: Dollar Dayz

■ 需稍加思考的题目

POJ 1065: Wooden Sticks

POJ 1631: Bridging signals

POJ 3666: Making the Grade

POJ 2392: Space Elevator

POJ 2184: Cow Exhibition

2.4　加工并存储数据的数据结构

■ 优先队列

POJ 3614: Sunscreen

POJ 2010: Moo University - Financial Aid

■ 并查集

POJ 2236: Wireless Network

POJ 1703: Find them, Catch them

AOJ 2170: Marked Ancestor

2.5　它们其实都是"图"

■ 最短路

AOJ 0189: Convenient Location

POJ 2139: Six Degrees of Cowvin Bacon

POJ 3259: Wormholes

POJ 3268: Silver Cow Party

AOJ 2249: Road Construction

AOJ 2200: Mr. Rito Post Office

■ 最小生成树

POJ 1258: Agri-Net

POJ 2377: Bad Cowtractors

AOJ 2224: Save your cat

POJ 2395: Out of Hay

2.6　数学问题的解题窍门

■ 辗转相除法

AOJ 0005: GCD and LCM

POJ 2429: GCD & LCM Inverse

POJ 1930: Dead Fraction

■ 素数

AOJ 0009: Prime Number

POJ 3126: Prime Path

POJ 3421: X-factor Chains

POJ 3292: Semi-prime H-numbers

■ 快速幂运算

POJ 3641: Pseudoprime numbers

POJ 1995: Raising Modulo Numbers

第 3 章
出类拔萃——中级篇

3.1 不光是查找值!"二分搜索"

➡二分搜索法,是通过不断缩小解可能存在的范围,从而求得问题最优解的方法。在程序设计竞赛中,经常可以见到二分搜索法和其他算法结合的题目。接下来,给大家介绍几种经典的二分搜索法的问题。

3.1.1 从有序数组中查找某个值

---

lower_bound

给定长度为 n 的单调不下降数列 $a_0, \cdots a_{n-1}$ 和一个数 k,求满足 $a_i \geq k$ 条件的最小的 i。不存在的情况下输出 n。

⚠**限制条件**
- $1 \leq n \leq 10^6$
- $0 \leq a_0 \leq a_1 \leq \cdots \leq a_{n-1} < 10^9$
- $0 \leq k \leq 10^9$

样例

输入

```
n = 5
a = {2, 3, 3, 5, 6}
k = 3
```

输出

```
1 ( a₀<3 , a₁>=3 )
```

当然,如果朴素地按照顺序逐个查找的话,也可以求得答案。但是如果利用数列的有序性这一条件,则可以得到更高效的算法。首先我们来看一下第 $n/2$ 个值。如果 $a[n/2] \geq k$ 的话,就可以知道解不大于 $n/2$。反之,如果 $a[n/2] < k$,就可以知道解大于 $n/2$。通过这样的一次比较,可以把解的范围缩小一半。反复与区间的中点进行比较,就可以不断把解的范围缩小到原来的一半,最终在 $O(\log n)$ 次的比较之内求得最终的解。

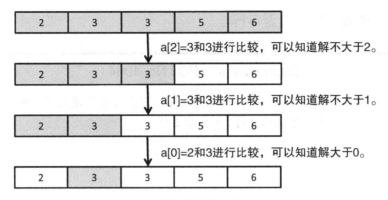

解的范围的变化

```
// 输入
int n, k;
int a[MAX_N];

void solve() {
  // 初始化解的存在范围
  int lb = -1, ub = n;

  // 重复循环，直到解的存在范围不大于1
  while (ub - lb > 1) {
    int mid = (lb + ub) / 2;
    if (a[mid] >= k) {
      // 如果mid满足条件，则解的存在范围变为(lb, mid]
      ub = mid;
    } else {
      // 如果mid不满足条件，则解的存在范围变为(mid, ub]
      lb = mid;
    }
  }

  // 这时，lb + 1 = ub
  printf("%d\n", ub);
}
```

这种算法被称为二分搜索。此外，STL以lower_bound函数的形式实现了二分搜索。这个算法除了在上例中提到的在有序数列查找值之外，在求最优解的问题上也非常的有用。让我们考虑一下"求满足某个条件$C(x)$的最小的x"这一问题。对于任意满足$C(x)$的x，如果所有的$x' \geq x$也满足$C(x')$的话，我们就可以用二分搜索来求得最小的x。首先我们将区间的左端点初始化为不满足$C(x)$的值，右端点初始化为满足$C(x)$的值。然后每次取中点$mid=(lb+ub)/2$，判断$C(mid)$是否满足并缩小范围，直到$(lb, ub]$足够小了为止。最后ub就是要求的最小值。最大化的问题也可以用同样的方法求解。

3.1.2   假定一个解并判断是否可行

Cable master   （POJ No. 1064）

有 N 条绳子，它们的长度分别为 L_i。如果从它们中切割出 K 条长度相同的绳子的话，这 K 条绳子每条最长能有多长？答案保留到小数点后 2 位。

⚠️ 限制条件

- $1 \leqslant N \leqslant 10000$
- $1 \leqslant K \leqslant 10000$
- $1 \leqslant L_i \leqslant 100000$

样例

输入

```
N = 4
K = 11
L = {8.02, 7.43, 4.57, 5.39}
```

输出

2.00（每条绳子分别可以得到4条、3条、2条、2条，共计11条绳子）

这个问题用二分搜索可以非常容易地求得答案。让我们套用二分搜索的模型试着解决这个问题。令：

条件 $C(x)$:=可以得到 K 条长度为 x 的绳子

则问题变成了求满足 $C(x)$ 条件的最大的 x。在区间初始化时，只需使用充分大的数 INF(>MAX$_L$) 作为上界即可：

$lb=0$
$ub=$INF

现在的问题是是否可以高效地判断 $C(x)$。由于长度为 L_i 的绳子最多可以切出 floor(L_i / x) 段长度为 x 绳子，因此

$C(x)$=(floor(L_i/x) 的总和是否大于或等于 K)

它可以在 $O(N)$ 的时间内被判断出来。

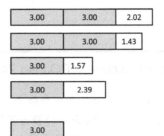

只能切出6段，所以解比3.00小

```
// 输入
int N, K;
double L[MAX_N];

// 判断是否满足条件
bool C(double x) {
  int num = 0;
  for (int i = 0; i < N; i++) {
    num += (int)(L[i] / x);
  }
  return num >= K;
}

void solve() {
  // 初始化解的范围
  double lb = 0, ub = INF;

  // 重复循环，直到解的范围足够小
  for (int i = 0; i < 100; i++) {
    double mid = (lb + ub) / 2;
    if (C(mid)) lb = mid;
    else ub = mid;
  }

  printf("%.2f\n", floor(ub * 100) / 100);
}
```

像这样，如果在求解最大化或最小化问题中，能够比较简单地判断条件是否满足，那么使用二分搜索法就可以很好地解决问题。

专栏　二分搜索法的结束判定

在输出小数的问题中，一般都会指定允许的误差范围或者是指定输出中小数点后面的位数。因此在使用二分搜索法时，有必要设置合理的结束条件来满足精度的要求。在上面的程序中，我们指定了循环次数作为终止条件。1 次循环可以把区间的范围缩小一半，100 次的循环则可以达到 10^{-30} 的精度范围，基本上是没有问题的。除此之外，也可以把终止条件设为像 $(ub-lb)>EPS$ 这样，指定一个区间的大小。在这种情况下，如果 EPS 取得太小了，就有可能会因为浮点小数精度的原因导致陷入死循环，请千万小心。

3.1.3 最大化最小值

Aggressive cows（POJ No.2456）

农夫约翰搭了一间有 N 间牛舍的小屋。牛舍排在一条线上，第 i 号牛舍在 x_i 的位置。但是他的 M 头牛对小屋很不满意，因此经常互相攻击。约翰为了防止牛之间互相伤害，因此决定把每头牛都放在离其他牛尽可能远的牛舍。也就是要最大化最近的两头牛之间的距离。

⚠限制条件
- $2 \leqslant N \leqslant 100000$
- $2 \leqslant M \leqslant N$
- $0 \leqslant x_i \leqslant 10^9$

样例

输入

```
N = 5
M = 3
x = {1, 2, 8, 4, 9}
```

输出

3（在位置1，4，9的牛舍中放入三头牛）

类似的最大化最小值或者最小化最大值的问题，通常用二分搜索法就可以很好地解决。我们定义

　　$C(d):=$可以安排牛的位置使得最近的两头牛的距离不小于 d

那么问题就变成了求满足 $C(d)$ 的最大的 d。另外，最近的间距不小于 d 也可以说成是所有牛的间距都不小于 d，因此就有

　　$C(d)=$可以安排牛的位置使得任意的牛的间距都不小于 d

这个问题的判断使用贪心法便可非常容易地求解。

- 对牛舍的位置 x 进行排序
- 把第一头牛放入 x_0 的牛舍
- 如果第 i 头牛放入了 x_j 的话，第 $i+1$ 头牛就要放入满足 $x_j+d \leqslant x_k$ 的最小的 x_k 中

对 x 的排序只需在最开始时进行一次就可以了，每一次判断对每头牛最多进行一次处理，因此复杂度是 $O(N)$。

```
// 输入
int N, M;
int x[MAX_N];

// 判断是否满足条件
bool C(int d) {
  int last = 0;
  for (int i = 1; i < M; i++) {
    int crt = last + 1;
    while (crt < N && x[crt] - x[last] < d) {
      crt++;
    }
    if (crt == N) return false;
    last = crt;
  }
  return true;
}

void solve() {
  // 最开始时对x数组排序
  sort(x, x + N);

  // 初始化解的存在范围
  int lb = 0, ub = INF;

  while (ub - lb > 1) {
    int mid = (lb + ub) / 2;
    if (C(mid)) lb = mid;
    else ub = mid;
  }

  printf("%d\n", lb);
}
```

3.1.4　最大化平均值

最大化平均值

有 n 个物品的重量和价值分别是 w_i 和 v_i。从中选出 k 个物品使得单位重量的价值最大。

⚠**限制条件**
- $1 \leqslant k \leqslant n \leqslant 10^4$
- $1 \leqslant w_i, v_i \leqslant 10^6$

样例

输入

---

n = 3

```
k = 2
(w, v) = {(2, 2), (5, 3), (2, 1)}
```

输出

`0.75` （如果选0号和2号物品，平均价值是`(2+1)/(2+2)=0.75`）

一般最先想到的方法可能是把物品按照单位价值进行排序，从大到小贪心地进行选取。但是这个方法对于样例输入得到的结果是5/7=0.714。所以这个方法是不可行的。那么应该如何求解呢？

实际上，对于这个问题使用二分搜索法可以很好地解决。我们定义

条件$C(x):=$可以选择使得单位重量的价值不小于x

因此，原问题就变成了求满足$C(x)$的最大的x。那么怎么判断$C(x)$是否可行呢？假设我们选了某个物品的集合S，那么它们的单位重量的价值是

$$\sum_{i \in S} v_i / \sum_{i \in S} w_i$$

因此就变成了判断是否存在S满足下面的条件

$$\sum_{i \in S} v_i / \sum_{i \in S} w_i \geq x$$

把这个不等式进行变形就得到

$$\sum_{i \in S} (v_i - x \times w_i) \geq 0$$

因此，可以对$(v_i - x \times w_i)$的值进行排序贪心地进行选取。因此就变成了

$C(x)=((v_i - x \times w_i)$从大到小排列中的前$k$个的和不小于0)

每次判断的复杂度是$O(n\log n)$。

```
// 输入
int n, k;
int w[MAX_N], v[MAX_N];

double y[MAX_N]; // v - x * w

// 判断是否满足条件
```

```
bool C(double x) {
  for (int i = 0; i < n; i++) {
    y[i] = v[i] - x * w[i];
  }
  sort(y, y + n);


  // 计算y数组中从大到小前k个数的和
  double sum = 0;
  for (int i = 0; i < k; i++) {
    sum += y[n - i - 1];
  }

  return sum >= 0;
}

void solve() {
  double lb = 0, ub = INF;
  for (int i = 0; i < 100; i++) {
    double mid = (lb + ub) / 2;
    if (C(mid)) lb = mid;
    else ub = mid;
  }

  printf("%.2f\n", ub);
}
```

3.2   常用技巧精选（一）

在此我们介绍一些程序设计竞赛中的常用技巧。[1]

3.2.1   尺取法[2]

Subsequence （POJ No.3061）

给定长度为 n 的数列整数 $a_0, a_1, \cdots, a_{n-1}$ 以及整数 S。求出总和不小于 S 的连续子序列的长度的最小值。如果解不存在，则输出 0。

⚠️限制条件

- $10 < n < 10^5$
- $0 < a_i \leq 10^4$
- $S < 10^8$

样例 1

输入

```
n = 10
S = 15
a = {5, 1, 3, 5, 10, 7, 4, 9, 2, 8}
```

输出

```
2 (5+10)
```

样例 2

输入

```
n = 5
```

---

[1] 本节所涉及的多种技巧，其应用范围都比这里所介绍的模型要广得多，注意蕴含在技巧内的算法思想。许多看似非常复杂困难的问题，其问题关键都可以运用这里看似简单的技巧处理。——译者注

[2] 这里直接使用了日文原文的汉字，尺取法通常是指对数组保存一对下标（起点、终点），然后根据实际情况交替推进两个端点直到得出答案的方法，这种操作很像是尺蠖（日文中称为尺取虫）爬行的方式故得名。——译者注

```
S = 11
a = {1, 2, 3, 4, 5}
```

输出

```
3  (3+4+5)
```

由于所有的元素都大于零，如果子序列[s, t)满足$a_s+\cdots+a_{t-1}\geqslant S$，那么对于任何的$t<t'$一定有$a_s+\cdots+a_{t'-1}\geqslant S$。此外对于区间[$s$,$t$)上的总和来说如果令

$$\text{sum}(i)=a_0+a_1+\cdots+a_{i-1}$$

那么

$$a_s+a_{s+1}+\cdots+a_{t-1}=\text{sum}(t)-\text{sum}(s)$$

因此预先以$O(n)$的时间计算好sum的话，就可以以$O(1)$的时间计算区间上的总和。这样一来，子序列的起点s确定以后，便可以用二分搜索快速地确定使序列和不小于S的结尾t的最小值。

```
// 输入
int n, S;
int a[MAX_N];

int sum[MAX_N + 1];

void solve() {
  // 计算sum
  for (int i = 0; i < n; i++) {
    sum[i + 1] = sum[i] + a[i];
  }

  if (sum[n] < S) {
    // 解不存在
    printf("0\n");
    return;
  }

  int res = n;
  for (int s = 0; sum[s] + S <= sum[n]; s++) {
    // 利用二分搜索求出t
    int t = lower_bound(sum + s, sum + n, sum[s] + S) - sum;
    res = min(res, t - s);
  }

  printf("%d\n", res);
}
```

这个算法的复杂度是$O(n\log n)$，虽然足以解决这个问题，但我们还可以更加高效地求解。我们设以a_s开始总和最初大于S时的连续子序列为$a_s+\cdots+a_{t-1}$，这时

$a_{s+1}+\cdots+a_{t-2}<a_s+\cdots+a_{t-2}<S$

所以从a_{s+1}开始总和最初超过S的连续子序列如果是$a_{s+1}+\cdots+a_{t-1}$的话，则必然有$t\leq t'$。利用这一性质便可以设计出如下算法：

(1) 以 $s = t =$ sum $= 0$ 初始化。

(2) 只要依然有 sum$<S$，就不断将 sum 增加 a_t，并将 t 增加 1。

(3) 如果(2)中无法满足 sum$\geq S$ 则终止。否则的话，更新 res $=$ min(res, $t-s$)。

(4) 将 sum 减去 a_s，s 增加 1 然后回到(2)。

对于这个算法，因为t最多变化n次，因此只需$O(n)$的复杂度就可以求解这个问题了。

```
void solve() {
  int res = n + 1;
  int s = 0, t = 0, sum = 0;
  for (;;) {
    while (t < n && sum < S) {
      sum += a[t++];
    }
    if (sum < S) break;
    res = min(res, t - s);
    sum -= a[s++];
  }

  if (res > n) {
    // 解不存在
    res = 0;
  }
  printf("%d\n", res);
}
```

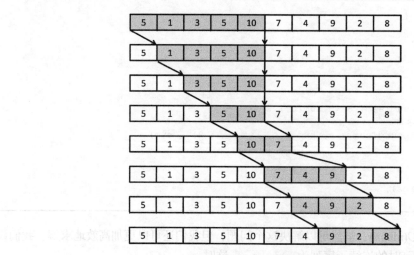

样例数据1对应的区间的变化

像这样反复地推进区间的开头和末尾，来求取满足条件的最小区间的方法被称为尺取法。

Jessica's Reading Problem （POJ No.3320）

为了准备考试，Jessica 开始读一本很厚的课本。要想通过考试，必须把课本中所有的知识点都掌握。这本书总共有 P 页，第 i 页恰好有一个知识点 a_i（每个知识点都有一个整数编号）。全书中同一个知识点可能会被多次提到，所以她希望通过阅读其中连续的一些页把所有的知识点都覆盖到。给定每页写到的知识点，请求出要阅读的最少页数。

⚠️ **限制条件**
- $1 \leqslant P \leqslant 10^6$

样例

输入

```
P = 5
a = {1, 8, 8, 8, 1}
```

输出

```
2 (只要阅读第1页和第2页即可)
```

我们假设从某一页s开始阅读，为了覆盖所有的知识点需要阅读到t。这样的话可以知道如果从$s+1$开始阅读的话，那么必须阅读到$t' \geqslant t$页为止。由此这题也可以使用尺取法。

在某个区间$[s,t]$已经覆盖了所有的知识点的情况下，下一个区间$[s+1,t']$($t' \geqslant t$)要如何求出呢?

　　　所有的知识点都被覆盖 ⟺ 每个知识点出现的次数都不小于1

由以上的等价关系，我们可以用二叉树等数据结构来存储$[s,t]$区间上每个知识点的出现次数，这样把最开头的页s去除后便可以判断$[s+1,t]$是否满足条件。

从区间的最开头把s取出之后，页s上书写的知识点的出现次数就要减一，如果此时这个知识点的出现次数为0了，在同一个知识点再次出现前，不停将区间末尾t向后推进即可。每次在区间末尾追加页t时将页t上的知识点的出现次数加1，这样就完成了下一个区间上各个知识点出现次数的更新，通过重复这一操作可以以$O(P\log P)$的复杂度求出最小的区间。

```
// 输入
int P;
int a[MAX_P];

void solve() {
  // 计算全部知识点的总数
```

```
set<int> all;
for (int i = 0; i < P; i++) {
  all.insert(a[i]);
}
int n = all.size();

// 利用尺取法来求解
int s = 0, t = 0, num = 0;
map<int, int> count;  // 知识点→出现次数的映射
int res = P;
for (;;) {
  while (t < P && num < n) {
    if (count[a[t++]]++ == 0) {
      // 出现新的知识点
      num++;
    }
  }
  if (num < n) break;
  res = min(res, t - s);
  if (--count[a[s++]] == 0) {
    // 某个知识点的出现次数为0了
    num--;
  }
}

printf("%d\n", res);
}
```

3.2.2 反转（开关问题）

Face The Right Way （POJ No. 3276）

N 头牛排成了一列。每头牛或者向前或者向后。为了让所有的牛都面向前方，农夫约翰买了一台自动转向的机器。这个机器在购买时就必须设定一个数值 K，机器每操作一次恰好使 K 头连续的牛转向。请求出为了让所有的牛都能面向前方需要的最少的操作次数 M 和对应的最小的 K。

⚠ 限制条件
• $1 \leqslant N \leqslant 5000$

样例

输入

```
N = 7
BBFBFBB（F：面向前方，B：面向后方）
```

输出

```
K = 3
M = 3
```
（先反转1~3号的三头牛，然后再反转3~5号，最后反转5~7号）

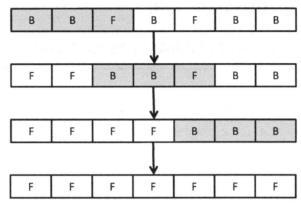

K=3时的解法

首先我们来看看对于一个特定的*K*如何求出让所有的牛面朝前方的最小操作次数。如果把牛的方向作为状态进行搜索的话，由于状态数有2^N个，是无法在时限内找出答案的。那么不搜索的话要怎么办呢？

首先，交换区间反转的顺序对结果是没有影响的。此外，可以知道对同一个区间进行两次以上的反转是多余的。由此，问题就转化成了求需要被反转的区间的集合。于是我们先考虑一下最左端的牛。包含这头牛的区间只有一个，因此如果这头牛面朝前方，我们就能知道这个区间不需要反转。

反之，如果这头牛面朝后方，对应的区间就必须进行反转了。而且在此之后这个最左的区间就再也不需要考虑了。这样一来，通过首先考虑最左端的牛，问题的规模就缩小了1。不断地重复下去，就可以无需搜索求出最少所需的反转次数了。

此外，通过上面的分析可以知道，忽略掉对同一个区间重复反转这类多余操作之后，只要存在让所有的牛都朝前的方法，那么操作就和顺序无关可以唯一确定了。

这个算法的复杂度又如何呢？首先我们需要对所有的*K*都求解一次，对于每个*K*我们都要从最左端开始来考虑*N*头牛的情况。此时最坏情况下需要进行*N*–*K*+1次的反转操作，而每次操作又要反转*K*头牛，于是总的复杂度就是$O(N^3)$。这样的话还不足以在时限内解决问题。但是区间反转的部分还是很容易进行优化的。

$f[i]$:= 区间[*i*, *i*+*K*–1]进行了反转的话则为1，否则为0

这样，在考虑第i头牛时，如果 $\sum_{j=i-K+1}^{i-1} f[j]$ 为奇数的话，则这头牛的方向与起始方向是相反的，否则方向不变。由于

$$\sum_{j=(i+1)-K+1}^{i} f[j] = \sum_{j=i-K+1}^{i-1} f[j] + f[i] - f[i-K+1]$$

所以这个和每一次都可以用常数时间计算出来，复杂度就降为了$O(N^2)$，能在时限内解决了。

```cpp
// 输入
int N;
int dir[MAX_N];    // 牛的方向(0:F, 1:B)

int f[MAX_N];      // 区间[i,i+K-1]是否进行反转

// 固定K，求对应的最小操作回数
// 无解的话则返回-1
int calc(int K) {
  memset(f, 0, sizeof(f));
  int res = 0;
  int sum = 0;     // f的和
  for (int i = 0; i + K <= N; i++) {
    // 计算区间[i,i+K-1]
    if ((dir[i] + sum) % 2 != 0) {
      // 前端的牛面朝后方
      res++;
      f[i] = 1;
    }
    sum += f[i];
    if (i - K + 1 >= 0) {
      sum -= f[i - K + 1];
    }
  }

  // 检查剩下的牛是否有面朝后方的情况
  for (int i = N - K + 1; i < N; i++) {
    if ((dir[i] + sum) % 2 != 0) {
      // 无解
      return -1;
    }
    if (i - K + 1 >= 0) {
      sum -= f[i - K + 1];
    }
  }

  return res;
}

void solve() {
  int K = 1, M = N;
  for (int k = 1; k <= N; k++) {
    int m = calc(k);
```

```
    if (m >= 0 && M > m) {
      M = m;
      K = k;
    }
  }
  printf("%d %d\n", K, M);
}
```

Fliptile (POJ No.3279) [①]

农夫约翰知道聪明的牛产奶多。于是为了提高牛的智商他准备了如下游戏。有一个 $M \times N$ 的格子，每个格子可以翻转正反面，它们一面是黑色，另一面是白色。黑色的格子翻转后就是白色，白色的格子翻转过来则是黑色。游戏要做的就是把所有的格子都翻转成白色。不过因为牛蹄很大，所以每次翻转一个格子时，与它上下左右相邻接的格子也会被翻转。因为翻格子太麻烦了，所以牛都想通过尽可能少的次数把所有格子都翻成白色。现在给定了每个格子的颜色，请求出用最小步数完成时每个格子翻转的次数。最小步数的解有多个时，输出字典序最小的一组。解不存在的话，则输出 IMPOSSIBLE。

⚠️ **限制条件**
- $1 \leq M, N \leq 15$

📌 **样例**

输入

```
M = 4
N = 4
每个格子的颜色如下(0表示白色，1表示黑色)

1 0 0 1
0 1 1 0
0 1 1 0
1 0 0 1
```

输出

```
0 0 0 0
1 0 0 1
1 0 0 1
0 0 0 0
```

[①] 这道题的模型常被称为开关问题或关灯问题，较早见于Extended Lights Out（Greater New York 2002）这道题。高斯消元法也可以用于求解一组可行解，并且通过这些分析可以知道，自由变元的个数不会超过N个，所以也可以用于求解最优解。——译者注

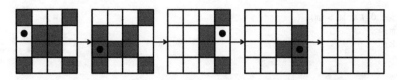

解法示意

首先，同一个格子翻转两次的话就会恢复原状，所以多次翻转是多余的。此外，翻转的格子的集合相同的话，其次序是无关紧要的。因此，总共有 2^{NM} 种翻转的方法。不过这个解空间太大了，我们需要想出更有效的办法。

让我们再回顾一下前面的问题。在那道题中，让最左端的牛反转的方法只有 1 种，于是用直接判断的方法确定就可以了。同样的方法在这里还行得通吗？

不妨先看看最左上角的格子。在这里，除了翻转(1,1)之外，翻转(1,2)和(2,1)也可以把这个格子翻转，所以像之前那样直接确定的办法行不通。

于是不妨先指定好最上面一行的翻转方法。此时能够翻转(1,1)的只剩下(2,1)了，所以可以直接判断(2,1)是否需要翻转。类似地(2,1)~(2,N)都能这样判断，如此反复下去就可以确定所有格子的翻转方法。最后(M,1)~(M,N)如果并非全为白色，就意味着不存在可行的操作方法。

像这样，先确定第一行的翻转方式，然后可以很容易判断这样是否存在解以及解的最小步数是多少，这样将第一行的所有翻转方式都尝试一次就能求出整个问题的最小步数。这个算法中最上面一行的翻转方式共有 2^N 种，复杂度为 $O(MN2^N)$。

```
// 邻接的格子的坐标
const int dx[5] = {-1, 0, 0, 0, 1};
const int dy[5] = {0, -1, 0, 1, 0};

// 输入
int M, N;
int tile[MAX_M][MAX_N];

int opt[MAX_M][MAX_N];    // 保存最优解
int flip[MAX_M][MAX_N];   // 保存中间结果

// 查询(x,y)的颜色
int get(int x, int y) {
  int c = tile[x][y];
  for (int d = 0; d < 5; d++) {
    int x2 = x + dx[d], y2 = y + dy[d];
    if (0 <= x2 && x2 < M && 0 <= y2 && y2 < N) {
      c += flip[x2][y2];
    }
  }
  return c % 2;
```

```
}

// 求出第1行确定情况下的最小操作次数
// 不存在解的话返回-1
int calc() {
  // 求出从第2行开始的翻转方法
  for (int i = 1; i < M; i++) {
    for (int j = 0; j < N; j++) {
      if (get(i - 1, j) != 0) {
        // (i-1,j)是黑色的话，则必须翻转这个格子
        flip[i][j] = 1;
      }
    }
  }

  // 判断最后一行是否全白
  for (int j = 0; j < N; j++) {
    if (get(M - 1, j) != 0) {
      // 无解
      return -1;
    }
  }

  // 统计翻转的次数
  int res = 0;
  for (int i = 0; i < M; i++) {
    for (int j = 0; j < N; j++) {
      res += flip[i][j];
    }
  }
  return res;
}

void solve() {
  int res = -1;

  // 按照字典序尝试第一行的所有可能性
  for (int i = 0; i < 1 << N; i++) {
    memset(flip, 0, sizeof(flip));
    for (int j = 0; j < N; j++) {
      flip[0][N - j - 1] = i >> j & 1;
    }
    int num = calc();
    if (num >= 0 && (res < 0 || res > num)) {
      res = num;
      memcpy(opt, flip, sizeof(flip));
    }
  }

  if (res < 0) {
    // 无解
    printf("IMPOSSIBLE\n");
  } else {
    for (int i = 0; i < M; i++) {
```

```
    for (int j = 0; j < N; j++) {
      printf("%d%c", opt[i][j], j + 1 == N ? '\n' : ' ');
    }
  }
  }
}
```

专栏   集合的整数表示

前面的代码里，为了尝试第一行的所有可能性，使用了集合的整数表现。在程序中表示集合的方法有很多种，当元素数比较少时，像这样用二进制码来表示比较方便。集合 $\{0,1,\cdots,n-1\}$ 的子集 S 可以用如下方式编码成整数。

$$f(S) = \sum_{i \in S} 2^i$$

像这样表示之后，一些集合运算可以对应地写成如下方式。

■ 空集 ϕ： 0
■ 只含有第 i 个元素的集合 $\{i\}$： .... 1<<i
■ 含有全部 n 个元素的集合 $\{0,1,\cdots,n-1\}$： .... (1<<n)-1
■ 判断第 i 个元素是否属于集合 S： .... if (S>>i&1)
■ 向集合中加入第 i 个元素 $S \cup \{i\}$： .... S|1<<i
■ 从集合中去除第 i 个元素 $S \backslash \{i\}$： .... S&~(1<<i)
■ 集合 S 和 T 的并集 $S \cup T$： .... S|T
■ 集合 S 和 T 的交集 $S \cap T$： .... S&T

此外，想要将集合 $\{0,1,\cdots,n-1\}$ 的所有子集枚举出来的话，可以像下面这样书写

```
for (int S = 0; S < 1 << n; S++) {
  // 对子集的处理
}
```

按照这个顺序进行循环的话，S 便会从空集开始，然后按照 $\{0\}$、$\{1\}$、$\{0,1\}$、$\cdots$、$\{0,1,\cdots,n-1\}$ 的升序顺序枚举出来。

接下来介绍一下如何枚举某个集合 sup 的子集。这里 sup 是一个二进制码，其本身也是某个集合的子集。例如给定了 01101101 这样的集合，要将 01100000 或者 00101101 等子集枚举出来。前面是从 0 开始不断加 1 来枚举出了全部的子集。此时，sub+1 并不一定是 sup 的子集。而 (sub+1)&sup 虽然是 sup 的子集，可是很有可能依旧是 sub，没有任何改变。

所以我们要反过来，从 sup 开始每次减 1 直到 0 为止。由于 sub-1 并不一定是 sup 的子集，所以我们把它与 sup 进行按位与 &。这样的话就可以将 sup 所有的子集按照降序列举出来。(sub-1)&sup 会忽略 sup 中的 0 而从 sub 中减去 1。

```
int sub = sup;
do {
  // 对子集的处理
  sub = (sub - 1) & sup;
} while(sub != sup); // 处理完0之后，会有-1&sup=sup
```

最后我们介绍一下枚举 $\{0,1,\cdots,n-1\}$ 所包含的所有大小为 k 的子集的方法。通过使用位运算我们可以像如下代码所示简单地按照字典序升序地枚举出所有满足条件的二进制码。

```
int comb = (1 << k) - 1;
while (comb < 1 << n) {
  // 这里进行针对组合的处理
  int x = comb & -comb, y = comb + x;
  comb = ((comb & ~y) / x >> 1) | y;
}
```

按照字典序的话，最小的子集是 (1<<k)-1，所以用它作为初始值。现在我们求出 comb 其后的二进制码。例如 0101110 之后的是 0110011，0111110 之后的是 1001111。下面是求出 comb 下一个二进制码的方法。

(1) 求出最低位的 1 开始的连续的 1 的区间（0101110→0001110）

(2) 将这一区间全部变为 0，并将区间左侧的那个 0 变为 1（0101110→0110000）

(3) 将第(1)步里取出的区间右移，直到剩下的 1 的个数减少了 1 个（0001110→0000011）

(4) 将第(2)步和第(3)步的结果按位取或（0110000|0000011=0110011）

对于非零的整数，x&(-x) 的值就是将其最低位的 1 独立出来后的值。这是由于计算机中负数采用二进制补码表示，-x 实际上对应于 (~x)+1（将 x 按位取反然后加上 1）。

x	x的二进制	$-x$的二进制	x &-x
1	0001	1111	0001
2	0010	1110	0010
3	0011	1101	0001
4	0100	1100	0100
5	0101	1011	0001
6	0110	1010	0010
7	0111	1001	0001

将最低位的 1 取出后，设它为 x。那么通过计算 y=comb+x，就将 comb 从最低位的 1 开始的连续的 1 都置 0 了。我们来比较一下 ~y 和 comb。在 comb 中加上 x 后没有变化的位，在 ~y 中全都取相反的值。而最低位 1 开始的连续区间在 ~y 中依然是 1，区间左侧的那个 0 在 ~y 中也依然是 0。于是通过计算 z=comb&~y 就得到了最低位 1 开始的连续区间。比如如果 comb=0101110，则 x=0000010，y=0110000，z=0001110。

同时，y 也恰好是第(2)步要求的值。那么首先将 z 不断右移，直到最低位为 1，这通过计算 z/x 即可完成。这样再将 z/x 右移 1 位就得到了第(3)步要求的值。这样我们就求得了 comb

之后的下一个二进制列。因为是从 n 个元素的集合中进行选择，所以 comb 的值不能大于等于 1<<n。如此一来，就完成了大小为 k 的所有子集的枚举。

除上述例子之外，还可以利用位运算完成满足其他条件的集合的枚举，例如不包含相邻元素的集合等。

3.2.3　弹性碰撞

Physics Experiment （POJ No.3684）

用 N 个半径为 R 厘米的球进行如下实验。

在 H 米高的位置设置了一个圆筒，将球垂直放入（从下向上数第 i 个球的底端距离地面高度为 $H+2R$）。实验开始时最下面的球开始掉落，此后每一秒又有一个球开始掉落。不计空气阻力，并假设球与球或地面间的碰撞是弹性碰撞。

请求出实验开始后 T 秒种时每个球底端的高度。假设重力加速度为 $g=10\text{m/s}^2$。

⚠️ 限制条件
- $1 \leqslant N \leqslant 100$
- $1 \leqslant H \leqslant 10000$
- $1 \leqslant R \leqslant 100$
- $1 \leqslant T \leqslant 10000$

样例 1

输入

```
N = 1
H = 10
R = 10
T = 100
```

输出

```
4.95
```

样例 2

输入

```
N = 2
```

```
H = 10
R = 10
T = 100
```

输出

```
4.95 10.20
```

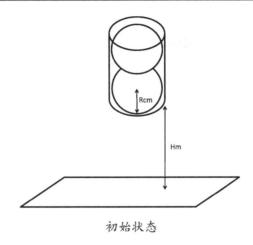

初始状态

首先考虑一下只有一个球的情形。这时只是单纯的物理问题。从高为*H*的位置下落的话需要花费的时间是

$$t = \sqrt{\frac{2H}{g}}$$

这样的话，在时刻*T*时，令*k*为满足*kt*≤*T*的最大整数，那么

$$y = \begin{cases} H - \dfrac{1}{2}g(T-kt)^2 & （k是偶数时） \\ H - \dfrac{1}{2}g(kt+t-T)^2 & （k是奇数时） \end{cases}$$

接下来再考虑多个球的情形。乍一看，因为多个球之间会有碰撞，必须对物理运动进行模拟，事实上并没有这个必要。我们来回忆一下此前热身题目 "Ants"。在那道题目中两只蚂蚁相遇后并不是各自折返，而是当作擦身而过继续走下去，于是就将问题简化了。

这里的问题可以用同样方法思考。首先先来考虑一下*R*=0的情况。如果认为所有的球都是一样的，就可以无视它们的碰撞，视为直接互相穿过继续运动。由于在有碰撞时球的顺序不会发生改变，所以忽略碰撞，将计算得到的坐标进行排序后，就能知道每个球的最终位置。那么，*R*>0时要怎么办呢？这种情况下的处理方法基本相同，对于从下方开始的第 i 个球，在按照 $R=0$ 计算的结果上加上 $2Ri$ 就好了。

```
const double g = 10.0;   // 重力加速度

// 输入
int N, H, R, T;

double y[MAX_N];              // 球的最终位置

// 求出T时刻球的位置
double calc(int T) {
  if (T < 0) return H;
  double t = sqrt(2 * H / g);
  int k = (int)(T / t);
  if (k % 2 == 0) {
    double d = T - k * t;
    return H - g * d * d / 2;
  } else {
    double d = k * t + t - T;
    return H - g * d * d / 2;
  }
}

void solve() {
  for (int i = 0; i < N; i++) {
    y[i] = calc(T - i);
  }
  sort(y, y + N);
  for (int i = 0; i < N; i++) {
    printf("%.2f%c", y[i] + 2 * R * i / 100.0, i + 1 == N ? '\n' : ' ');
  }
}
```

3.2.4　折半枚举（双向搜索）[①]

---

4 Values whose Sum is 0　（POJ No.2785）

给定各有 n 个整数的四个数列 A、B、C、D。要从每个数列中各取出 1 个数，使四个数的和为 0。求出这样的组合的个数。当一个数列中有多个相同的数字时，把它们作为不同的数字看待。

⚠限制条件
- $1 \leqslant n \leqslant 4000$
- |（数字的值）| $\leqslant 2^{28}$

---

① 本节所介绍的折半枚举与传统的双向搜索并不相同，但其思想来源于传统的双向搜索，有时候我们也会用双向搜索来指代它，特此注明。——译者注

样例

输入

```
n = 6
A = {-45, -41, -36, -36, 26, -32}
B = {22, -27, 53, 30, -38, -54}
C = {42, 56, -37, -75, -10, -6}
D = {-16, 30, 77, -46, 62, 45}
```

输出

```
5(-45-27+42+30=0, 26+30-10-46=0, -32+22+56-46=0, -32+30-75+77=0, -32-54+56+30=0)
```

这个问题是热身题目"抽签"的复习。从4个数列中选择的话总共有n^4种情况，所以全都判断一遍不可行。不过将它们对半分成AB和CD再考虑，就可以快速解决了。从2个数列中选择的话只有n^2种组合，所以可以进行枚举。先从A、B中取出a、b后，为了使总和为0则需要从C、D中取出$c+d=-a-b$。因此先将从C、D中取数字的n^2种方法全都枚举出来，将这些和排好序，这样就可以运用二分搜索了。这个算法的复杂度是$O(n^2\log n)$。

有时候，问题的规模较大，无法枚举所有元素的组合，但能够枚举一半元素的组合。此时，将问题拆成两半后分别枚举，再合并它们的结果这一方法往往非常有效。

```cpp
// 输入
int n;
int A[MAX_N], B[MAX_N], C[MAX_N], D[MAX_N];

int CD[MAX_N * MAX_N];  // C和D中数字的组合方法

void solve() {
  // 枚举从C和D中取出数字的所有方法
  for (int i = 0; i < n; i++) {
    for (int j = 0; j < n; j++) {
      CD[i * n + j] = C[i] + D[j];
    }
  }
  sort(CD, CD + n * n);

  long long res = 0;
  for (int i = 0; i < n; i++) {
    for (int j = 0; j < n; j++) {
      int cd = -(A[i] + B[j]);
      // 取出C和D中和为cd的部分
      res += upper_bound(CD, CD + n * n, cd) - lower_bound(CD, CD + n * n, cd);
    }
  }

  printf("%lld\n", res);
}
```

超大背包问题

有重量和价值分别为 w_i, v_i 的 n 个物品。从这些物品中挑选总重量不超过 W 的物品，求所有挑选方案中价值总和的最大值。

⚠️限制条件
- $1 \leqslant n \leqslant 40$
- $1 \leqslant w_i, v_i \leqslant 10^{15}$
- $1 \leqslant W \leqslant 10^{15}$

样例

输入

```
n = 4
w = {2, 1, 3, 2}
v = {3, 2, 4, 2}
W = 5
```

输出

7（挑选0、1、3号物品）

这个问题是第二章介绍过的背包问题。不过这次价值和重量都可以是非常大的数值，相比之下 n 比较小。使用DP求解背包问题的复杂度是 $O(nW)$，因此不能用来解决这里的问题。此时我们应该利用 n 比较小的特点来寻找其他办法。

挑选物品的方法总共有 2^n 种，所以不能直接枚举，但是像前面一样拆成两半之后再枚举的话，因为每部分只有20个所以是可行的。利用拆成两半后的两部分的价值和重量，我们能求出原先的问题吗？我们把前半部分中的选取方法对应的重量和价值总和记为 $w1$、$v1$。这样在后半部分寻找总重 $w2 \leqslant W-w1$ 时使 $v2$ 最大的选取方法就好了。

因此，我们要思考从枚举得到的 $(w2, v2)$ 的集合中高效寻找 $\max\{v2 | w2 \leqslant W'\}$ 的方法。首先，显然我们可以排除所有 $w2[i] \leqslant w2[j]$ 并且 $v2[i] \geqslant v2[j]$ 的 j。这一点可以按照 $w2$、$v2$ 的字典序排序后简单做到。此后剩余的元素都满足 $w2[i] < w2[j] \Leftrightarrow v2[i] < v2[j]$，要计算 $\max\{v2 | w2 \leqslant W'\}$ 的话，只要寻找满足 $w2[i] \leqslant W'$ 的最大的 i 就可以了。这可以用二分搜索完成，剩余的元素个数为 M 的话，一次搜索需要 $O(\log M)$ 的时间。因为 $M \leqslant 2^{(n/2)}$，所以这个算法总的复杂度是 $O(2^{(n/2)}n)$，可以在时限内解决这个问题。

```cpp
typedef long long ll;

// 输入
int n;
ll w[MAX_N], v[MAX_N];
ll W;

pair<ll, ll> ps[1 << (MAX_N / 2)];  // (重量, 价值)

void solve() {
  // 枚举前半部分
  int n2 = n / 2;
  for (int i = 0; i < 1 << n2; i++) {
    ll sw = 0, sv = 0;
    for (int j = 0; j < n2; j++) {
      if (i >> j & 1) {
        sw += w[j];
        sv += v[j];
      }
    }
    ps[i] = make_pair(sw, sv);
  }

  // 去除多余的元素
  sort(ps, ps + (1 << n2));
  int m = 1;
  for (int i = 1; i < 1 << n2; i++) {
    if (ps[m - 1].second < ps[i].second) {
      ps[m++] = ps[i];
    }
  }

  // 枚举后半部分并求解
  ll res = 0;
  for (int i = 0; i < 1 << (n - n2); i++) {
    ll sw = 0, sv = 0;
    for (int j = 0; j < n - n2; j++) {
      if (i >> j & 1) {
        sw += w[n2 + j];
        sv += v[n2 + j];
      }
    }
    if (sw <= W) {
      ll tv = (lower_bound(ps, ps + m, make_pair(W - sw, INF)) - 1)->second;
      res = max(res, sv + tv);
    }
  }

  printf("%lld\n", res);
}
```

3.2.5   坐标离散化

区域的个数

$w×h$的格子上画了n条或垂直或水平的宽度为1的直线。求出这些线将格子划分成了多少个区域。

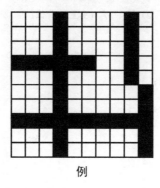

例

⚠️ **限制条件**
- $1 \leqslant w, h \leqslant 1000000$
- $1 \leqslant n \leqslant 500$

样例

```
w = 10, h = 10, n = 5
x1 = {1, 1, 4, 9, 10}
x2 = {6, 10, 4, 9, 10}
y1 = {4, 8, 1, 1, 6}
y2 = {4, 8, 10, 5, 10}
(对应于前面的例图)
```

准备好$w×h$的数组，并记录是否有直线通过，然后参考2.1节利用深度优先搜索求水坑数的方法，可以求出被分割出的区域个数。但是这个问题中w和h最大为1000000，所以没办法创建$w×h$的数组。因此我们要使用坐标离散化这一技巧。

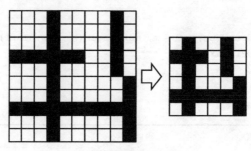

坐标离散化示例

如上图所示，将前后没有变化的行列消除后并不会影响区域的个数。

数组里只需要存储有直线的行列以及其前后的行列就足够了，这样的话大小最多6*n*×6*n*就足够了。因此就可以创建出数组并利用搜索[①]求出区域的个数了。

```cpp
// 输入
int W, H, N;
int X1[MAX_N], X2[MAX_N], Y1[MAX_N], Y2[MAX_N];

// 填充用
bool fld[MAX_N * 6][MAX_N * 6];

// 对x1和x2进行坐标离散化，并返回离散化之后的宽度
int compress(int *x1, int *x2, int w) {
  vector<int> xs;

  for (int i = 0; i < N; i++) {
    for (int d = -1; d <= 1; d++) {
      int tx1 = x1[i] + d, tx2 = x2[i] + d;
      if (1 <= tx1 && tx1 <= w) xs.push_back(tx1);
      if (1 <= tx2 && tx2 <= w) xs.push_back(tx2);
    }
  }

  sort(xs.begin(), xs.end());
  xs.erase(unique(xs.begin(), xs.end()), xs.end());

  for (int i = 0; i < N; i++) {
    x1[i] = find(xs.begin(), xs.end(), x1[i]) - xs.begin();
    x2[i] = find(xs.begin(), xs.end(), x2[i]) - xs.begin();
  }

  return xs.size();
}

void solve() {
  // 坐标离散化
  W = compress(X1, X2, W);
  H = compress(Y1, Y2, H);

  // 填充有直线的部分
  memset(fld, 0, sizeof(fld));
  for (int i = 0; i < N; i++) {
    for (int y = Y1[i]; y <= Y2[i]; y++) {
      for (int x = X1[i]; x <= X2[i]; x++) {
        fld[y][x] = true;
      }
    }
  }
```

---

① 区域可能很大，所以用递归函数实现的话可能会栈溢出。

```
// 求区域的个数
int ans = 0;
for (int y = 0; y < H; y++) {
  for (int x = 0; x < W; x++) {
    if (fld[y][x]) continue;
    ans++;

    // 宽度优先搜索
    queue<pair<int, int> > que;
    que.push(make_pair(x, y));
    while (!que.empty()) {
      int sx = que.front().first, sy = que.front().second;
      que.pop();

      for (int i = 0; i < 4; i++) {
        int tx = sx + dx[i], ty = sy + dy[i];
        if (tx < 0 || W <= tx || ty < 0 || H <= ty) continue;
        if (fld[ty][tx]) continue;
        que.push(make_pair(tx, ty));
        fld[ty][tx] = true;
      }
    }
  }
}

printf("%d\n", ans);
}
```

3.3　活用各种数据结构

➠除了在2.4节中介绍的数据结构之外，还有许多非常有用的数据结构。本节，我们将介绍线段树（Segment Tree）、树状数组（Binary Indexed Tree）等数据结构。

3.3.1　线段树

1. 线段树的概念

线段树是擅长处理区间的，形如下图的数据结构。线段树是一棵完美二叉树（Perfect Binary Tree）[①]（所有的叶子的深度都相同，并且每个节点要么是叶子要么有2个儿子的树），树上的每个节点都维护一个区间。根维护的是整个区间，每个节点维护的是父亲的区间二等分后的其中一个子区间。当有n个元素时，对区间的操作可以在$O(\log n)$的时间内完成。

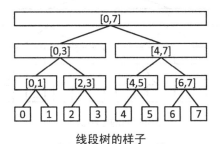

线段树的样子

根据节点中维护的数据的不同，线段树可以提供不同的功能。下面我们以实现了Range Minimum Query(RMQ)操作的线段树为例，进行说明。

2. 基于线段树的RMQ的结构

下面要建立的线段树在给定数列$a_0, a_1, \cdots, a_{n-1}$的情况下，可以在$O(\log n)$时间内完成如下两种操作

- 给定s和t，求$a_s, a_{s+1}, \cdots, a_t$的最小值
- 给定i和x，把a_i的值改成x

[①] 注意和完全二叉树（Complete Binary Tree）的区别，完全二叉树指的是在树中除了最后一层外，其余层都是满的，并且最后一层或者是满的，或者是在右边缺少连续的若干节点。不过也有地方把完美二叉树叫做满二叉树或者完全二叉树。本书以前面的定义为准。——译者注

如下图，线段树的每个节点维护对应区间的最小值。在建树时，只需要按从下到上的顺序分别取左右儿子的值中的较小者就可以了。

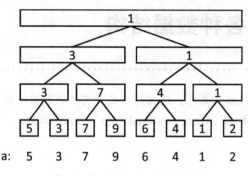

a: 5   3   7   9   6   4   1   2

数列及其对应的线段树的例子

3. 基于线段树的RMQ的查询

如果要求a_0, …,a_6的最小值。我们只需要求下图中的三个节点的值的最小值即可。

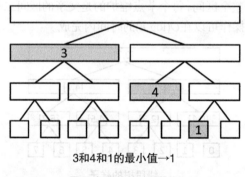

3和4和1的最小值→1

需要查看值的3个节点

像这样，即使查询的是一个比较大的区间，由于较靠上的节点对应较大的区间，通过这些区间就可以知道大部分值的最小值，从而只需要访问很少的节点就可以求得最小值。

要求某个区间的最小值，像下面这样递归处理就可以了。

- 如果所查询的区间和当前节点对应的区间完全没有交集，那么就返回一个不影响答案的值（例如INT_MAX）。
- 如果所查询的区间完全包含了当前节点对应的区间，那么就返回当前节点的值。
- 以上两种情况都不满足的话，就对两个儿子递归处理，返回两个结果中的较小者。

4. 基于线段树的RMQ的值的更新

在更新a_0的值时，需要重新计算下图所示的4个节点的值。

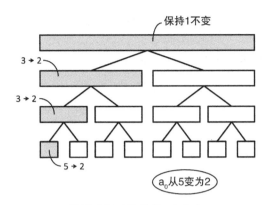

需要重新计算值的4个节点

在更新a_i的值时，需要对包含i的所有区间对应的节点的值重新进行计算。在更新时，可以从下面的节点开始向上不断更新，把每个节点的值更新为左右两个儿子的值的较小者就可以了。

5. 基于线段树的RMQ的复杂度

不论哪种操作，对于每个深度都最多访问常数个节点。因此对于n个元素，每一次操作的复杂度是$O(\log n)$。对于二叉搜索树，我们曾经提到过可能有因操作不当而导致退化的情况发生，从而使复杂度变得很糟糕。不过因为线段树不会添加或者删除节点，所以即使是朴素的实现也都能在$O(\log n)$时间内进行各种操作。

此外，n个元素的线段树的初始化的时间复杂度和总的空间复杂度都是$O(n)$。这是因为节点数是$n+n/2+n/4+\cdots=2n$。直觉上很容易让人产生复杂度是$O(n \log n)$的错觉，需要注意。

6. 基于线段树的RMQ的实现

为了简单起见，在建立线段树时，把数列所有的值都初始化为INT_MAX。此外，query的参数中不止传入节点的编号，还传入了节点对应的区间。

虽然从节点的编号也可以计算出对应的区间，但是把区间作为参数传入就可以节省这一步计算，为了简单起见，我们在实现中传入了对应的区间。

```
const int MAX_N = 1 << 17;

// 存储线段树的全局数组
int n, dat[2 * MAX_N - 1];

// 初始化
void init(int n_) {
  // 为了简单起见，把元素个数扩大到2的幂
  n = 1;
  while (n < n_) n *= 2;

  // 把所有的值都设为INT_MAX
```

```
  for (int i = 0; i < 2 * n - 1; i++) dat[i] = INT_MAX;
}

// 把第k个值（0-indexed）更新为a
void update(int k, int a) {
  // 叶子节点
  k += n - 1;
  dat[k] = a;
  // 向上更新
  while (k > 0) {
    k = (k - 1) / 2;
    dat[k] = min(dat[k * 2 + 1], dat[k * 2 + 2]);
  }
}

// 求[a, b)的最小值
// 后面的参数是为了计算起来方便而传入的。
// k是节点的编号，l, r表示这个节点对应的是[l, r)区间。
// 在外部调用时，用query(a, b, 0, 0, n)
int query(int a, int b, int k, int l, int r) {

// 如果[a, b)和[l,r)不相交，则返回TNT_MAX
  if (r <= a || b <= l) return INT_MAX;

  // 如果[a, b)完全包含[l, r)，则返回当前节点的值
  if (a <= l && r <= b) return dat[k];
  else {
    // 否则返回两个儿子中值的较小者
    int vl = query(a, b, k * 2 + 1, l, (l + r) / 2);
    int vr = query(a, b, k * 2 + 2, (l + r) / 2, r);
    return min(vl, vr);
  }
}
```

7. 需要运用线段树的问题

Crane（POJ 2991）

有一台起重机。我们把起重机看成由 N 条线段依次首尾相接而成。第 i 条线段的长度是 L_i。最开始，所有的线段都笔直连接，指向上方。

有 C 条操纵起重机的指令。指令 i 给出两个整数 S_i 和 A_i，效果是使线段 S_i 和 S_i+1 之间的角度变成 A_i 度。其中角度指的是从线段 S_i 开始沿递时针方向旋转到 S_{i+1} 所经过的角度。最开始时所有角度都是180度。

按顺序执行这 C 条指令。在每条指令执行之后，输出起重机的前端（第 N 条线段的端点）的坐标。假设起重机的支点的坐标是$(0, 0)$。

⚠️限制条件
- $1 \leqslant N, C \leqslant 10000$

- $1 \leqslant L_i \leqslant 100$
- $1 \leqslant S_i < N, 0 \leqslant A_i \leqslant 359$

初始状态

样例 1

输入

```
N=2, C=1
L={10, 5}
S={1}
A={90}
```

输出

```
5.00 10.00
```

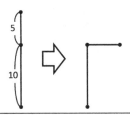

样例 2

输入

```
N = 3, C = 2
L = {5, 5, 5}
S = {1, 2}
A = {270, 90}
```

输出

```
-10.00 5.00
-5.00 10.00
```

本题可以使用线段树来解决。每个节点表示一段连续的线段的集合，并且维护下面两个值。

- 把对应的线段集合中的第一条线段转至垂直方向之后，从第一条线段的起点指向最后一条线段的终点的向量。
- （如果该节点有儿子节点）两个儿子节点对应的部分连接之后，右儿子需要转动的角度。

也就是说，如果节点 i 表示的向量是 vx_i，vy_i，角度是 ang_i，两个儿子节点是 chl 和 chr，那么就有

$$vx_i = vx_{chl} + (\cos(ang_i) \times vx_{chr} - \sin(ang_i) \times vy_{chr})$$

$$vy_i = vy_{chl} + (\sin(ang_i) \times vx_{chr} + \cos(ang_i) \times vy_{chr})$$

这样，每次更新便可在 $O(\log n)$ 时间内完成，而输出的值就是根节点对应的向量的值。

下面的实现和RMQ的有所不同，线段树的大小并没有扩大到2的幂。这个时候，线段树并不是一颗完美二叉树，但是在本题中同样可以完成各种操作。

```cpp
const int ST_SIZE = (1 << 15) - 1;

// 输入
int N, C;
int L[MAX_N];
int S[MAX_C], A[MAX_N];

// 线段树所维护的数据
double vx[ST_SIZE], vy[ST_SIZE];   // 各节点的向量
double ang[ST_SIZE];               // 各节点的角度

// 为了查询角度的变化而保存的当前角度的数组
double prv[MAX_N];


// 初始化线段树
// k是节点的编号，l，r表示当前节点对应的是[l，r)区间
void init(int k, int l, int r) {
  ang[k] = vx[k] = 0.0;

  if (r - l == 1) {
    // 叶子节点
    vy[k] = L[l];
  }
  else {
```

```
      // 非叶子节点
      int chl = k * 2 + 1, chr = k * 2 + 2;
      init(chl, l, (l + r) / 2);
      init(chr, (l + r) / 2, r);
      vy[k] = vy[chl] + vy[chr];
    }
}


// 把s和s+1的角度变为a
// v是节点的编号，l，r表示当前节点对应的是[l，r)区间
void change(int s, double a, int v, int l, int r) {
    if (s <= l) return;
    else if (s < r) {
      int chl = v * 2 + 1, chr = v * 2 + 2;
      int m = (l + r) / 2;
      change(s, a, chl, l, m);
      change(s, a, chr, m, r);
      if (s <= m) ang[v] += a;

      double s = sin(ang[v]), c = cos(ang[v]);
      vx[v] = vx[chl] + (c * vx[chr] - s * vy[chr]);
      vy[v] = vy[chl] + (s * vx[chr] + c * vy[chr]);
    }
}


void solve() {
    // 初始化
    init(0, 0, N);
    for (int i = 1; i < N; i++) prv[i] = M_PI;

    // 处理操作
    for (int i = 0; i < C; i++) {
      int s = S[i];
      double a = A[i] / 360.0 * 2 * M_PI;  // 把角度换算为弧度

      change(s, a - prv[s], 0, 0, N);
      prv[s] = a;

      printf("%.2f %.2f\n", vx[0], vy[0]);
    }
}
```

专栏　基于稀疏表（Sparse Table）的RMQ

在 RMQ 的其他实现方法中，有一种叫做 Sparse Table 的方法较为常见。对于数列 $a_1, a_2, \cdots, a_n$ 构建的 Sparse Table 如下表所示。

i	1	2	3	4	5	6	7	8
a	5	3	7	9	6	4	1	2
t_0	5	3	7	9	6	4	1	2
t_1	3	3	7	6	4	1	1	
t_2	3	3	4	1	1			
t_3	1							

Sparse Table的例子

其中 $t_{i,j}$ 表示的是 $a_j, a_{j+1}, \cdots, a_{j+2^i}$ 的最小值($0 \leqslant i$, $2^i \leqslant n$, $1 \leqslant j \leqslant n-2^i+1$)

让我们思考如何在给定 x 和 y 的情况下，通过这个表快速求出 $a_x, a_{x+1}, \cdots, a_y$ 的最小值。

首先，求出满足 $2^i \leqslant y-x < 2^{i+1}$ 的 i。也就是使得 2^i 不超过 $y-x$ 的最大的 i。然后，$\min\{t_{(i,x)}, t_{(i,y-2^i+1)}\}$ 就是 $a_x, a_{x+1}, \cdots, a_y$ 的最小值了。

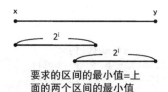

要求的区间的最小值=上
面的两个区间的最小值

利用Sparse Table求解最小值的例子

用朴素的方法求解 i 需要花费 $O(\log n)$ 时间，如果用二分搜索法求解 i 则只需要 $O(\log \log n)$ 时间。而且，在实现时，如果使用的是 gcc 编译器，还有_builtin_clz[1]等编译器内置的函数可以使用。因此，它单次查询的效率比基于线段树的 RMQ 要高[2]。

但是，基于 Sparse Table 的 RMQ 在预处理时的时间复杂度和空间复杂度都达到了 $O(n \log n)$。而且，和基于线段树的 RMQ 相比无法高效地对值进行更新。

3.3.2　Binary Indexed Tree

树状数组（Binary Indexed Tree，BIT）是能够完成下述操作的数据结构。

给一个初始值全为0的数列 $a_1, a_2, \cdots, a_n$

- 给定 i，计算 $a_1+a_2+\cdots+a_i$
- 给定 i 和 x，执行 $a_i += x$

---

[1] gcc中类似的还有__builtin_parity, __builtin_popcount, __builtin_ffs, __builtin_ctz等非常实用的函数。——译者注
[2] 不利用__builtin_clz也可以利用预处理，总的来说基于Sparse Table的查询是 $O(1)$ 的。——译者注

1. 基于线段树的实现

如果使用线段树，只需要对前一节中RMQ的样例做少许修改就可以实现这两个功能。线段树的每个节点上维护的是对应的区间的和。

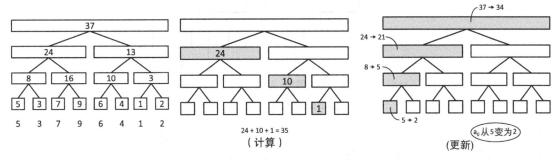

线段树和计算与更新的例子

接下来，我们来看如何计算从s到t的和$(a_s+a_{s+1}+\cdots+a_t)$。在基于线段树的实现中，这个和是可以直接求得的。

但是如果我们能够计算(从1到t的和)–(从1到$s-1$的和)，同样可以得到s到t的和。也就是说，只要对于任意i，我们都能计算出1到i的部分和就足够了。

在这样的限制下，会带来哪些改变呢？我们可以发现，线段树上每个节点的右儿子的值都不需要了（在计算时如果要使用这个点的值，那么它的左边的兄弟的值也一定会用到，这个时候只需要使用它们的父亲的值就可以了）。

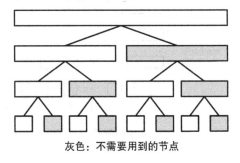

灰色：不需要用到的节点

不需要用到的节点

基于上面的思路得到的数据结构就是BIT。比起线段树，BIT实现起来更方便，速度也更快。

2. BIT的结构

BIT使用数组维护下图所示的部分和

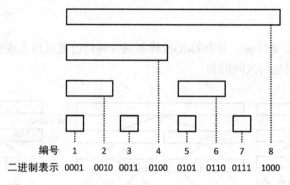

编号	1	2	3	4	5	6	7	8
二进制表示	0001	0010	0011	0100	0101	0110	0111	1000

树状数组中每个元素对应的部分

也就是把线段树中不需要的节点去掉之后，再把剩下的节点对应到数组中。让我们对比每个节点对应的区间的长度和节点编号的二进制表示。以1结尾的1, 3, 5, 7的长度是1，最后有1个0的2, 6的长度是2，最后有2个0的4的长度是4……这样，编号的二进制表示就能够和区间非常容易地对应起来。利用这个性质，BIT可以通过非常简单的位运算实现。

3. BIT的求和

计算前i项的和需要从i开始，不断把当前位置i的值加到结果中，并从i中减去i的二进制最低非0位对应的幂，直到i变成0为止。i的二进制的最后一个1可以通过$i\&-i$得到。

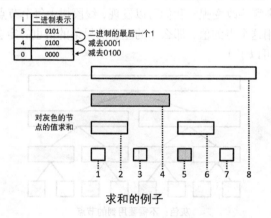

求和的例子

4. BIT的值的更新

使第i项的值增加x需要从i开始，不断把当前位置i的值增加x，并把i的二进制最低非0位对应的幂加到i上。

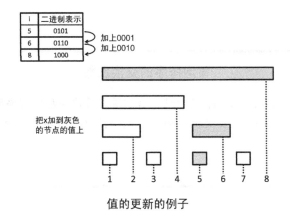

值的更新的例子

5. BIT的复杂度

总共需要对$O(\log n)$个值进行操作，所以复杂度是$O(\log n)$。

6. BIT的实现

顺便提一下，i-=i&-i也可以写作i=i&(i-1)。

```
// [1, n]
int bit[MAX_N + 1], n;

int sum(int i) {
  int s = 0;
  while (i > 0) {
    s += bit[i];
    i -= i & -i;
  }
  return s;
}

void add(int i, int x) {
  while (i <= n) {
    bit[i] += x;
    i += i & -i;
  }
}
```

7. 二维BIT

BIT可以方便地扩展到二维的情况。对于$W \times H$的二维BIT只需要建立H个大小为x轴方向元素个数W的BIT，然后把这些BIT通过y轴方向的BIT管理起来就可以了。也就是说，y轴方向的BIT的每个元素不是整数，而是一个x轴方向的BIT。这样所有操作的复杂度都是$O(\log W \times \log H)$。用同样的方法可以扩展到更高维度的情况。

8. 需要运用BIT的问题

冒泡排序的交换次数

给定一个 $1\sim n$ 的排列 $a_0, a_1, \cdots, a_{n-1}$，求对这个数列进行冒泡排序所需要的交换次数（冒泡排序是每次找到满足 $a_i > a_{i+1}$ 的 i，并交换 a_i 和 a_{i+1}，直到这样的 i 不存在为止的算法）。

⚠️ 限制条件

* $1 \leqslant n \leqslant 100000$

样例

输入

```
n=4, a={3,1,4,2}
```

输出

```
3
```

冒泡排序的复杂度是 $O(n^2)$，所以无法通过模拟冒泡排序的过程来计算需要的交换次数。不过我们可以通过选取适当的数据结构来解决这个问题。

首先，所求的交换次数等价于满足 $i < j$，$a_i > a_j$ 的 (i, j) 数对的个数（这种数对的个数叫做逆序数）。而对于每一个 j，如果能够快速求出满足 $i < j$，$a_i > a_j$ 的 i 的个数，那么问题就能迎刃而解。我们构建一个值的范围是 $1\sim n$ 的BIT，按照 $j = 0, 1, 2, \cdots, n-1$ 的顺序进行如下操作。

■ 把 j－(BIT查询得到的前 a_j 项的和)加到答案中
■ 把BIT中 a_j 位置上的值加1

对于每一个 j，(BIT查询得到的前 a_j 项的和)就是满足 $i < j$，$a_i \leqslant a_j$ 的 i 的个数。因此把这个值从 j 中减去之后，得到的就是满足 $i < j$，$a_i > a_j$ 的 i 的个数。由于对于每一个 j 的复杂度是 $O(\log n)$，所以整个算法的复杂度是 $O(n \log n)$。[①]

```
typedef long long ll;

// 输入
int n, a[MAX_N];

// 这里省略了BIT部分的代码
```

[①] 实现计算逆序数更简单的算法是通过分治思想利用归并排序计算，请参考本书4.6节。——译者注

```
void solve() {
  ll ans = 0;
  for (int j = 0; j < n; j++) {
    ans += j - sum(a[j]);
    add(a[j], 1);
  }
  printf("%lld\n", ans);
}
```

A Simple Problem with Integers（POJ 3468）

给定一个数列 $A_1, A_2, \cdots, A_N$ 以及 Q 个操作，按顺序执行这些操作。操作分 2 种

- 给出 l, r, x，对 $A_l, A_{l+1}, \cdots, A_r$ 同时加上 x
- 给出 l, r，求 $A_l, A_{l+1}, \cdots, A_r$ 的和

树状数组可以高效地求出连续的一段元素之和或者更新单个元素的值。但是，无法高效地给某一个区间里的所有元素同时加上一个值。因此，本题无法直接使用树状数组。在这里，我们先考虑利用线段树来求解，然后再考虑改造树状数组来求解该问题。

如果对于每个节点，维护有该节点对应的区间的和，那么就可以在 $O(\log n)$ 时间内求出任意区间的和。但是这样就没有办法高效地实现对一个区间同时加一个值，因为这需要对这个区间相关的所有节点都进行更新才可以。

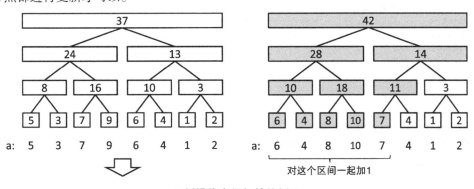

更新操作变得低效的例子

为了保持线段树的高效，对于每个节点我们维护以下两个数据

　　a.给这个节点对应的区间内的所有元素共同加上的值

　　b.在这个节点对应的区间中除去 a 之外其他的值的和

通过单独维护共同加上的值，给区间同时加一个值的操作就可以高效地进行了。如果对于父亲节

点同时加了一个值，那么这个值就不会在儿子节点被重复考虑。在递归计算和时再把这一部分的值加到结果里面就可以了。这样，不论是同时加一个值还是查询一段的和复杂度都是$O(\log n)$。

- T是操作的种类。第i个操作的$T[i]$是C的话，就是给区间同时加一个值，是Q的话则是查询一段的和。
- A, L, R都是以0为下标起点的。

```cpp
typedef long long ll;

const int DAT_SIZE = (1 << 18) - 1;

// 输入
int N, Q;
int A[MAX_N];
char T[MAX_Q];
int L[MAX_Q], R[MAX_Q], X[MAX_Q];

// 线段树
ll data[DAT_SIZE], datb[DAT_SIZE];

// 对区间[a, b)同时加x
// k是节点的编号，对应的区间是[l, r)
void add(int a, int b, int x, int k, int l, int r) {
  if (a <= l && r <= b) {
    data[k] += x;
  }
  else if (l < b && a < r) {
    datb[k] += (min(b, r) - max(a, l)) * x;
    add(a, b, x, k * 2 + 1, l, (l + r) / 2);
    add(a, b, x, k * 2 + 2, (l + r) / 2, r);
  }
}

// 计算[a, b)的和
// k是节点的编号，对应的区间是[l, r)
ll sum(int a, int b, int k, int l, int r) {
  if (b <= l || r <= a) {
    return 0;
  }
  else if (a <= l && r <= b) {
    return data[k] * (r - l) + datb[k];
  }
  else {
    ll res = (min(b, r) - max(a, l)) * data[k];
    res += sum(a, b, k * 2 + 1, l, (l + r) / 2);
    res += sum(a, b, k * 2 + 2, (l + r) / 2, r);
    return res;
  }
}
```

```
void solve() {
  for (int i = 0; i < N; i++) {
    add(i, i + 1, A[i], 0, 0, N);
  }

  for (int i = 0; i < Q; i++) {
    if (T[i] == 'C') {
      add(L[i], R[i] + 1, X[i], 0, 0, N);
    }
    else {
      printf("%lld\n", sum(L[i], R[i] + 1, 0, 0, N));
    }
  }
}
```

和线段树的做法类似，树状数组也可以通过在每个节点上维护两个数据，高效地进行上述操作。

如果给区间$[l, r]$同时加上x的话，每个节点的值将会如何变化呢？如果令

$$s(i) = 加上x之前的\sum_{j=1}^{i} a_j$$

$$s'(i) = 加上x之后的\sum_{j=1}^{i} a_j$$

那么就有

$$i < l \rightarrow s'(i) = s(i)$$
$$l \leqslant i \leqslant r \rightarrow s'(i) = s(i) + x \times (i - l + 1)$$
$$= s(i) + x \times i - x \times (l - 1)$$
$$r < i \qquad \rightarrow s'(i) = s(i) + x \times (r - l + 1)$$

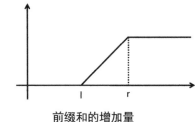

前缀和的增加量

下面记sum(bit, i)为树状数组bit的前i项和。我们构建两个树状数组bit0和bit1，并且设

$$\sum_{j=1}^{i} a_j = \mathrm{sum}(\mathrm{bit1}, i) \times i + \mathrm{sum}(\mathrm{bit0}, i)$$

那么在[l, r]区间上同时加上x就可以看成是

- 在bit0的l位置加上$-x(l-1)$
- 在bit1的l位置加上x
- 在bit0的$r+1$位置加上xr
- 在bit1的$r+1$位置加上$-x$

这4个操作。因此，查询和更新操作都可以在$O(\log n)$时间里完成。

更一般地，如果操作得到的结果可以用i的n次多项式表示，那么就可以使用$n+1$个树状数组来进行维护了。

- T是操作的种类。第i个操作的$T[i]$是C的话，就是给区间同时加一个值，是Q的话则是查询一段的和。
- A, L, R都是以1为下标起点的。

```
// 输入
int N, Q;
int A[MAX_N + 1];
char T[MAX_Q];
int L[MAX_Q], R[MAX_Q], X[MAX_Q];

// BIT
ll bit0[MAX_N + 1], bit1[MAX_N + 1];



ll sum(ll *b, int i) {
  ll s = 0;
  while (i > 0) {
    s += b[i];
    i -= i & -i;
  }
  return s;
}



void add(ll *b, int i, int v) {
  while (i <= N) {
    b[i] += v;
    i += i & -i;
```

```
    }
  }


void solve() {
  for (int i = 1; i <= N; i++) {
    add(bit0, i, A[i]);
  }

  for (int i = 0; i < Q; i++) {
    if (T[i] == 'C') {
      add(bit0, L[i], -X[i] * (L[i] - 1));
      add(bit1, L[i], X[i]);
      add(bit0, R[i] + 1, X[i] * R[i]);
      add(bit1, R[i] + 1, -X[i]);
    }
    else {
      ll res = 0;
      res += sum(bit0, R[i]) + sum(bit1, R[i]) * R[i];
      res -= sum(bit0, L[i] - 1) + sum(bit1, L[i] - 1) * (L[i] - 1);
      printf("%lld\n", res);
    }
  }
}
```

3.3.3 分桶法和平方分割

分桶法（bucket method）是把一排物品或者平面分成桶，每个桶分别维护自己内部的信息，以达到高效计算的目的的方法。

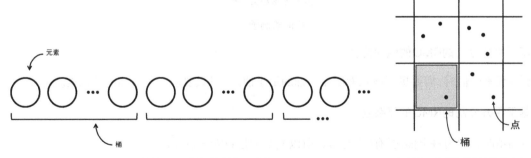

把一排物品分成桶维护的图例　　　　　把平面分成桶维护的图例

其中，平方分割（sqrt decomposition）是把排成一排的n个元素每$\sqrt{n}$个分在一个桶内进行维护的方法的统称。这样的分割方法可以使对区间的操作的复杂度降至$O(\sqrt{n})$。

和线段树一样，根据维护的数据的不同，平方分割可以支持很多不同的操作。接下来，和线段树一样，我们以RMQ为例对平方分割进行讲解。

1. 基于平方分割的RMQ

给定一个数列$a_1, a_2, ..., a_n$，目标是在$O(\sqrt{n})$复杂度内实现以下两个功能

- 给定s, t，求$a_s, a_{s+1}, ..., a_t$的最小值。
- 给定i, x，把a_i的值变为x。

2. 基于平方分割的RMQ的预处理

令$b = \text{floor}(\sqrt{n})$，把$a$中的元素每$b$分成一个桶，并且计算出每个桶内的最小值。

3. 基于平方分割的RMQ的查询

如下图所示，查询

- 如果桶完全包含在区间内，则查询桶的最小值。
- 如果元素所在的桶不完全被区间包含，则逐个检查最小值。

它们的最小值就是区间的最小值了。

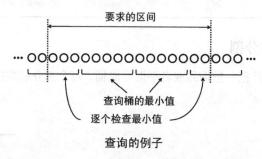

查询的例子

4. 基于平方分割的RMQ的值的更新

在更新元素的值时，需要更新该元素所在的桶的最小值。这时只要遍历一遍桶内的元素就可以了。

5. 基于平方分割的RMQ的复杂度

在更新值时，因为每个桶内[①]有b个元素，所以复杂度是$O(b) = O(\sqrt{n})$

而在查询时

- 完全包含在区间内的桶的个数是$O(n / b)$
- 所在的桶不被区间完全包含的元素个数是$O(b)$

---

① 如果在每个桶内用二叉搜索树来维护元素，则可以更加高效地进行更新操作。

因为 $b = O(\sqrt{n})$ ，所以操作的复杂度是

$$O(\frac{n}{b}+b) = O(\sqrt{n}+\sqrt{n}) = O(\sqrt{n})$$

6. 平方分割和线段树

因此，在平方分割中，对于任意区间，完全包含于其中的桶的数量和剩余元素的数量都是 $O(\sqrt{n})$ ，所以可以在 $O(\sqrt{n})$ 时间内完成各种操作。

在上面的RMQ的例题中，线段树进行各种操作的复杂度是 $O(\log n)$ ，比平方分割更快一些。一般地，如果线段树和平方分割都能实现某个功能，多数情况下线段树会比平方分割快。但是，因为平方分割在实现上比线段树简单，所以如果运行时间限制不是太紧时，也可以考虑使用平方分割。除此之外，也有一些功能是线段树无法高效维护但是平方分割却可以做到的。[①]

7. 需要运用平方分割的题目

K-th Number（POJ 2104）

给定一个数列 $a_1, a_2, \cdots, a_n$ 和 m 个三元组表示的查询。对于每个查询 (i, j, k) ，输出 $a_i, a_{i+1}, \cdots, a_j$ 的升序排列中第 k 个数。

⚠️限制条件

- $n \leqslant 100000, m \leqslant 5000$
- $|a_i| \leqslant 10^9$

样例

输入

```
n = 7, m = 3
a = {1, 5, 2, 6, 3, 7, 4}
查询 = {(2, 5, 3), (4, 4, 1), (1, 7, 3)}
```

输出

```
5
6
3
```

[①] 这里所介绍的平方分割的实现所用的数据结构通常也叫做块状数组，有时候为了适应更复杂的操作还会用到块状链表。也有些问题用到了平方分割的思想但并没有用到任何数据结构。——译者注

因为查询的个数m很大，朴素的求法无法在规定时间内出解。因此应该选用合理的方式维护数据来做到高效地查询。

如果x是第k个数，那么一定有

- 在区间中不超过x的数不少于k个
- 在区间中小于x的数有不到k个

因此，如果可以快速求出区间里不超过x的数的个数，就可以通过对x进行二分搜索来求出第k个数是多少。

接下来，我们来看一下如何计算在某个区间里不超过x的数的个数。如果不进行预处理，那么就只能遍历一遍所有的元素。

另一方面，如果区间是有序的，那么就可以通过二分搜索法高效地求出不超过x的数的个数了。但是，如果对于每个查询都分别做一次排序，就完全无法降低复杂度。所以，可以考虑使用平方分割和线段树进行求解。

首先我们来看如何使用平方分割来解决这个问题。把数列每b个一组分到各个桶里，每个桶内保存有排序后的数列。这样，如果要求在某个区间中不超过x的数的个数，就可以这样求得。

- 对于完全包含在区间内的桶，用二分搜索法计算。
- 对于所在的桶不完全包含在区间内的元素，逐个检查。

如果把b设为$\sqrt{n}$，复杂度就变成

$$O\left(\left(\frac{n}{b}\right)\log b + b\right) = O(\sqrt{n}\log n)$$

其中，对每个元素的处理只要$O(1)$时间，而对于每个桶的处理则需要$O(\log b)$，所以比起让桶的数量和桶内元素的个数尽可能接近，我们更应该把桶的数量设置成比桶内元素个数略少一些，这样可以使得程序更加高效。如果把b设为$\sqrt{n\log n}$，复杂度就变成

$$O\left(\left(\frac{n}{b}\right)\log b + b\right) = O(\sqrt{n\log n})$$

接下来只需要对x进行二分搜索就可以了。因为答案一定是数列a里的某个元素，所以二分搜索需要执行$O(\log n)$次。因此，如果$b = \sqrt{n\log n}$，包括预处理在内整个算法的复杂度就是$O(n\log n + m\sqrt{n}\log^{1.5}n)$。

```
const int B = 1000;   // 桶的大小

// 输入
int N, M;
int A[MAX_N];
int I[MAX_M], J[MAX_M], K[MAX_M];

int nums[MAX_N];                    // 对A排序之后的结果
vector<int> bucket[MAX_N / B];      // 每个桶排序之后的结果

void solve() {
  for (int i = 0; i < N; i++) {
    bucket[i / B].push_back(A[i]);
    nums[i] = A[i];
  }
  sort(nums, nums + N);
  // 虽然每B个一组剩下的部分所在的桶没有排序，但是不会产生问题
  for (int i = 0; i < N / B; i++) sort(bucket[i].begin(), bucket[i].end());

  for (int i = 0; i < M; i++) {
    // 求[l, r)区间中第k个数
    int l = I[i], r = J[i] + 1, k = K[i];

    int lb = -1, ub = N - 1;
    while (ub - lb > 1) {
      int md = (lb + ub) / 2;
      int x = nums[md];
      int tl = l, tr = r, c = 0;

      // 区间两端多出的部分
      while (tl < tr && tl % B != 0) if (A[tl++] <= x) c++;
      while (tl < tr && tr % B != 0) if (A[--tr] <= x) c++;

      // 对每一个桶进行计算
      while (tl < tr) {
        int b = tl / B;
        c += upper_bound(bucket[b].begin(), bucket[b].end(), x)
            - bucket[b].begin();
        tl += B;
      }

      if (c >= k) ub = md;
      else lb = md;
    }

    printf("%d\n", nums[ub]);
  }
}
```

下面我们考虑一下如何使用线段树解决这个问题。我们把数列用线段树维护起来。线段树的每个节点都保存了对应区间排好序后的结果。在这之前我们接触过的线段树节点上保存的都是数值，而这次则有所不同，每个节点保存了一个数列。

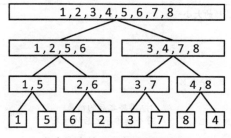

在本题中使用的线段树的例子

建立线段树的过程和归并排序的类似，而每个节点的数列就是其两个儿子节点的数列合并后的结果。建树的复杂度是 $O(n \log n)$。顺带一提，这棵线段树正是归并排序的完整再现。[①]

要计算在某个区间中不超过x的数的个数，只需要递归地进行如下操作就可以了。

- 如果所给的区间和当前节点的区间完全没有交集，那么返回0个。
- 如果所给的区间完全包含了当前节点对应的区间，那么使用二分搜索法对该节点上保存的数组进行查找。
- 否则对两个儿子递归地进行计算之后求和即可。

由于对于同一深度的节点最多只访问常数个，因此可以在 $O(\log^2 n)$ 时间里求出不超过x的数的个数。所以整个算法的复杂度是 $O(n \log n + m \log^3 n)$。

```
const int ST_SIZE = (1 << 18) - 1;

// 输入
int N, M;
int A[MAX_N];
int I[MAX_M], J[MAX_M], K[MAX_M];

int nums[MAX_N];              // 对A排序之后的结果
vector<int> dat[ST_SIZE];    // 线段树的数据



// 构建线段树
// k是节点的编号，和区间[l, r)对应
void init(int k, int l, int r) {
  if (r - l == 1) {
    dat[k].push_back(A[l]);
  }
  else {
    int lch = k * 2 + 1, rch = k * 2 + 2;
    init(lch, l, (l + r) / 2);
    init(rch, (l + r) / 2, r);
    dat[k].resize(r - l);
```

[①] 所以这样的线段树也叫归并树。——译者注

```
    // 利用STL的merge函数把两个儿子的数列合并
    merge(dat[lch].begin(), dat[lch].end(), dat[rch].begin(), dat[rch].end(),
        dat[k].begin());
  }
}


// 计算[i, j)中不超过x的数的个数
// k是节点的编号，和区间[l, r)对应
int query(int i, int j, int x, int k, int l, int r) {
  if (j <= l || r <= i) {
    // 完全不相交
    return 0;
  }
  else if (i <= l && r <= j) {
    // 完全包含在里面
    return upper_bound(dat[k].begin(), dat[k].end(), x) - dat[k].begin();
  }
  else {
    // 对儿子递归地计算
    int lc = query(i, j, x, k * 2 + 1, l, (l + r) / 2);
    int rc = query(i, j, x, k * 2 + 2, (l + r) / 2, r);
    return lc + rc;
  }
}


void solve() {
  for (int i = 0; i < N; i++) nums[i] = A[i];
  sort(nums, nums + N);

  init(0, 0, N);

  for (int i = 0; i < M; i++) {
    // 查找[l, r)中第k个数
    int l = I[i], r = J[i] + 1, k = K[i];

    int lb = -1, ub = N - 1;
    while (ub - lb > 1) {
      int md = (ub + lb) / 2;
      int c = query(l, r, nums[md], 0, 0, N);
      if (c >= k) ub = md;
      else lb = md;
    }
    printf("%d\n", nums[ub]);
  }
}
```

专栏 区域树（Range Tree）

上面提到的每个节点维护一个数组的线段树和每个节点维护一棵树的线段树也叫做区域树（Range Tree）。

如果把数列 a_i 考虑成平面上 (i, a_i) 的点列，那么上面问题中的查询

- 计算区间 $[1, r)$ 中不超过 v 的数的个数

就可以看成是

- 计算满足 $1 \leqslant x < r, y \leqslant v$ 的点的个数

这样的查询。Range Tree 适合对矩形的区域进行处理。并且，和树状数组一样，通过多重嵌套的线段树也可以实现高维度的 Range Tree。

3.4 熟练掌握动态规划

▶在这一节，我们将讨论更加复杂的动态规划算法的问题。到目前为止，我们都是在对整数做动态规划。不过，我们也可以对整数之外的复杂类型进行动态规划。此外，对于一些特殊形式的递推式，我们还可以利用其特殊性质高效地计算。

3.4.1 状态压缩 DP

旅行商问题

给定一个 n 个顶点组成的带权有向图的距离矩阵 $d(I, j)$（INF 表示没有边）。要求从顶点 0 出发，经过每个顶点恰好一次后再回到顶点 0。问所经过的边的总权重的最小值是多少？

⚠限制条件

- $2 \leq n \leq 15$
- $0 \leq d(i, j) \leq 1000$

样例

输入

n=5（如下图所示）

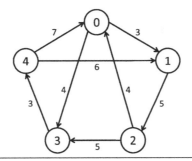

输出

22（0 → 3 → 4 → 1 → 2 → 0）

这个问题就是著名的旅行商问题（TSP，Traveling Salesman Problem）。TSP问题是NP困难的，没有已知的多项式时间的高效算法可以解决这一问题。不过在程序设计竞赛中还是有可能出现这种范围较小的题目的。

所有可能的路线共有$(n-1)!$种。这是一个非常大的值，即使在本题中n已经很小了，仍然无法试遍每一种情况。对于这个问题，我们可以使用DP来解决。首先让我们试着写出它的递推式。

假设现在已经访问过的顶点的集合（起点0当作还未访问过的顶点）为S，当前所在的顶点为v，用$dp[S][v]$表示从v出发访问剩余的所有顶点，最终回到顶点0的路径的权重总和的最小值。由于从v出发可以移动到任意的一个节点$u \notin S$，因此有如下递推式

$dp[V][0]=0$

$dp[S][v]=min\{dp[S \cup \{u\}][u]+d(v,u)|u \notin S\}$

我们只要按照这个递推式进行计算就可以了。由于在这个递推式中，有一个下标是集合而不是普通的整数，因此需要稍加处理。首先我们试着使用记忆化搜索求解。虽然有一个下标不是整数，但是我们可以把它编码成一个整数，或者给它们定义一个全序关系并用二叉搜索树存储，从而可以使用记忆化搜索来求解。特别地，对于集合我们可以把每一个元素的选取与否对应到一个二进制位里，从而把状态压缩成一个整数，大大方便了计算和维护。

```
// 输入
int n;
int d[MAX_N][MAX_N];

int dp[1 << MAX_N][MAX_N];  // 记忆化搜索使用的数组

// 已经访问过的节点集合为S，当前位置为v
int rec(int S, int v) {
  if (dp[S][v] >= 0) {
    return dp[S][v];
  }

  if (S == (1 << n) - 1 && v == 0) {
    // 已经访问过所有节点并回到0号点
    return dp[S][v] = 0;
  }

  int res = INF;
  for (int u = 0; u < n; u++) {
    if (!(S >> u & 1)) {
      // 下一步移动到顶点u
      res = min(res, rec(S | 1 << u, u) + d[v][u]);
    }
  }
  return dp[S][v] = res;
}
```

```
void solve() {
  memset(dp, -1, sizeof(dp));
  printf("%d\n", rec(0, 0));
}
```

这样，就可以在$O(2^n\,n^2)$的时间内完成计算。对于不是整数的情况，很多时候很难确定一个合适的递推顺序，因此使用记忆化搜索可以避免这个问题。不过在这个问题中，对于任意两个整数i和j，如果它们对应的集合满足$S(i) \subseteq S(j)$，就有$i \leq j$，因此还可以像下面的写法一样，通过循环求出答案。

```
int dp[1 << MAX_N][MAX_N];  // DP数组

void solve() {
  // 用足够大的值初始化数组
  for (int S = 0; S < 1 << n; S++) {
    fill(dp[S], dp[S] + n, INF);
  }
  dp[(1 << n) - 1][0] = 0;

  // 根据递推式依次计算
  for (int S = (1 << n) - 2; S >= 0; S--) {
    for (int v = 0; v < n; v++) {
      for (int u = 0; u < n; u++) {
        if (!(S >> u & 1)) {
          dp[S][v] = min(dp[S][v], dp[S | 1 << u][u] + d[v][u]);
        }
      }
    }
  }

  printf("%d\n", dp[0][0]);
}
```

像这样针对集合的DP我们一般叫状态压缩DP。

Travelling by Stagecoach （POJ No.2686）

有一个旅行家计划乘马车旅行。他所在的国家里共有 m 个城市，在城市之间有若干道路相连。从某个城市沿着某条道路到相邻的城市需要乘坐马车。而乘坐马车需要使用车票，每用一张车票只可以通过一条道路。每张车票上都记有马的匹数，从一个城市移动到另一个城市的所需时间等于城市之间道路的长度除以马的数量的结果。这位旅行家一共有 n 张车票，第 i 张车票上的马的匹数是 t_i。一张车票只能使用一次，并且换乘所需要的时间可以忽略。求从城市 a 到城市 b 所需要的最短时间。如果无法到达城市 b 则输出"Impossible"。

⚠限制条件

- $1 \leq n \leq 8$

- $2 \leqslant m \leqslant 30$
- $1 \leqslant a,b \leqslant m \ (a \neq b)$
- $1 \leqslant t_i \leqslant 10$
- $1 \leqslant 道路的长度 \leqslant 100$

样例

输入

```
n = 2
m = 4
a = 2
b = 1
t = {3, 1}
```

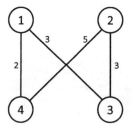

道路网

输出

```
3.667 ( 5 / 3 + 2 / 1 )
```

虽然可以把城市看作顶点，道路看作边建图，但是由于有车票相关的限制，无法直接使用Dijkstra 算法求解。不过，这种情况下只需要把状态作为顶点，而把状态的转移看成边来建图就可以很好 地避免这个问题。

让我们考虑一下"现在在城市 v，此时还剩下的车票的集合为 S"这样的状态。从这个状态出发， 使用一张车票 $i \in S$移动到相邻的城市 u，就相当于转移到了"在城市 u，此时还剩下的车票的集合 为 $S\backslash\{i\}$"这个状态。把这个转移看成一条边，那么边上的花费是 $(v$–u间道路的长度$)/t_i$。按照上述 方法所构的图，就可以用普通的Dijkstra算法求解了。

集合 S使用状态压缩的方法表示就可以了。由于剩余的车票的集合 S随着移动元素个数不断变小， 因此这个图实际上是个DAG（请参照2.5节）。计算DAG的最短路不需要使用Dijkstra算法，可以 简单地通过DP求解。在这道题中如下图所示。

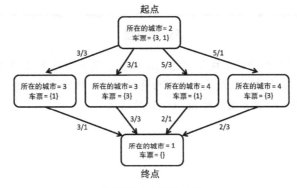

样例所对应的状态图

```
// 输入
int n, m, a, b;
int t[MAX_N];
int d[MAX_M][MAX_M]; // 图的邻接矩阵表示（-1表示没有边）

// dp[S][v]:=到达剩下的车票集合为S并且现在在在城市v的状态所需要的最小花费
double dp[1 << MAX_N][MAX_M];

void solve() {
  for (int i = 0; i < 1 << n; i++) {
    fill(dp[i], dp[i] + m, INF); // 用足够大的值初始化
  }
  dp[(1 << n) - 1][a - 1] = 0;
  double res = INF;
  for (int S = (1 << n) - 1; S >= 0; S--) {
    res = min(res, dp[S][b - 1]);
    for (int v = 0; v < m; v++) {
      for (int i = 0; i < n; i++) {
        if (S >> i & 1) {
          for (int u = 0; u < m; u++) {
            if (d[v][u] >= 0) {
              // 使用车票i，从v移动到u
              dp[S & ~(1 << i)][u] = min(dp[S & ~(1 << i)][u], dp[S][v] +
                                        (double)d[v][u] / t[i]);
            }
          }
        }
      }
    }
  }
  if (res == INF) {
    // 无法到达
    printf("Impossible\n");
  } else {
    printf("%.3f\n", res);
  }
}
```

铺砖问题

给定 $n{\times}m$ 的格子，每个格子被染成了黑色或者白色。现在要用 $1{\times}2$ 的砖块覆盖这些格子，要求块与块之间互相不重叠，且覆盖了所有白色的格子，但不覆盖任意一个黑色格子。求一共有多少种覆盖方法，输出方案数对 M 取余后的结果。

⚠限制条件
- $1 \leqslant n \leqslant 15$
- $1 \leqslant m \leqslant 15$
- $2 \leqslant M \leqslant 10^9$

样例

输入

```
n = 3
m = 3
```
每个格子的颜色如下所示（.表示白色，x表示黑色）

```
...
.x.
...
```

输出

2

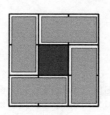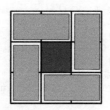

2种解

首先考虑一下枚举所有的解这一方法。为了不重复统计，我们每次从最左上方的空格处开始放置。对于哪些格子已经被覆盖过了，我们只需要使用一个bool数组来维护即可，按照下面的方法写就可以了。

```
// 输入
int n, m;
bool color[MAX_N][MAX_M];  // false: 白, true: 黑

// 现在查看的格子是(i, j), used表示哪些格子已经被覆盖过
```

```
int rec(int i, int j, bool used[MAX_N][MAX_M]) {
  if (j == m) {
    // 到下一行
    return rec(i + 1, 0, used);
  }

  if (i == n) {
    // 已经覆盖了所有的空格
    return 1;
  }

  if (used[i][j] || color[i][j]) {
    // 不需要在(i, j)上放置砖块
    return rec(i, j + 1, used);
  }

  // 尝试2种放法
  int res = 0;
  used[i][j] = true;

  // 横着放
  if (j + 1 < m && !used[i][j + 1] && !color[i][j + 1]) {
    used[i][j + 1] = true;
    res += rec(i, j + 1, used);
    used[i][j + 1] = false;
  }

  // 竖着放
  if (i + 1 < n && !used[i + 1][j] && !color[i + 1][j]) {
    used[i + 1][j] = true;
    res += rec(i, j + 1, used);
    used[i + 1][j] = false;
  }

  used[i][j] = false;
  return res % M;
}

void solve() {
  bool used[MAX_N][MAX_M];
  memset(used, 0, sizeof(used));  // 初始化为false
  printf("%d\n", rec(0, 0, used));
}
```

这个方法当然无法在规定时间内求出答案。而且，递归函数的参数共有$n \times m \times 2^{nm}$种可能，也无法使用记忆化搜索求解。

但是仔细思考后会发现，实际上参数并没有那么多种可能。首先，由于黑色的格子不能被覆盖，因此used里对应的位置总是false。对于白色的格子，如果现在要在(i, j)位置上放置砖块，那么由于总是从最左上方的可放的格子开始放置，因此对于$(i', j') < (i, j)$（按字典序比较）的(i', j')总有used[i'][j']=true成立。

此外，由于砖块的大小为1×2，因此对于每一列j'在满足$(i',j') \geqslant (i,j)$的所有i'中，除了最小的i'之外都满足used[i'][j']=false。因此，不确定的只有每一列里还没查询的格子中最上面的一个，共m个。从而可以把这m个格子通过状态压缩编码进行记忆化搜索，复杂度为$O(n \times m \times 2^m)$。按照之前的状态压缩DP的写法就得到了下面的程序。

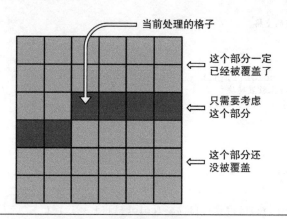

当前处理的格子

这个部分一定
已经被覆盖了

只需要考虑
这个部分

这个部分还
没被覆盖

```c
int dp[2][1 << MAX_M];  // DP数组（滚动数组循环利用）

void solve() {
  int *crt = dp[0], *next = dp[1];
  crt[0] = 1;
  for (int i = n - 1; i >= 0; i--) {
    for (int j = m - 1; j >= 0; j--) {
      for (int used = 0; used < 1 << m; used++) {
        if ((used >> j & 1) || color[i][j]) {
          // 不需要在(i, j)放置砖块
          next[used] = crt[used & ~(1 << j)];
        } else {
          // 尝试2种放法
          int res = 0;
          // 横着放
          if (j + 1 < m && !(used >> (j + 1) & 1) && !color[i][j + 1]) {
            res += crt[used | 1 << (j + 1)];
          }
          // 竖着放
          if (i + 1 < n && !color[i + 1][j]) {
            res += crt[used | 1 << j];
          }
          next[used] = res % M;
        }
      }
    }
    swap(crt, next);
  }
  printf("%d\n", crt[0]);
}
```

专栏 完全匹配的个数

上面的铺砖方案,用图论的语言来说就是一个完美匹配。完美匹配的个数虽然可以像上面一样使用状态压缩 DP 求解,但是复杂度是指数级别的,如果问题的规模较大则无法求解。实际上,平面图的完美匹配的个数可以在多项式时间内求解,所以这个问题也可以高效地求解。有兴趣的读者可以试着思考看看。

3.4.2 矩阵的幂

斐波那契数列

斐波那契数列是由如下递推式定义的数列

$F_0=0$
$F_1=1$
$F_{n+2}=F_{n+1}+F_n$

求这个数列第 n 项的值对 10^4 取余后的结果。

⚠️**限制条件**

• $0 \leq n \leq 10^{16}$

样例

输入

```
n = 10
```

输出

```
55
```

通过逐项计算这个递推式,可以在 $O(n)$ 的时间内算出答案,不过这个算法效率太低了。对于 n 的规模如此之大的题目应该如何求解呢?可能有人会认为通过递推式求出通项,就可以求解了。可是斐波那契数列的通项公式是

$$F_n = \frac{1}{\sqrt{5}}\left(\left(\frac{1+\sqrt{5}}{2}\right)^n - \left(\frac{1-\sqrt{5}}{2}\right)^n\right)$$

由于式中包含无理数,无法简单求得模 10^4 之后的结果。况且,在其他问题中有一些很难直接求得通项公式。不过这些情况都可以不求出通项,而用矩阵高效地求出第 n 项的值。

首先，我们先介绍一下对于斐波那契数列应该如何求解。把斐波那契数列的递推式表示成矩阵就得到了下面的式子

$$\begin{pmatrix} F_{n+2} \\ F_{n+1} \end{pmatrix} = \begin{pmatrix} 1 & 1 \\ 1 & 0 \end{pmatrix} \begin{pmatrix} F_{n+1} \\ F_n \end{pmatrix}$$

记这个矩阵为 A，则有

$$\begin{pmatrix} F_{n+1} \\ F_n \end{pmatrix} = A^n \begin{pmatrix} F_1 \\ F_0 \end{pmatrix} = A^n \begin{pmatrix} 1 \\ 0 \end{pmatrix}$$

因此只要求出 A^n 就可以求出 F_n 了。关于 A^n 的计算可以参考2.6节里的快速幂运算，在 $O(\log n)$ 时间里求出第 n 项的值。

```cpp
// 用二维vector来表示矩阵
typedef vector<int> vec;
typedef vector<vec> mat;
typedef long long ll;

const int M = 10000;

// 计算A*B
mat mul(mat &A, mat&B) {
  mat C(A.size(), vec(B[0].size()));
  for (int i = 0; i < A.size(); i++) {
    for (int k = 0; k < B.size(); k++) {
      for (int j = 0; j < B[0].size(); j++) {
        C[i][j] = (C[i][j] + A[i][k] * B[k][j]) % M;
      }
    }
  }
  return C;
}

// 计算A^n
mat pow(mat A, ll n) {
  mat B(A.size(), vec(A.size()));
  for (int i = 0; i < A.size(); i++) {
    B[i][i] = 1;
  }
  while (n > 0) {
    if (n & 1) B = mul(B, A);
    A = mul(A, A);
    n >>= 1;
  }
  return B;
}
```

```
// 输入
ll n;

void solve() {
  mat A(2, vec(2));
  A[0][0] = 1; A[0][1] = 1;
  A[1][0] = 1; A[1][1] = 0;
  A = pow(A, n);
  printf("%d\n", A[1][0]);
}
```

更一般地，对于m项递推式，如果记递推式为

$$a_{n+m} = \sum_{i=0}^{m-1} b_i a_{n+i}$$

则可以把递推式写成如下矩阵形式

$$\begin{pmatrix} a_{n+m} \\ a_{n+m-1} \\ \vdots \\ a_{n+1} \end{pmatrix} = \begin{pmatrix} b_{m-1} & \cdots & b_1 & b_0 \\ 1 & \cdots & 0 & 0 \\ \vdots & \ddots & \vdots & \vdots \\ 0 & \cdots & 1 & 0 \end{pmatrix} \begin{pmatrix} a_{n+m-1} \\ a_{n+m-2} \\ \vdots \\ a_n \end{pmatrix}$$

通过计算这个矩阵的n次幂，就可以在$O(m^3 \log n)$的时间内计算出第n项的值。不过，如果递推式里含有常数项则稍微复杂一些，需变成如下形式

$$\begin{pmatrix} a_{n+m} \\ a_{n+m-1} \\ \vdots \\ a_{n+1} \\ 1 \end{pmatrix} = \begin{pmatrix} b_{m-1} & \cdots & b_1 & b_0 & c \\ 1 & \cdots & 0 & 0 & 0 \\ \vdots & \ddots & \vdots & \vdots & \vdots \\ 0 & \cdots & 1 & 0 & 0 \\ 0 & \cdots & 0 & 0 & 1 \end{pmatrix} \begin{pmatrix} a_{n+m-1} \\ a_{n+m-2} \\ \vdots \\ a_n \\ 1 \end{pmatrix}$$

专栏　更快地计算递推式

事实上，要求m项递推式的第n项的值可以不使用矩阵，而是使用初项的线性表示，通过快速幂在$O(m^2 \log n)$的时间内求出答案。有兴趣的读者可以试着思考看看。

Blocks（POJ No.3734）

给定 N 个方块排成一列。现在要用红、蓝、绿、黄四种颜色的油漆给这些方块染色。求染成红色的方块和染成绿色的方块的个数同时为偶数的染色方案的个数，输出对 10007 取余后的答案。

⚠ **限制条件**
- $1 \leqslant N \leqslant 10^9$

样例 1

输入

    N = 1

输出

    2（蓝、黄）

样例 2

输入

    N = 2

输出

    6（红红、蓝蓝、蓝黄、绿绿、黄蓝、黄黄）

让我们试着从左边开始依次染色。设染到第 i 个方块为止，红绿都是偶数的方案数为 a_i，红绿恰有一个是偶数的方案数为 b_i，红绿都是奇数的方案数为 c_i。这样，染到第 $i+1$ 个方块为止，红绿都是偶数的方案数有如下两种可能

- 到第 i 个方块为止红绿都是偶数，并且第 $i+1$ 个方块染成了蓝色或者黄色
- 到第 i 个方块为止红绿恰有一个是奇数，并且第 $i+1$ 个方块染成了奇数个对应的那种颜色，因此有如下递推式

$$a_{i+1} = 2 \times a_i + b_i$$

同样地，有

$$b_{i+1} = 2 \times a_i + 2 \times b_i + 2 \times c_i$$
$$c_{i+1} = b_i + 2 \times c_i$$

把a_i, b_i, c_i的递推式用矩阵表示如下

$$\begin{pmatrix} a_{i+1} \\ b_{i+1} \\ c_{i+1} \end{pmatrix} = \begin{pmatrix} 2 & 1 & 0 \\ 2 & 2 & 2 \\ 0 & 1 & 2 \end{pmatrix} \begin{pmatrix} a_i \\ b_i \\ c_i \end{pmatrix}$$

因此就有

$$\begin{pmatrix} a_i \\ b_i \\ c_i \end{pmatrix} = \begin{pmatrix} 2 & 1 & 0 \\ 2 & 2 & 2 \\ 0 & 1 & 2 \end{pmatrix}^i \begin{pmatrix} a_0 \\ b_0 \\ c_0 \end{pmatrix} = \begin{pmatrix} 2 & 1 & 0 \\ 2 & 2 & 2 \\ 0 & 1 & 2 \end{pmatrix}^i \begin{pmatrix} 1 \\ 0 \\ 0 \end{pmatrix}$$

这样，用和之前一样的方法计算矩阵的幂就可以求出这个问题的答案了。

```
// 输入
int N;

void solve() {
  mat A(3, vec(3));
  A[0][0] = 2; A[0][1] = 1; A[0][2] = 0;
  A[1][0] = 2; A[1][1] = 2; A[1][2] = 2;
  A[2][0] = 0; A[2][1] = 1; A[2][2] = 2;
  A = pow(A, N);
  printf("%d\n", A[0][0]);
}
```

图中长度为 k 的路径的计数

给定一个 n 个顶点，边长为 1 的有向图的邻接矩阵。求这个图里长度为 k 的路径的总数。路径中同一条边允许通过多次。

⚠️ 限制条件
- $1 \leqslant n \leqslant 100$
- $1 \leqslant k \leqslant 10^9$

样例

输入

```
n = 4
k = 2
图如下图所示
```

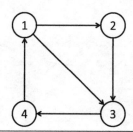

6（1→2→3，1→3→4，2→3→4，3→4→1，4→1→2，4→1→3）

假设从 u 出发，到 v 的长度为 k 的路径的总数为 $G_k[u][v]$。首先，$k=1$ 时值和边数相等，因此 G_1 就等于图的邻接矩阵。假设我们已经得到了 G_{k_1} 和 G_{k_2}。则有

$$G_{k_1+k_2}[u][v] = \sum_{w=1}^{n} G_{k_1}[u][w] \times G_{k_2}[w][v]$$

表示成矩阵的积的形式即为

$$G_{k_1+k_2} = G_{k_1} G_{k_2}$$

因此，可以使用矩阵的幂表示出

$$G_k = G_1^k$$

这个算法的复杂度是 $O(n^3 \log n)$。

Matrix Power Series （POJ No.3233）

给定 $n \times n$ 的矩阵 A 和正整数 k 和 m。求矩阵 A 的幂的和。

$$S = A + A^2 + \cdots + A^k$$

输出 S 的各元素对 M 取余后的答案。

⚠️限制条件

- $1 \leqslant n \leqslant 30$
- $1 \leqslant k \leqslant 10^9$
- $1 \leqslant M \leqslant 10^4$

样例

输入

```
n = 2
k = 2
M = 4
A = {{0, 1}, {1, 1}}
```

输出

```
{{1, 2}, {2, 3}}
```

$n×n$的矩阵的k次幂可以通过快速幂在$O(n^3 \log k)$的时间内求出。但是，本题求的不是k次幂，而是累乘和。如果按顺序逐个加起来，复杂度就变成了$O(n^3 k)$。要计算幂的和，只需按照如下方法计算就可以了（I是$n×n$的单位矩阵）。

$$\left(\begin{array}{c|c} A & 0 \\ \hline I & I \end{array} \right)$$

此时，如果令

$$S_k = I + A + \cdots + A^{k-1}$$

则有

$$\left(\begin{array}{c} A^k \\ \hline S_k \end{array} \right) = \left(\begin{array}{c|c} A & 0 \\ \hline I & I \end{array} \right) \left(\begin{array}{c} A^{k-1} \\ \hline S_{k-1} \end{array} \right) = \left(\begin{array}{c|c} A & 0 \\ \hline I & I \end{array} \right)^k \left(\begin{array}{c} I \\ \hline 0 \end{array} \right)$$

因此，通过计算这个矩阵的k次幂就可以求出A的累乘和。时间复杂度为$O(n^3 \log k)$。

```
// 输入
int n, k;
mat A;

void solve() {
  mat B(n * 2, vec(n * 2));
  for (int i = 0; i < n; i++) {
    for (int j = 0; j < n; j++) {
      B[i][j] = A[i][j];
    }
    B[n + i][i] = B[n + i][n + i] = 1;
  }
  B = pow(B, k + 1); // I+A+A^2+...+A^k
  for (int i = 0; i < n; i++) {
    for (int j = 0; j < n; j++) {
```

```
    int a = B[n + i][j] % M;
    // 减去I
    if (i == j) a = (a + M - 1) % M;
    printf("%d%c", a, j + 1 == n ? '\n' : ' ');
  }
 }
}
```

3.4.3 利用数据结构高效求解

Minimizing Maximizer （POJ No.1769）

Maximizer 是一个接受 n 个数作为输入，并输出它们的最大值的装置。这个装置由 m 个叫做 Sorter 的装置依次连接而成。第 k 个 Sorter 把第 k–1 个 Sorter 的输出作为输入，然后将第 s_k 到第 t_k 个值进行排序后，保持其余部分不变输出。Maximizer 的输入就是第一个 Sorter 的输入，最后一个 Sorter 输出的第 n 个值就是 Maximizer 的输出。从组成 Maximizer 的 Sorter 中去掉几个之后，Maximizer 有可能还可以正常工作。现在给定 Sorter 的序列，求其中的最短的一个子序列（可以不连续）使得 Maximizer 仍然可以正常工作。

限制条件
- $2 \leqslant n \leqslant 50000$
- $1 \leqslant m \leqslant 500000$
- $1 \leqslant s_k < t_k \leqslant n$

样例

输入

```
n = 40
m = 6
(s, t) = {(20, 30), (1, 10), (10, 20), (20, 30), (15, 25), (30, 40)}
```

输出

```
4(由2, 3, 4, 6号的Sorter组成的子序列)
```

首先，我们考虑一下在什么样的情况下可以正常工作。假设输入的第 i 个数是应该输出的最大值。此时，在第一个满足 $s_k \leqslant i \leqslant t_k$ 的Sorter的输出中，这个值被移动到了第 t_k 个位置。

接下去，在第一个满足 $s_{k'} \leqslant t_k \leqslant t_{k'}$ 且 $k' > k$ 的Sorter的输出中，这个值又被移动到了第 $t_{k'}$ 个。不断重复这样的操作，如果最后可以被移动到第 n 个，那么就表示Maximizer可以正常工作。

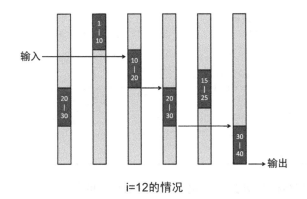

i=12的情况

从这个图中也可以看出，只要对$i=1$的情况可以正常工作，那么对于任意的i都可以正常工作。因此，我们不妨假设输入的第一个数是应该输出的最大值，然后考虑如下DP。

$dp[i][j]$:=到第i个Sorter为止，最大值被移动到第j个位置所需要的最短的子序列的长度（INF表示不存在这样的序列）

$dp[0][1] = 0$

$dp[0][j] = INF\,(j > 1)$

$$dp[i+1][j] = \begin{cases} dp[i][j]\,(t_i \neq j) \\ \min(dp[i][j], \min\{dp[i][j']\,|\,s_i \leq j' \leq t_i\}+1)\,(t_i = j) \end{cases}$$

由于这个DP的复杂度是$O(nm)$的，仍然无法在规定时间内求出答案。但是对于$t_i \neq j$时有$dp[i+1][j]=dp[i][j]$。如果我们使用同一个数组不断对自己更新又会怎么样呢？

$dp[j]$:=最大值被移动到第j个位置所需要的最短的子序列的长度（INF表示不存在这样的序列）

进行如下初始化：$dp[1]=0, dp[j]:=INF\,(j>1)$
对于每个i，这样更新
$dp[t_i]=\min(dp[t_i], \min\{dp[j']\,|\,s_i \leq j' \leq t_i\}+1)$

这样，对于每个i都只需更新一个值就可以了。但是可能会认为求解最小值时，最坏情况下仍然要$O(n)$的时间，最后复杂度还是$O(nm)$。不过，如果使用之前介绍的线段树来维护，就可以在$O(m\log n)$的时间内求解了。

```
// 输入
int n, m;
int s[MAX_M], t[MAX_M];

int dp[MAX_N + 1];  // DP数组

void solve() {
```

```
rmq_init(n);  // 初始化线段树
fill(dp, dp + n + 1, INF);
dp[1] = 0;
update(1, 0);
for (int i = 0; i < m; i++) {
  int v = min(dp[t[i]], query(s[i], t[i] + 1) + 1);
  dp[t[i]] = v;
  update(t[i], v);
}
printf("%d\n", dp[n]);
}
```

有时，选择合适的数据结构对DP进行优化，可以降低计算的复杂度。

3.5 借助水流解决问题的网络流

▶本节将围绕最大流和最小费用最大流等问题，介绍图上的网络流。网络流具有各种各样的性质和应用，程序设计竞赛当中也常出现相关的题目。

3.5.1 最大流

最大传输量

网络中有两台计算机 s 和 t，现在想从 s 传输数据到 t。该网络中一共有 N 台计算机，其中一些计算机之间连有一条单向的通信电缆，每条通信电缆都有对应的 1 秒钟内所能传输的最大数据量。当其他计算机之间没有数据传输时，在 1 秒钟内 s 最多可以传送多少数据到 t？

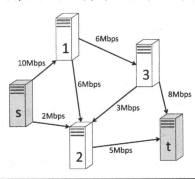

把计算机当作顶点，把连接计算机的通信电缆当作边，就可以把这个网络当作一个有向图来考虑了。图中的每条边 $e \in E$ 都有对应的最大可能的数据传输量 $c(e)$。这样，就可以把问题转为如下形式。

- 记每条边对应的实际数据传输量为 $f(e)$。
- 传输量应该满足如下限制。

    $0 \le f(e) \le c(e)$

- 数据在传输过程中既不会增加也不会减少，收到的数据量和发出的数据量应该相等。

对任意 $v \in V \backslash \{s, t\}$ 都有 $\sum_{e \in \delta_-(v)} f(e) = \sum_{e \in \delta_+(v)} f(e)$

■ 目标是最大化从s发出的数据量 $\sum_{e \in \delta+(s)} f(e)$ 。

我们称使得传输量最大的f为最大流，而求解最大流的问题为最大流问题。此外，我们称c为边的容量，f为边的流量，s为源点(source)，t为汇点(sink)。那么，这个问题应该如何求解呢？首先考虑下面这样的贪心算法。

(1) 找一条s到t的只经过 $f(e) < c(e)$ 的边的路径；
(2) 如果不存在满足条件的路径，则结束算法。否则，沿着该路径尽可能地增加 $f(e)$，返回第(1)步。

将该算法运用于样例，就得到了如下结果。

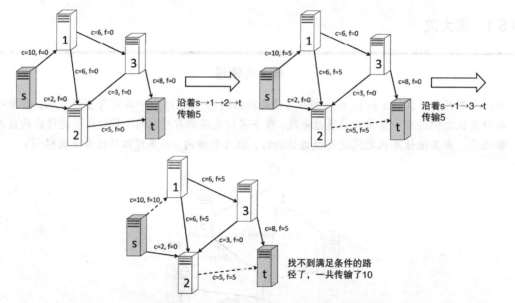

那么，这样所得到的是最大流吗？事实上，如果采用下图所示的方案，可以得到更优的结果，于是可以知道这个贪心算法是不正确的。

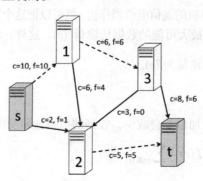

那么，贪心算法得到的结果是10，而上图得到的结果是11。为了找出二者的区别，不妨来看看它们的流量的差。

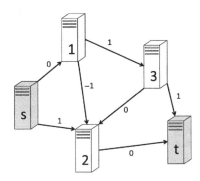

通过对流量的差的观察可以发现，我们通过将原先得到的流给推回去（图中的-1部分），而得到了新的流。因此，可以试着在之前的贪心算法中加上这一操作，将算法进行如下改进。

(1) 只利用满足$f(e)<c(e)$的e或者满足$f(e)>0$的e对应的反向边rev(e)，寻找一条s到t的路径。
(2) 如果不存在满足条件的路径，则结束。否则，沿着该路径尽可能地增加流，返回第(1)步。

再将改进后的贪心算法运用于样例。

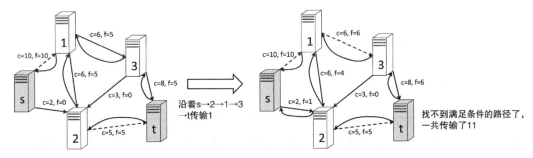

这样就得到了11这一结果。那么，这个算法总能求得最大流吗？答案是肯定的。我们将在下一小节通过最小割来说明这一点。上面这个求解最大流的算法叫做Ford-Fulkerson算法。另外，我们称在(1')中所考虑的$f(e)<c(e)$的e和满足$f(e)>0$的e对应的反向边rev(e)所组成的图为残余网络，并称残余网络上的s-t路径为增广路。

下面是一个Ford-Fulkerson算法的邻接表实现的例子。这里没有保存$f(e)$的值，取而代之的是直接改变$c(e)$的值。

```
// 用于表示边的结构体（终点、容量、反向边）
struct edge { int to, cap, rev; };

vector<edge> G[MAX_V];    // 图的邻接表表示
bool used[MAX_V];         // DFS中用到的访问标记
```

```
// 向图中增加一条从s到t容量为cap的边
void add_edge(int from, int to, int cap) {
  G[from].push_back((edge){to, cap, G[to].size()});
  G[to].push_back((edge){from, 0, G[from].size() - 1});
}

// 通过DFS寻找增广路
int dfs(int v, int t, int f) {
  if (v == t) return f;
  used[v] = true;
  for (int i = 0; i < G[v].size(); i++) {
    edge &e = G[v][i];
    if (!used[e.to] && e.cap > 0) {
      int d = dfs(e.to, t, min(f, e.cap));
      if (d > 0) {
        e.cap -= d;
        G[e.to][e.rev].cap += d;
        return d;
      }
    }
  }
  return 0;
}

// 求解从s到t的最大流
int max_flow(int s, int t) {
  int flow = 0;
  for (;;) {
    memset(used, 0, sizeof(used));
    int f = dfs(s, t, INF);
    if (f == 0) return flow;
    flow += f;
  }
}
```

记最大流的流量为F，那么Ford-Fulkerson算法最多进行F次深度优先搜索，所以其复杂度为$O(F|E|)$。不过，这是一个很松的上界，达到这种最坏复杂度的情况几乎不存在。所以在多数情况下，即便通过估算得到的复杂度偏高，实际运用当中也还是比较快的。

3.5.2　最小割

为了证明Ford-Fulkerson算法所求得的确实是最大流，我们首先介绍割这一概念。所谓图的割，指的是对于某个顶点集合$S\subseteq V$，从S出发指向S外部的那些边的集合，记为割$(S, V\backslash S)$。这些边的容量之和被称为割的容量。如果有$s\in S$，而$t\in V\backslash S$，那么此时的割又称为s-t割。如果将网络中s-t割所包含的边都删去，也就不再有从s到t的路径了。因此，可以考虑一下如下问题。

对于给定网络，为了保证没有从s到t的路径，需要删去的边的总容量的最小值是多少？

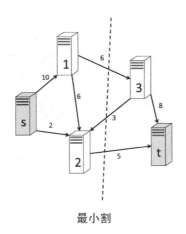

最小割

该问题又被称为最小割问题。事实上，这个问题与之前的最大流问题有着很深的联系。

首先，让我们来考虑一下任意的*s-t*流*f*和任意的*s-t*割$(S, V \setminus S)$。因为有(*f*的流量)=(*s*的出边的总流量)，而对$v \in S \setminus \{s\}$又有(*v*的出边的总流量)=(*v*的入边的总流量)，所以有(*f*的流量)=(*S*的出边的总流量)–(*S*的入边的总流量)。由此可知(*f*的流量)≤(割的容量)。

接下来，让我们来考虑通过Ford-Fulkerson算法所求得的流*f'*。记流*f'*对应的残余网络中从*s*可达的顶点*v*组成的集合为*S*，因为*f'*对应的残余网络中不存在*s-t*路径，因此$(S, V \setminus S)$就是一个*s-t*割。此外，根据*S*的定义，对包含在割中的边*e*应该有*f'*(*e*)=*c*(*e*)，而对从$V \setminus S$到*S*的边*e*应该有*f'*(*e*)=0。因此，(*f'*的流量)=(*S*的出边的总流量)–(*S*的入边的总流量)=(割的容量)，再由之前的不等式可以知道，*f'*即是最大流。

于是我们证明了Ford-Fulkerson算法的正确性。同时还推导出了最大流等于最小割这一重要性质。该性质又被称为最大流最小割定理。根据该定理，我们就可以直接利用求解最大流问题的算法来求解最小割问题了。事实上，也常会遇到将问题规约到图的最小割来求解的题目。此外，由Ford-Fulkerson算法的正确性可以知道，如果所有边的容量都是整数，那么最大流和最小割也是整数。

专栏　最大流的各种变体

■ 多个源点和汇点的情况

我们已经介绍了如何求解恰有一个源点和一个汇点的网络流。那么，如果有多个源点和汇点，并且它们都有对应的最大流出容量和流入容量限制时该怎么做呢？答案很简单，只要增加一个超级源点 *s* 和一个超级汇点 *t*，从 *s* 向每个源点连一条容量为对应最大流出容量的边，从每个汇点向 *t* 连一条容量为对应最大流入容量的边。不过，如果源和汇之间存在对应关系（从不同源点流出的流要流入指定的汇点）时，是无法这样求解的。这种情况被称为多物网络流问题，尚未有已知的高效算法，这类问题也几乎不会出现在程序设计竞赛当中。

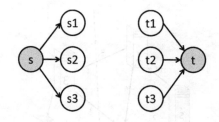

■ 无向图的情况

下面来考虑无向图的情况。此时的容量表示的是两个方向流量之和的上界。不过，如果两个方向都有流量，则与它们相互抵消之后是等价的，所以可以知道最大流中没有必要在两个方向都有流量。因此把无向图中容量为 c 的一条边当作有向图中两个方向各有一条容量为 c 的两条边，就能够得到同样的结果。

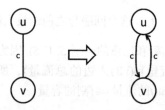

■ 顶点上也有容量限制的情况

图中不光边上有容量限制，途中经过的顶点也有总流入量和总流出量的限制的情况应该如何处理呢？此时，我们可以把每个顶点拆成两个。拆点之后得到入顶点和出顶点，将指向原先顶点的边改成指向入顶点，将从原先顶点指出的边改成从出顶点指出。并且，再从入顶点向出顶点连容量为原先顶点容量的边，就可以把顶点上的容量限制转为边上的容量限制了。

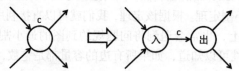

■ 有最小流量限制的情况

接下来，我们考虑一下不光有最大流量限制 $c(e)$，还有最小流量限制 $b(e)$ 的情况($b(e) \leq f(e) \leq c(e)$)。令 $f'(e)=f(e)-b(e)$，就可以转为只有最大流量限制 $0 \leq f'(e) \leq c(e)-b(e)$ 的情况。而此时顶点对应的总流入量和总流出量的关系变为

$$\sum_{e \in \delta_-(v)} f'(e) + b(e) = \sum_{e \in \delta_+(v)} f'(e) + b(e)$$

这可以看作是有一个最大流出量为 $\sum_{e \in \delta_-(v)} b(e)$ 的源点和一个最大流入量为 $\sum_{e \in \delta_+(v)} b(e)$ 的汇点与之相连。于是，可以增加新的源点 S 和汇点 T，对于每条边 $e=(u, v)$，令 $c'(e)=c(e)-b(e)$，

并从 S 向 v 连一条容量为 $b(e)$ 的边，从 u 向 T 连一条容量为 $b(e)$ 的边，并从 S 向 s 连一条容量为 ∞ 的边，从 t 向 T 连一条容量为 ∞ 的边，这样就转为了没有最小流量限制的情况。如果新图中从 S 到 T 的最大流流量为 F'，那么原图中的最大流流量为 $F=F'-\sum_{e\in E} b(e)$。不过，原图的下限限制未必能够满足时，应该在 S 与 s、T 与 t 之间连边之前，检查从 S 到 T 的最大流流量是否为 $\sum_{e\in E} b(e)$。如果不是满流，则原上下界网络流问题没有可行解。

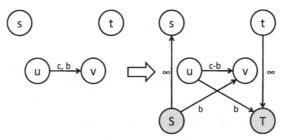

■ 图发生部分变化的情况

在某些问题中，求完某个图的最大流之后，需要对原图中的一部分做一些变化，再对新图求最大流。这种情况下，有时不需要重新计算最大流，而可以重复利用前一步的结果，高效地求出新的最大流。

首先，让我们来考虑边 $e=(u,v)$ 的容量增加的情况。回想一下之前最大流的算法就会知道，通过在任意的非最大流 f 上不断寻找增广路增广就能得到最大流。因此，只要在原图的最大流 f 的基础上，不断寻找增广路增广，就可以求得新图的最大流。当有多条边的容量同时增加的情况也一样，可以在原图的流的基础上进行求解。

接下来，让我们来考虑一下边 $e=(u,v)$ 的容量减小 1 的情况。如果原图的最大流中，有 $f(e) \leq c(e)-1$ 的话，那么它也是新图的最大流。否则，如果 $f(e)=c(e)$，为了让新图满足流量限制，需要将多出部分的流退回去。假如 f 的残余网络中存在从 u 到 v 的路径，那么就可以沿这条路径增广 1 并把 $f(e)$ 减小 1，而保持最大流流量不变。否则，需要找 $t \rightarrow v$ 和 $u \rightarrow s$ 的路径，沿它们增广 1 并把 $f(e)$ 减小 1 之后，最大流流量也减小 1。当有多条边的容量同时减小或减小量不止 1 时，也可以类似处理。在求字典序最小的最大流之类的问题中会用到这种技巧。

■ 容量为负数的情况

虽然在网络流问题中，通常不会有容量为负数的边。但是将问题转化为最小割时，有可能出现容量为负数的边。一般情况下，我们不能利用最大流算法来求解包含负容量边的图的最小割，也没有已知的有效算法。但有些情况下，可以采取适当的变形而避免出现负容量边。这类例子可以参考 3.7 节的 Wi-fi Towers 等问题。

专栏 更高效的最大流算法

之前介绍的 Ford-Fulkerson 算法的复杂度为 $O(F|E|)$。大多数情况下，这个算法已经足够高效了。但当顶点数或最大流流量非常大时，这个算法就显得不够快了。事实上，还有许许多多不同的求解最大流问题的算法，在此我们介绍一下实现起来比较简单，实际运行也比较快速的 Dinic 算法。[①]

Ford-Fulkerson 算法是通过深度优先搜索寻找增广路，并沿着它增广。与之相对，Dinic 算法总是寻找最短的增广路，并沿着它增广。因为最短增广路的长度在增广过程中始终不会变短，所以无需每次都通过宽度预先搜索来寻找最短增广路。我们可以先进行一次宽度优先搜索，然后考虑由近距离顶点指向远距离顶点的边所组成的分层图，在上面进行深度优先搜索寻找最短增广路。如果在分层图上找不到新的增广路了[②]，则说明最短增广路的长度确实变长了，或不存在增广路了，于是重新通过宽度优先搜索构造新的分层图。每一步构造分层图的复杂度为 $O(|E|)$，而每一步完成之后最短增广路的长度都会至少增加 1，由于增广路的长度不会超过 $|V|-1$，因此最多重复 $O(|V|)$ 步就可以了。

另外，在每次对分层图进行深度优先搜索寻找增广路时，如果避免对一条没有用的边进行多次检查[③]，就可以保证复杂度为 $O(|E||V|)$，这样总的复杂度就是 $O(|E||V|^2)$。不过，该算法在实实际应用中速度非常快，很多时候即便图的规模比较大也没有问题。

```
// 用于表示边的结构体（终点、容量、反向边）
struct edge { int to, cap, rev; };

vector<edge> G[MAX_V]; // 图的邻接表表示
int level[MAX_V]; // 顶点到源点的距离标号
int iter[MAX_V]; // 当前弧，在其之前的边已经没有用了

// 向图中增加一条从from到to的容量为cap的边
void add_edge(int from, int to, int cap) {
  G[from].push_back((edge){to, cap, G[to].size()});
  G[to].push_back((edge){from, 0, G[from].size() - 1});
}

// 通过BFS计算从源点出发的距离标号
void bfs(int s) {
  memset(level, -1, sizeof(level));
  queue<int> que;
  level[s] = 0;
  que.push(s);
  while (!que.empty()) {
```

[①] 最大流算法主要有两类，增广路算法和预流推进算法，本书中介绍的几种算法都属于增广路算法。最大流算法有很多，它们有不同的复杂度，不同的优缺点和对不同的图不同的实际运行效率，有兴趣的读者可以查阅有关资料。

——译者注

[②] 此时我们得到了分层图所对应的阻塞流(blocking flow)。——译者注

[③] 这个优化称作当前弧优化。——译者注

```
      int v = que.front(); que.pop();
      for (int i = 0; i < G[v].size(); i++) {
        edge &e = G[v][i];
        if (e.cap > 0 && level[e.to] < 0) {
          level[e.to] = level[v] + 1;
          que.push(e.to);
        }
      }
    }
  }
}

// 通过DFS寻找增广路
int dfs(int v, int t, int f) {
  if (v == t) return f;
  for (int &i = iter[v]; i < G[v].size(); i++) {
    edge &e = G[v][i];
    if (e.cap > 0 && level[v] < level[e.to]) {
      int d = dfs(e.to, t, min(f, e.cap));
      if (d > 0) {
        e.cap -= d;
        G[e.to][e.rev].cap += d;
        return d;
      }
    }
  }
  return 0;
}

// 求解从s到t的最大流
int max_flow(int s, int t) {
  int flow = 0;
  for (;;) {
    bfs(s);
    if (level[t] < 0) return flow;
    memset(iter, 0, sizeof(iter));
    int f;
    while ((f = dfs(s, t, INF)) > 0) {
      flow += f;
    }
  }
}
```

3.5.3 二分图匹配

指派问题

有 N 台计算机和 K 个任务。我们可以给每台计算机分配一个任务，每台计算机能够处理的任务种类各不相同。请求出最多能够处理的任务的个数。

这个问题可以像下面这样转化为图论模型来分析。我们可以像下面这样来定义无向二分图 $G=(U \cup V, E)$。

> U是代表计算机的顶点集合，V是代表任务的顶点集合，对于任意$u \in U$和$v \in V$，计算机u 能够处理任务$v \Leftrightarrow (u, v) \in E$

而G中满足两两不含公共端点的边集合$M \subseteq E$的基数$|M|$的最大值，就是我们所求的最大的任务 个数。

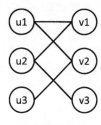

二分图的例子

图论术语中，我们将这种两两不含公共端点的边集合M称为匹配，而元素最多的M则称为最大匹 配。当最大匹配的匹配数满足$2|M|=|V|$时，又称为完美匹配。特别地，二分图中的匹配又称为二 分图匹配。像这道题目一样，二分图匹配常常在指派问题的模型中出现，也常常在程序设计竞赛 中登场。那么这道题目应该如何求解呢？

实际上，可以将二分图最大匹配问题看成是最大流问题的一种特殊情况。不妨对原图作如下变形。

> 将原图中的所有无向边e改成有向边，方向从U到V，容量为1。增加源点s和汇点t，从s 向所有的顶点$u \in U$连一条容量为1的边，从所有的顶点$v \in V$向t连一条容量为1的边。

这样变形得到的新图G'中最大s-t流的流量就是原二分图G中最大匹配的匹配数，而U-V之间流量 为正的边集合就是最大匹配。该算法的复杂度为$O(|V||E|)$。

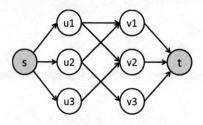

转化为最大流问题

```
// 输入
int N, K;
bool can[MAX_N][MAX_K];  // can[i][j]:=计算机i能够处理任务j

void solve() {
```

```
// 0~N-1: 计算机对应的顶点
// N~N+K-1: 任务对应的顶点
int s = N + K, t = s + 1;

// 在源点和计算机之间连边
for (int i = 0; i < N; i++) {
  add_edge(s, i, 1);
}

// 在任务和汇点之间连边
for (int i = 0; i < K; i++) {
  add_edge(N + i, t, 1);
}

// 在计算机和任务之间连边
for (int i = 0; i < N; i++) {
  for (int j = 0; j < K; j++) {
    if (can[i][j]) {
      add_edge(i, N + j, 1);
    }
  }
}

printf("%d\n", max_flow(s, t));
}
```

利用所有边的容量都是1以及二分图的性质，我们还可以像下面这样将二分图最大匹配算法更简单地实现。

```
int V;                  // 顶点数
vector<int> G[MAX_V];   // 图的邻接表表示
int match[MAX_V];       // 所匹配的顶点
bool used[MAX_V];       // DFS中用到的访问标记

// 向图中增加一条连接u和v的边
void add_edge(int u, int v) {
  G[u].push_back(v);
  G[v].push_back(u);
}

// 通过DFS寻找增广路
bool dfs(int v) {
  used[v] = true;
  for (int i = 0; i < G[v].size(); i++) {
    int u = G[v][i], w = match[u];
    if (w < 0 || !used[w] && dfs(w)) {
      match[v] = u;
      match[u] = v;
      return true;
    }
  }
  return false;
}
```

```
// 求解二分图的最大匹配
int bipartite_matching() {
  int res = 0;
  memset(match, -1, sizeof(match));
  for (int v = 0; v < V; v++) {
    if (match[v] < 0) {
      memset(used, 0, sizeof(used));
      if (dfs(v)) {
        res++;
      }
    }
  }
  return res;
}
```

3.5.4   一般图匹配

结对子

$2N$ 个学生两两结对子。每个学生都只想和自己的朋友结对子。给定学生之间的朋友关系，求最多能结多少对对子。

如果把这个当作一个以学生为顶点，朋友关系为边的图，就可以把这个问题转为求对应的图的最大匹配数的问题。之前的问题顶点有计算机和任务之分，所以得到的是二分图，而这里得到的却不一定是二分图。这种问题被称为一般图匹配问题，它不能像二分图一样转为最大流问题进行求解。求解一般图匹配问题可以使用Edmonds算法等高效的算法。只不过Edmonds算法的实现较为复杂，所以程序设计竞赛中较少出现这类问题。如果把模型转化成了匹配问题，可以先看看事实上是否是二分图匹配。

如果确实不是二分图，而用其他方法又可能行不通时，我们可以用利用下面介绍的Tutte矩阵来计算一般图最大匹配的匹配数。

对无向图$G=(V, E)$的每一条边随意赋予方向得到有向图$G'=(V, E')$。并对每条边$e \in E'$都关联一个变量x_e。则Tutte矩阵是一个如下定义的$V \times V$的矩阵$T=(t_{u,v})$。

$$t_{u,v} = \begin{cases} x_{(u,v)} ((u,v) \in E') \\ -x_{(v,u)} ((v,u) \in E') \\ \quad 0 \text{（其他）} \end{cases}$$

可以证明，此时

G没有完美匹配 $\Leftrightarrow$ 行列式$\det(T)$恒等于0

我们简单介绍一下如何证明。根据定义，行列式的值可以展开为所有排列对应的项的和。将排列看成一个有向图，如果该图包含奇圈的话，那么这个排列所对应的项就会和将奇圈反向后的排列所对应的项相互抵消。因此只要考虑由偶圈组成的排列就好了。如果其中有非零项的话，只要在对应的偶圈上间隔取边就得到了一个完美匹配。并且，该项不会被其他任何项相互抵消。反之，如果存在完美匹配的话，那么通过交换相互匹配的点对而得到的排列所对应的项非零，且该项不会被其他任何项相互抵消。

由此我们还可以证明T的秩等于最大匹配的顶点数。于是我们可以利用随机算法，将随机数代入x_e，从而求得一般图的匹配数。

3.5.5 匹配、边覆盖、独立集和顶点覆盖

我们已经了解了图的匹配的概念，此外还有几个相关的有用的概念，在此我们再介绍除匹配之外的三个新的概念。记图$G=(V, E)$。

匹配·············在G中两两没有公共端点的边集合$M \subseteq E$

边覆盖············G中的任意顶点都至少是F中某条边的端点的边集合$F \subseteq E$

独立集············在G中两两互不相连的顶点集合$S \subseteq V$

顶点覆盖·········G中的任意边都有至少一个端点属于S的顶点集合$S \subseteq V$

例如在下图中，最大匹配为$\{e1, e3\}$，最小边覆盖为$\{e1, e3, e4\}$，最大独立集为$\{v2, v4, v5\}$，最小顶点覆盖为$\{v1, v3\}$。

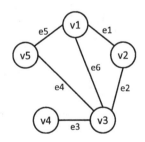

此外，它们之间还满足有如下关系。

(a) 对于不存在孤立点的图，|最大匹配|+|最小边覆盖|=|V|

(b) |最大独立集|+|最小顶点覆盖|=|V|

证明并不复杂，读者不妨试着思考一下。(a)中可以通过向最大匹配中加边而得到最小边覆盖。而(b)中有$X \subseteq V$是G的独立集 $\Leftrightarrow V \backslash X$是$G$的顶点覆盖。

借助这些关系，对于最大匹配与最小边覆盖，最大独立集与最小顶点覆盖，我们只要能求解其中一个问题也就能够求解另一个问题了。刚刚我们介绍过了求解最大匹配的方法。利用这一方法我

们也能够求解最小边覆盖问题。但是，要怎么求最大独立集或最小顶点覆盖呢？事实上，这两个问题是NP困难的，没有已知的高效算法。不过，对于二分图而言，有如下等式成立。

(c) |最大匹配|=|最小顶点覆盖|

对于二分图$G=(U \cup V, E)$，在通过最大流求解最大匹配所得到的残留网络中，令$S=$(从s不可达的属于U的顶点)∪(从s可达的属于V的顶点)，则S就是G的一个最小顶点覆盖。

因此，我们可以高效地求解二分图的最大独立集和最小顶点覆盖，事实上，这类问题也常常出现在程序设计竞赛当中。相对的，如果把问题转为一般图的最大独立集或最小顶点覆盖，则无法直接、高效地求解，有必要从其他角度重新思考。

3.5.6   最小费用流

最小传输费用

网络中有两台计算机s和t，现在每秒钟要从s传输大小为F的数据到t。该网络中一共有N台计算机，其中一些计算机之间连有一条单向的通信电缆，每条通信电缆都有对应的1秒钟内所能传输的最大数据量。此外，每条通信电缆还有对应的传输费用，单位传输费用为d的通信电缆每秒传输大小为x的数据，需要花费的费用为dx。请问传输数据所需的最小费用。

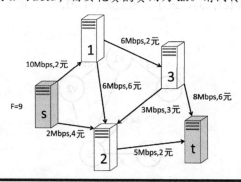

首先把问题转化为图。这里可以把计算机当作顶点，把通信电缆当作边，从而得到一个有向图。每条边e都有容量$c(e)$和费用$d(e)$。而题目的目标是在保证从s向t有流量为F的流的前提下，要使费用$\sum_e (f(e) \times d(e))$最小。

这就是在最大流问题的网络中，给边新加上了费用，而求的不再是流量的最大值，而是流量为F时费用的最小值。这类问题叫做最小费用流问题。

接下来，让我们来考虑一下这类问题的解法。求解最大流时，我们在残余网络上不断贪心地增广而得到了最大流。现在边上多了费用，如果我们在残余网络上总是沿着最短路增广又如何呢？此时，残余网络中的反向边的费用应该是原边费用的相反数，以保证过程是可逆而正确的。因为有负权边，所以就不能用 Dijkstra 算法求最短路了，而需要用 Bellman-Ford 算法。

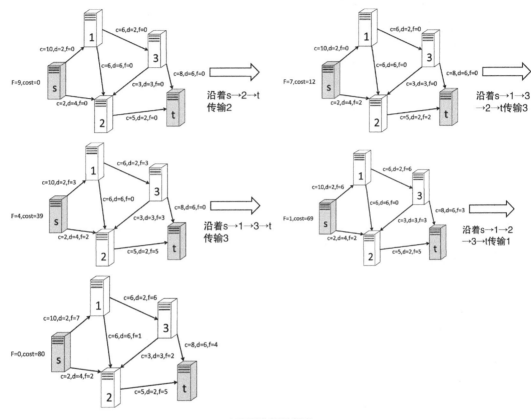

对样例进行的操作

```
// 用于表示边的结构体（终点、容量、费用、反向边）
struct edge { int to, cap, cost, rev; };

int V;                            // 顶点数
vector<edge> G[MAX_V];            // 图的邻接表表示
int dist[MAX_V];                  // 最短距离
int prevv[MAX_V], preve[MAX_V];   // 最短路中的前驱节点和对应的边

// 向图中增加一条从from到to容量为cap费用为cost的边
void add_edge(int from, int to, int cap, int cost) {
  G[from].push_back((edge){to, cap, cost, G[to].size()});
  G[to].push_back((edge){from, 0, -cost, G[from].size() - 1});
}

// 求解从s到t流量为f的最小费用流
// 如果不能再增广则返回-1
int min_cost_flow(int s, int t, int f) {
```

```
int res = 0;
while (f > 0) {
  // 利用Bellman-Ford算法求s到t的最短路
  fill(dist, dist + V, INF);
  dist[s] = 0;
  bool update = true;
  while (update) {
    update = false;
    for (int v = 0; v < V; v++) {
      if (dist[v] == INF) continue;
      for (int i = 0; i < G[v].size(); i++) {
        edge &e = G[v][i];
        if (e.cap > 0 && dist[e.to] > dist[v] + e.cost) {
          dist[e.to] = dist[v] + e.cost;
          prevv[e.to] = v;
          preve[e.to] = i;
          update = true;
        }
      }
    }
  }

  if (dist[t] == INF) {
    // 不能再增广
    return -1;
  }

  // 沿s到t的最短路尽量增广
  int d = f;
  for (int v = t; v != s; v = prevv[v]) {
    d = min(d, G[prevv[v]][preve[v]].cap);
  }
  f -= d;
  res += d * dist[t];
  for (int v = t; v != s; v = prevv[v]) {
    edge &e = G[prevv[v]][preve[v]];
    e.cap -= d;
    G[v][e.rev].cap += d;
  }
}
return res;
}
```

接下来，我们来证明这个算法所求得的确实是最小费用流。那么我们应该如何判断某个流量的流 f 的费用是否是最小的呢？

假设还有同样流量而费用比 f 更小的流 f'。让我们来观察一下流 f'–f。在流 f 中，除 s 和 t 以外的顶点的流入量等于流出量，在流 f' 中亦然。并且，由流 f 和流 f' 的流量相同可知，流 f'–f 中所有顶点的流入量都等于流出量，即它是由若干圈组成的。因为流 f'–f 的费用是负的，所以在这些圈中，至少存在一个负圈。也就是说

　　f 是最小费用流 $\Leftrightarrow$ 残余网络中没有负圈

利用这一点，我们就可以通过归纳法证明，在该算法中流量为 i 的流 f_i 是具有相同流量的流中费用最小的。首先，对于流量为 0 的流 f_0，其残余网络便是原图，只要原图不含负圈，那么 f_0 就是流量 0 的最小费用流。假设流量为 i 的流 f_i 是最小费用流，并且下一步我们求得了流量为 $i+1$ 的流 f_{i+1}。此时，$f_{i+1}-f_i$ 就是 f_i 对应的残余网络中 s 到 t 的最短路。

假设 f_{i+1} 不是最小费用流，即存在费用更小的流 f'_{i+1}。$f'_{i+1}-f_i$ 中除 s 和 t 以外的顶点的流入量等于流出量，因而是由一条从 s 到 t 的路径和若干圈组成的。又有 $f_{i+1}-f_i$ 是一条从 s 到 t 的最短路，而 f'_{i+1} 的费用比 f_{i+1} 还要小，所以 $f'_{i+1}-f_i$ 中至少含有一个负圈，这与 f_i 是最小费用流矛盾。所以，f_{i+1} 也是最小费用流，根据归纳法，对任意的 i 都有 f_i 是最小费用流。

另外，由最大流算法的正确性可知，如果原图存在流量不小于 F 的流的话，那么这个算法也能够得到流量为 F 的流。综上，我们证明了最小费用流算法的正确性。

该算法最多执行 F 次 Bellman-Ford 算法，所以其复杂度为 $O(F|V||E|)$。能够对算法做适当优化从而降低复杂度吗？答案是肯定的。通过导入势的概念，我们可以改用 Dijkstra 算法来求解最短路。下面我们就来介绍这种方法。

这里的势，指的是给每个顶点赋予的一个标号 $h(v)$，在这个势的基础上，将边 $e=(u,v)$ 的长度变为 $d'(e)=d(e)+h(u)-h(v)$。于是从 d' 中的 s-t 路径的长度中减去常数 $h(s)-h(t)$，就得到了 d 中对应路径的长度，因此 d' 中的最短路也就是 d 中的最短路。所以，如果合理地选取势，使得对所有的 e 都有 $d'(e) \geq 0$ 的话，我们就可以在 d' 中用 Dijkstra 算法求最短路，从而得到 d 的最短路。对于任意不含负圈的图，我们可以通过取 $h(v)=(s$ 到 v 的最短距离$)$ 做到这一点。这是因为对于边 $e=(u,v)$ 有

$$(s \text{到} v \text{的最短距离}) \leq (s \text{到} u \text{的最短距离}) + d(e)$$

于是有

$$d'(e)=d(e)+h(u)-h(v) \geq 0$$

下面来考虑如何依次更新流量为 i 的最小费用流 f_i 及其对应的势 h_i，来求出最小费用流。首先，定义以下变量。

$f_i(e)$ ....流量为 i 的最小费用流中边 e 的流量

$h_i(v)$ ....f_i 的残余网络中 s 到 v 的最短距离

$d_i(e)$ ....考虑势 h_i 后边 e 的长度

如果图中不含负圈，可以将 $f_i(e)$ 初始化为 0。如果图中也没有负权边的话，还可以直接用 Dijkstra 算法计算 h_0。求得了 f_i 和 h_i 之后，要如何求 f_{i+1} 和 h_{i+1} 呢？通过沿着 f_i 的残余网络中 s 到 t 的最短路增广，我们就得到了 f_{i+1}。只要在求得了 h_i 后，寻找一条只经过那些 $d_i(e)=0$ 的边的 s 到 t 的路径，就可以轻松办到。为了求 h_{i+1}，我们需要求 f_{i+1} 的残余网络上的最短路。利用势 h_i，这可以通过 Dijkstra 算法办到。我们通过下面的论述来说明这一点。

考虑 f_{i+1} 的残余网络中的边 $e=(u, v)$。如果 e 也是 f_i 的残余网络中的边的话，那么根据 h 的定义有 $d_i(e)$

≥ 0。如果e不是f_i的残余网络中的边的话，那么rev(e)一定是f_i的残余网络中s到t的最短路中的边，所以有$d_i(e)=-d_i(\text{rev}(e))=0$。综上，$f_{i+1}$的残余网络中的所有边$e$满足$d_i(e)\geq 0$，因而可以用Dijkstra算法求最短路。

如上所述，只要依次更新f_i和h_i，我们就能够在$O(F|E|\log|V|)$或是$O(F|V|^2)$的时间内求出最小费用流了。在下面的实现示例中，我们在计算h_i时记录了最短路中的前驱节点和对应的边，并利用这些信息同时完成f_{i+1}的计算。

```cpp
typedef pair<int, int> P;  // first保存最短距离，second保存顶点编号

// 用于表示边的结构体（终点、容量、费用、反向边）
struct edge { int to, cap, cost, rev; };

int V; // 顶点数
vector<edge> G[MAX_V];          // 图的邻接表表示
int h[MAX_V];                   // 顶点的势
int dist[MAX_V];                // 最短距离
int prevv[MAX_V], preve[MAX_V]; // 最短路中的前驱节点和对应的边
// 向图中增加一条从from到to容量为cap费用为cost的边

void add_edge(int from, int to, int cap, int cost) {
  G[from].push_back((edge){to, cap, cost, G[to].size()});
  G[to].push_back((edge){from, 0, -cost, G[from].size() - 1});
}

// 求解从s到t流量为f的最小费用流
// 如果没有流量为f的流，则返回-1
int min_cost_flow(int s, int t, int f) {
  int res = 0;
  fill(h, h + V, 0);  // 初始化h
  while (f > 0) {
    // 使用Dijkstra算法更新h
    priority_queue<P, vector<P>, greater<P> > que;
    fill(dist, dist + V, INF);
    dist[s] = 0;
    que.push(P(0, s));
    while (!que.empty()) {
      P p = que.top(); que.pop();
      int v = p.second;
      if (dist[v] < p.first) continue;
      for (int i = 0; i < G[v].size(); i++) {
        edge &e = G[v][i];
        if (e.cap > 0 && dist[e.to] > dist[v] + e.cost + h[v] - h[e.to]) {
          dist[e.to] = dist[v] + e.cost + h[v] - h[e.to];
          prevv[e.to] = v;
          preve[e.to] = i;
          que.push(P(dist[e.to], e.to));
        }
      }
    }
    if (dist[t] == INF) {
      // 不能再增广
```

```
        return -1;
    }
    for (int v = 0; v < V; v++) h[v] += dist[v];

    // 沿s到t的最短路尽量增广
    int d = f;
    for (int v = t; v != s; v = prevv[v]) {
      d = min(d, G[prevv[v]][preve[v]].cap);
    }
    f -= d;
    res += d * h[t];
    for (int v = t; v != s; v = prevv[v]) {
      edge &e = G[prevv[v]][preve[v]];
      e.cap -= d;
      G[v][e.rev].cap += d;
    }
  }
  return res;
}
```

专栏　最小费用流的各种变体

■ 与最大流相同的变体

最小费用流在面对多个源点和汇点、无向图、顶点上也有容量限制等情况时，也可以采取与之前最大流中同样的方法处理。不过需要注意的是，对于无向图的情况，不能直接用邻接阵来表示图。在把无向图转化为有向图时会产生反向边，而当图中有重边或是方向相反的两条边时，我们都不能用邻接阵表示来求解最小费用流。

对于边上有最小流量限制的情况，虽然也可以采取与最大流中同样的方法处理，不过还有更简单的方法。对 $e=(u,v)$，新加一条边 $e'=(u,v)$，再令 $c'(e)=c(e)-b(e)$、$c'(e')=b(e)$、$d'(e)=d(e)$、$d'(e')=d(e)-M$(一个足够大的常数)，对变形后的新图求解最小费用流，再在结果上加上 $M\times\sum_e b(e)$就好了。这样就把问题转为了没有最小流量限制的情况。

■ 流量任意的情况

在有些题目中，需要计算包含负权边的图中流量任意但费用最小的流。这种情况下，根据最小费用流算法中 $h_{i+1}(v)\geq h_i(v)$的性质，我们只要在 $h_i(t)<0$ 时不断增广就好了。

■ 费用为负数的情况

如果图中含有负权边，那么最初计算势的值时就不能用 Dijkstra 算法，而需要改用 Bellman-Ford 算法。另外，如果图中还有负圈，可以利用 Bellman-Ford 算法找到负圈，并在负圈上尽量增广将其消去。

此外，有些情况下，通过适当的变形也可以避免负权边。比如说，如果已知每次增广所用的边数都是相等的（记为 m），那么通过对所有边的费用加上合适的常数 k 就能够把所有边都转成非负的，而每一步只从新图中的最短路减去 mk 就得到了原图中最短路的长度（这类例子可以参考后面的二分图最小权匹配等问题）。

对于流量 F 一定的情况，也可以采取与有最小流量限制中类似的变形将负权边除去。新增源点 S 和汇点 T，从 S 向 s 连一条容量为 F 费用为 0 的边，从 t 向 T 连一条容量为 F 费用为 0 的边。对于负权边 $e=(u,v)$，可以让它一开始就已经满流，再从 S 向 v 连一条容量为 $c(e)$ 费用为 0 的边，从 u 向 T 连一条容量为 $c(e)$ 费用为 0 的边。这样变形之后，我们就除去了图中的负权边，而原图流量为 $F+\sum_{\text{负权边}} c(e)$ 的最小费用流的费用就等于新图流量为 F 的最小费用流的费用加上 $\sum_{\text{负权边}} c(e) \times d(e)$。

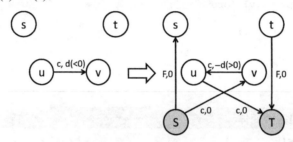

■ 目标并非最小化流量×费用之和，而是最小化有流量的边的费用之和的情况

乍一看，会觉得这是同一类问题，但该问题却无法通过最小费用流求解。当把问题转成了这个模型时，有必要从别的角度重新思考。

3.5.7 应用问题

Asteroids （POJ No.3041）

在 $N×N$ 的网格中有 K 颗小行星。小行星 i 的位置是 (R_i, C_i)。现在有一个强力武器能够用一发光束将一整行或一整列的小行星轰为灰烬。想要利用这个武器摧毁所有的小行星最少需要几发光束？

⚠限制条件
- $1 \leq N \leq 500$
- $1 \leq K \leq 10000$
- $1 \leq R, C \leq N$

样例

输入

N = 3

```
K = 4
(R, C) = {(1, 1), (1, 3), (2, 2), (3, 2)}
```

输出

2第一发摧毁(1, 1)和(1, 3)，第二发摧毁(2, 2)和(3, 2)。

光束的攻击选择可以是横坐标从$x=1$到$x=N$和纵坐标从$y=1$到$y=N$，一共$2N$种。显然，同样的选择没有必要执行多次，而攻击的顺序对结果没有影响，所以总的攻击方案共有2^{2N}种。我们只要在这个解空间中，寻找能够摧毁所有小行星的最小的解就可以了。要破坏某个小行星，只能通过对应水平方向或竖直方向的光束的攻击。利用攻击方法只有两种这一点，我们可以将问题按如下方法转换为图。

把光束当作图的顶点，而把小行星当作连接对应光束的边。这样转换之后，光束的攻击方案即对应一个顶点集合S，而要求攻击方案能够摧毁所有的小行星，也就是图中的每条边都至少有一个属于S的端点。这样一来，问题就转为了求最小的满足上述要求的顶点集合S。

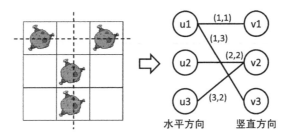

样例所对应的图

这正是最小顶点覆盖的问题。之前我们已经介绍过，最小顶点覆盖问题通常是NP困难的，不过在二分图中等于最大匹配，因而可以高效地求解。事实上，本题中所有顶点可以分成水平方向和竖直方向的攻击选择两类，而每颗小行星所对应的边都分别与一个水平方向和一个竖直方向的顶点相连，所以是二分图。因此，只要运用二分图最大匹配算法，问题就会迎刃而解了。

```
// 输入
int N, K;
int R[MAX_K], C[MAX_K];

void solve() {
  V = N * 2;
  for (int i = 0; i < K; i++) {
    add_edge(R[i] - 1, N + C[i] - 1);
  }
  printf("%d\n", bipartite_matching());
}
```

Evacuation （POJ No.3057）

有一个 X×Y 块区域组成的房间，每块区域可能是墙壁'X'、空区域'.'或门'D'。最外层的区域一定是门或者墙壁，而内部的区域一定没有门。假设这个房间起火了。最开始，每个空区域内都恰好站着一个人，现在它们开始向门移动以安全逃脱。每个人每秒钟可以选择停留在原地或是移动到相邻四个区域中的一个。不过，如果相邻的区域是墙壁，则不能移动。当移动到门时，就安全逃脱了，只不过因为门比较狭窄，每秒钟只能通过一个人。请计算在选取最优逃脱方案时，最后一个人逃脱的最短时间。如果有人无法安全逃脱，则输出"impossible"。

⚠️**限制条件**
- $3 \leq X, Y \leq 12$

样例 1

输入

```
X = 5
Y = 5

XXDXX
X...X
D...X
X...D
XXXXX
```

输出

```
3
```

样例 2

输入

```
X = 5
Y = 12

XXXXXXXXXXXX
X.........D
X.XXXXXXXXXX
X.........X
XXXXXXXXXXXX
```

输出

```
21
```

样例 3

输入

```
X = 5
Y = 5

XDXXX
X.X.D
XX.XX
D.X.X
XXXDX
```

输出

```
impossible
```

以每个门为起点进行宽度优先搜索计算最短路，就可以知道每个人到达每个门所需的最短时间。如果发现有人任何一个门都到不了，那么他就无法逃脱，否则只要花上足够长的时间，总能让所有人都逃脱。那么，该如何求出逃脱所需的最短时间呢？

由于每个门每秒钟只能通过一个人这一限制的存在，我们不能直接将所有人到最近的门的距离中的最大值作为答案。我们不妨想想看是否可以快速的判断所有人能否在时间T以内逃脱。如果能办到的话，通过二分搜索就能够求得最短时间了。考虑某一个门，能在时间t从该门逃脱的人，应该是距离该门t以内的人，并且其中只有一人能够从该门逃脱。每个时间和门的二元组，都确定一个对应的能够从中逃脱的人的集合，而通过计算这个二元组和人组成的二分图的匹配数，我们就可以判断所有人是否都可以逃脱。

```
const int dx[4] = {-1, 0, 0, 1}, dy[4] = {0, -1, 1, 0};

// 输入
int X, Y;
char field[MAX_X][MAX_Y + 1];  // 不要忘记保存\0所需的空间

vector<int> dX, dY;                    // 门的坐标
vector<int> pX, pY;                    // 人的坐标
int dist[MAX_X][MAX_Y][MAX_X][MAX_Y];  // 最近距离

// 判断所有人是否能够在时间t以内安全逃离
bool C(int t) {
  int d = dX.size(), p = pX.size();

  // 0~d-1: 时间1对应的门
  // d~2d-1: 时间2对应的门
  // ...
  // (t-1)d~td-1: 时间t对应的门
  // td~td+p-1: 人
  V = t * d + p;
```

```
  for (int v = 0; v < V; v++) G[v].clear();
  for (int i = 0; i < d; i++) {
    for (int j = 0; j < p; j++) {
      if (dist[dX[i]][dY[i]][pX[j]][pY[j]] >= 0) {
        for (int k = dist[dX[i]][dY[i]][pX[j]][pY[j]]; k <= t; k++) {
          add_edge((k - 1) * d + i, t * d + j);
        }
      }
    }
  }

  return bipartite_matching() == p;
}


// 通过BFS计算最近距离
void bfs(int x, int y, int d[MAX_X][MAX_Y]) {
  queue<int> qx, qy;
  d[x][y] = 0;
  qx.push(x);
  qy.push(y);
  while (!qx.empty()) {
    x = qx.front(); qx.pop();
    y = qy.front(); qy.pop();
    for (int k = 0; k < 4; k++) {
      int x2 = x + dx[k], y2 = y + dy[k];
      if (0 <= x2 && x2 < X && 0 <= y2 && y2 < Y && field[x2][y2] == '.' &&
          d[x2][y2] < 0) {
        d[x2][y2] = d[x][y] + 1;
        qx.push(x2);
        qy.push(y2);
      }
    }
  }
}


void solve() {
  int n = X * Y;
  dX.clear(); dY.clear();
  pX.clear(); pY.clear();
  memset(dist, -1, sizeof(dist));

  // 计算到各个门的最近距离
  for (int x = 0; x < X; x++) {
    for (int y = 0; y < Y; y++) {
      if (field[x][y] == 'D') {
        dX.push_back(x);
        dY.push_back(y);
        bfs(x, y, dist[x][y]);
      } else if (field[x][y] == '.') {
        pX.push_back(x);
        pY.push_back(y);
      }
    }
  }
```

```
  }

  // 利用二分搜索求解所有人安全逃脱所需的最短时间
  int lb = -1, ub = n + 1;
  while (ub - lb > 1) {
    int mid = (lb + ub) / 2;
    if (C(mid)) ub = mid;
    else lb = mid;
  }

  if (ub > n) {
    // 逃脱失败
    printf("impossible\n");
  } else {
    printf("%d\n", ub);
  }
}
```

大家发现了上面的程序中有重复的计算了吗？让我们来考虑一下已知在时间T内无法逃脱，要检查时间$T'>T$的情况。T'所对应的图相比T所对应图，只是增加了其中一侧的顶点和与之对应的边。回想一下二分图最大匹配的算法，它是按顺序从一侧的顶点开始寻找增广路增广。因此，要求T'对应的最大匹配，只要在已求得的T的最大匹配的基础上，继续从新增加的顶点开始寻找增广路增广就好了。因此，不需要进行二分搜索，更有效的求解最短时间的方法是直接每次将T递增1然后求对应的二分图最大匹配。

```
void solve() {
  int n = X * Y;
  dX.clear(); dY.clear();
  pX.clear(); pY.clear();
  memset(dist, -1, sizeof(dist));

  // 计算到各个门的最近距离
  for (int x = 0; x < X; x++) {
    for (int y = 0; y < Y; y++) {
      if (field[x][y] == 'D') {
        dX.push_back(x);
        dY.push_back(y);
        bfs(x, y, dist[x][y]);
      } else if (field[x][y] == '.') {
        pX.push_back(x);
        pY.push_back(y);
      }
    }
  }

  // 建图
  int d = dX.size(), p = pX.size();
  for (int i = 0; i < d; i++) {
    for (int j = 0; j < p; j++) {
      if (dist[dX[i]][dY[i]][pX[j]][pY[j]] >= 0) {
```

```
        for (int k = dist[dX[i]][dY[i]][pX[j]][pY[j]]; k <= n; k++) {
          add_edge((k - 1) * d + i, n * d + j);
        }
      }
    }
  }

  // 求解所有人安全逃脱所需的最少时间
  if (p == 0) {
    printf("0\n");
    return;
  }
  int num = 0;
  memset(match, -1, sizeof(match));
  for (int v = 0; v < n * d; v++) {
    memset(used, 0, sizeof(used));
    if (dfs(v)) {
      if (++num == p) {
        printf("%d\n", v / d + 1);
        return;
      }
    }
  }

  // 逃脱失败
  printf("impossible\n");
}
```

Dining （POJ No.3281）

农夫约翰为他的 N 头牛准备了 F 种食物和 D 种饮料。每头牛都有各自喜欢的食物和饮料，而每种食物或饮料只能分配给一头牛。最多能有多少头牛可以同时得到喜欢的食物和饮料？

⚠️**限制条件**

- $1 \leqslant N \leqslant 100$
- $1 \leqslant F \leqslant 100$
- $1 \leqslant D \leqslant 100$

样例

输入

```
N = 4
F = 3
D = 3
每头牛喜欢的食物和饮料
```

牛	食　物	饮　料
1	{1, 2}	{1, 3}
2	{2, 3}	{1, 2}
3	{1, 3}	{1, 2}
4	{1, 3}	{3}

输出

（3 给牛 2 食物 2 和饮料 2，给牛 3 食物 1 和饮料 1，给牛 4 食物 3 和饮料 3）

如果只是分配食物的话，那么用二分图最大匹配就能够解决了。但遇到这种需要同时给一头牛分配所喜欢的食物和饮料的情况，就不能很好的处理了。不过，我们可以将食物和饮料所对应的两个匹配通过下面的方法联合起来求解。

- 图的顶点在食物对应的匹配中的食物和牛，饮料对应的匹配中的饮料和牛之外，还有一个源点 s 和一个汇点 t。
- 在两个匹配相同的牛之间连一条边，在 s 和所有食物，t 和所有饮料之间连一条边。
- 边的方向为 $s→$食物$→$牛$→$牛$→$饮料$→t$，容量全都为1。

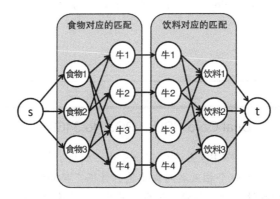

样例对应的图

这个图中的每一条 s-t 路径都对应一个牛的食物和饮料的分配方案。我们把食物所对应的牛和饮料所对应的牛拆成两个顶点，之间连一条容量为1的边，就保证了一头牛不会被分配多组食物和饮料。所以，只要计算该图中的最大流，原问题就迎刃而解了。

```
// 输入
int N, F, D;
bool likeF[MAX_N][MAX_F];  // 食物的喜好
bool likeD[MAX_N][MAX_D];  // 饮料的喜好

void solve() {
  // 0~N-1: 食物一侧的牛
```

```
// N~2N-1: 饮料一侧的牛
// 2N~2N+F-1: 食物
// 2N+F~2N+F+D-1: 饮料
int s = N * 2 + F + D, t = s + 1;

// 在s与食物之间连边
for (int i = 0; i < F; i++) {
  add_edge(s, N * 2 + i, 1);
}

// 在饮料和t之间连边
for (int i = 0; i < D; i++) {
  add_edge(N * 2 + F + i, t, 1);
}

for (int i = 0; i < N; i++) {
  // 在食物一侧的牛和饮料一侧的牛之间连边
  add_edge(i, N + i, 1);

  // 在牛和所喜欢的食物或饮料之间连边
  for (int j = 0; j < F; j++) {
    if (likeF[i][j]) add_edge(N * 2 + j, i, 1);
  }
  for (int j = 0; j < D; j++) {
    if (likeD[i][j]) add_edge(N + i, N * 2 + F + j, 1);
  }
}

printf("%d\n", max_flow(s, t));
}
```

Dual Core CPU （POJ No.3469）

要在由核 A 和核 B 组成的双核 CPU 上运行 N 个模块。模块 i 在核 A 上执行的花费为 A_i，在核 B 上执行的花费为 B_i。有 M 个相互之间需要进行数据交换的模块组合 (a_i, b_i)，如果这两个模块在同一个核上执行则没有额外花费，否则会产生 w_i 的花费。请计算执行所有模块所需的最小花费。

⚠ **限制条件**
- $1 \leqslant N \leqslant 20000$
- $1 \leqslant M \leqslant 200000$

样例

输入

```
N = 3
M = 1
```

```
(A, B) = {(1, 10), (2, 10), (10, 3)}
(a, b, w) = {(2, 3, 1000)}
```

输出

13（全都在核A上执行）

用最小的费用将对象划分成两个集合的问题，常常可以转换成最小割后顺利解决。这道题目就是这类问题的一个经典例子。考虑把N个模块按照在哪个核上执行分成两个集合。

记在核A上执行的模块集合为S，而在核B上执行的模块集合为T。考虑以模块为顶点，并且还有额外的源点s和汇点t的图。我们也记图的s-t割所对应的包含s的顶点集合为S，包含t的集合为T，然后来考察它们的对应关系。此时，花费的总和是

$$\sum_{i \in S} A_i + \sum_{i \in T} B_i + \sum_{a_i \in S, b_i \in T} w_i + \sum_{b_i \in S, a_i \in T} w_i$$

如果我们可以通过合适地建边使得花费的总和等价于割的容量的话，那么为了求最小花费只要求最小割就好了。

那么，让我们一步步来建立满足这个条件的图吧。首先，考虑对应

$$\sum_{i \in S} A_i$$

的边。这是顶点属于S时所产生的费用。所以，只要从每个模块向t连一条容量为A_i的边就可以对应起来。而对于

$$\sum_{i \in T} B_i$$

也只要从s向每个模块连一条容量为B_i的边就好了。

接下来，考虑

$$\sum_{a_i \in S, b_i \in T} w_i$$

这是当a_i属于S而b_i属于T时所产生的费用，只要从模块a_i向模块b_i连一条容量为w_i的边就可以对应起来。

对

$$\sum_{b_i \in S, a_i \in T} w_i$$

亦可进行同样处理。

之后只需求这个图的最小割，也就是最大流就好了。这道题目中，因为图的规模和容量都非常大，建议使用Dinic等比较快速的网络流算法。

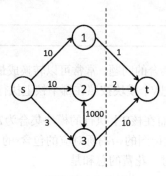

样例所对应的图

```
// 输入
int N, M;
int A[MAX_N], B[MAX_N];
int a[MAX_M], b[MAX_M], w[MAX_M];

void solve() {
  int s = N, t = s + 1;

  // 在各个核上执行所产生的费用
  for (int i = 0; i < N; i++) {
    add_edge(i, t, A[i]);
    add_edge(s, i, B[i]);
  }

  // 在不同的核上执行所产生的费用
  for (int i = 0; i < M; i++) {
    add_edge(a[i] - 1, b[i] - 1, w[i]);
    add_edge(b[i] - 1, a[i] - 1, w[i]);
  }

  printf("%d\n", max_flow(s, t));
}
```

Farm Tour （POJ No.2135）

农夫约翰的朋友前来拜访，于是他带领大家参观他的农场。农场里有 N 块地，其中约翰的家在 1 号地，而 N 号地有个很大的仓库。农场内有 M 条道路（双向通行），道路 i 连接着 a_i 号地和 b_i 号地，长度为 c_i。约翰希望按照从家里出发，经过若干块地后达到仓库，然后再返回家中的顺序带朋友参观。如果要求往返不能经过同一条道路两次，求参观路线总长度的最小值。

⚠️**限制条件**
- $1 \leq N \leq 1000$
- $1 \leq M \leq 10000$
- $1 \leq a_i, b_i \leq N$
- $1 \leq c_i \leq 35000$

样例

输入

```
N = 4
M = 5
(a, b, c) = {(1, 2, 1), (2, 3, 1), (3, 4, 1), (1, 3, 2), (2, 4, 2)}
```

输出

6（1→2→4→3→1）

如果只考虑去或者回的情况，那么问题只不过是无向图中两点之间的最短路问题而已。但现在既要去又要回，并且有不能经过相同的道路这一限制。那么，如果先计算去时的最短路，然后将所用的道路删去，再在剩下的图上计算回来时的最短路，这样是否可行呢？应该马上就能找到反例证明该方法不总能得到最优结果吧。于是，我们放弃把问题当作去和回的这种想法，转而将问题当作求从1号顶点到N号顶点的两条没有公共边的路径又如何呢？这样转化之后，就不过是求流量为2的最小费用流了，问题得以轻松解决。

```
// 输入
int N, M;
int a[MAX_M], b[MAX_M], c[MAX_M];

void solve() {
  // 建图
  int s = 0, t = N - 1;
  V = N;
  for (int i = 0; i < M; i++) {
    add_edge(a[i] - 1, b[i] - 1, 1, c[i]);
    add_edge(b[i] - 1, a[i] - 1, 1, c[i]);
  }

  printf("%d\n", min_cost_flow(s, t, 2));
}
```

Evacuation Plan （POJ No.2175）

一条街上有 N 幢大楼。为了防范核战争而建有核防空洞。大楼 i 的坐标为 (X_i, Y_i)，有 B_i 个人在里面工作。而防空洞 j 的坐标为 (P_j, Q_j)，最多能够容纳 C_j 个人。大楼 i 中的人到防空洞 j 去避难所需的时间为 $|X_i-P_j|+|Y_i-Q_j|+1$。为了防止所有人都选择最近的防空洞避难而导致一些防空洞的人数超过设计限制，街道议会指定了一个避难计划。该计划中指定了应该从大楼 i 到防空洞 j 避难的人数 $E_{i,j}$。请判断如果按照该计划避难的话，所有人避难所用时间的总和是不是最小的。如果已经是最小的话，输出"OPTIMAL"，否则输出"SUBOPTIMAL"，并输出一组时间总和更小的避难计划。

⚠限制条件

- $1 \leqslant N \leqslant 100$
- $1 \leqslant M \leqslant 100$
- $-1000 \leqslant X_i, Y_i \leqslant 1000$
- $1 \leqslant B_i \leqslant 1000$
- $-1000 \leqslant P_i, Q_i \leqslant 1000$
- $1 \leqslant C_i \leqslant 1000$
- $0 \leqslant E_{i,j} \leqslant 1000$

样例

输入

```
N = 3
M = 4
(X, Y, B) = {(-3, 3, 5), (-2, -2, 6), (2, 2, 5)}
(P, Q, C) = {(-1, 1, 3), (1, 1, 4), (-2, -2, 7), (0, -1, 3)}
E = {{3, 1, 1, 0}, {0, 0, 6, 0}, {0, 3, 0, 2}}
```

输出

```
SUBOPTIMAL
3 0 1 1
0 0 6 0
0 4 0 1
```

像这样要确定两类物体之间的对应关系，并希望使总花费最小的问题称为指派问题。如果把两类物体当作顶点，并在顶点之间连接权重为对应的花费的边，就转化为了最小权匹配问题。与二分图最大匹配可以用最大流求解类似，二分图最小权匹配可以用最小费用流求解。建图的方法和二分图最大匹配的情况几乎一样。

在代表大楼的顶点集合 U 和代表防空洞的顶点集合 V 之外，添加源点 s 和汇点 t。从 s 向各个大楼 $u \in$

U连一条容量为楼内人数、费用为0的边，从各个防空洞$v \in V$向t连一条容量为防空洞的收容上限、费用为0的边，再从各个大楼$u \in U$向各个防空洞$v \in V$连一条容量为INF、费用为它们之间的距离的边。假设所有大楼里的总人数为F，那么原问题所要求的最小费用就是所建图中流量为F的最小费用流的费用[①]。

事实上，大楼和防空洞之间的边的容量只要取大楼内的人数和防空洞的收容上限中的较小者就足够了。不过为了方便起见，这里直接取了INF。建好图之后，利用最小费用流求出最小花费，再与题中所给方案的所需花费进行比较，就知道题中所给的避难计划是不是最优的了。

```
// 输入
int N, M;
int X[MAX_N], Y[MAX_N], B[MAX_N];
int P[MAX_M], Q[MAX_M], C[MAX_M];
int E[MAX_N][MAX_M];

void solve() {
  // 建图
  // 0~N-1: 大楼
  // N~N+M-1: 防空洞
  int s = N + M, t = s + 1;
  V = t + 1;
  int cost = 0;   // 计算避难计划的总花费
  int F = 0;      // 总人数
  for (int i = 0; i < N; i++) {
    for (int j = 0; j < M; j++) {
      int c = abs(X[i] - P[j]) + abs(Y[i] - Q[j]) + 1;
      add_edge(i, N + j, INF, c);
      cost += E[i][j] * c;
    }
  }
  for (int i = 0; i < N; i++) {
    add_edge(s, i, B[i], 0);
    F += B[i];
  }
  for (int i = 0; i < M; i++) {
    add_edge(N + i, t, C[i], 0);
  }

  if (min_cost_flow(s, t, F) < cost) {
    // 非最优时
    printf("SUBOPTIMAL\n");
    for (int i = 0; i < N; i++) {
      for (int j = 0; j < M; j++) {
        printf("%d%c", G[N + j][i].cap, j + 1 == M ? '\n' : ' ');
      }
    }
  } else {
```

[①] F也是最大流的流量，所以此时也称为最小费用最大流。除了前面提到的流量任意等情况外，多数应用场合我们用的都是最小费用最大流。——译者注

```
     // 最优时
     printf("OPTIMAL\n");
  }
}
```

不过这个题目并不要求最小花费，只要能够判断是不是最小的就足够了，所以可以以更为高效地求解。不妨回想一下我们对最小费用流算法正确性的证明。某个流 *f* 是同流量中的最小费用流，等价于 *f* 的残余网络中没有负圈。因此，我们在指派问题对应的图中，增广所给避难计划所对应的流，然后在残余网络上检查有没有负圈就能够判断解是否是最优的了。

而要判断有向图中有没有负圈，只要用 Bellman-Ford 算法或是 Floyd–Warshall 算法就能轻松办到。而如果找到了一个负圈，通过沿着该负圈增广，就能够得到在相同流量下费用更小的流了。[①]

```
  Const int MAX_V = MAX_N + MAX_M + 1;

  // 输入
  int N, M;
  int X[MAX_N], Y[MAX_N], B[MAX_N];
  int P[MAX_M], Q[MAX_M], C[MAX_M];
  int E[MAX_N][MAX_M];

  int g[MAX_V][MAX_V];      // 距离矩阵
  int prev[MAX_V][MAX_V];   // 最短路中的前驱
  bool used[MAX_V]; // 找圈用的标记

  void solve() {
    int V = N + M + 1;
    // 计算距离矩阵
    for (int i = 0; i < V; i++) {
      fill(g[i], g[i] + V, INF);
    }
    for (int j = 0; j < M; j++) {
      int sum = 0;
      for (int i = 0; i < N; i++) {
        int c = abs(X[i] - P[j]) + abs(Y[i] - Q[j]) + 1;
        g[i][N + j] = c;
        if (E[i][j] > 0) g[N + j][i] = -c;
        sum += E[i][j];
      }
      if (sum > 0) {
        g[N + M][N + j] = 0;
      }
      if (sum < C[j]) {
        g[N + j][N + M] = 0;
      }
    }

    // 用Floyd-Warshall算法查找负圈
```

① 利用这个原理，我们可以先求出任意一个流，然后不断消去负圈而得到最小费用流，这类算法称为消负圈算法。与之相对的，前面所介绍的算法称为连续最短路算法。——译者注

```
  for (int i = 0; i < V; i++) {
    for (int j = 0; j < V; j++) {
      prev[i][j] = i;
    }
  }
  for (int k = 0; k < V; k++) {
    for (int i = 0; i < V; i++) {
      for (int j = 0; j < V; j++) {
        if (g[i][j] > g[i][k] + g[k][j]) {
          g[i][j] = g[i][k] + g[k][j];
          prev[i][j] = prev[k][j];
          if (i == j && g[i][i] < 0) {
            fill(used, used + V, false);
            // 找到负圈
            for (int v = i; !used[v]; v = prev[i][v]) {
              used[v] = true;
              if (v != N + M && prev[i][v] != N + M) {
                if (v >= N) {
                  E[prev[i][v]][v - N]++;
                } else {
                  E[v][prev[i][v] - N]--;
                }
              }
            }
            printf("SUBOPTIMAL\n");
            for (int x = 0; x < N; x++) {
              for (int y = 0; y < M; y++) {
                printf("%d%c", E[x][y], y + 1 == M ? '\n' : ' ');
              }
            }
            return;
          }
        }
      }
    }
  }
  // 最优时
  printf("OPTIMAL\n");
}
```

The Windy's （POJ No.3686）

预定了 N 个玩具，交付给 M 个工厂加工。j 号工厂加工 i 号玩具需要 $Z_{i,j}$ 的时间。每个玩具都应该完全在某一个工厂内加工完。玩具的制作顺序可以是任意的，但每个工厂在完全加工好一个玩具前，都不能处理别的订货单。请问加工完所有玩具的平均时间的最小值。

限制条件
- $1 \leqslant N, M \leqslant 50$
- $1 \leqslant Z_{i,j} \leqslant 100000$

样例 1

输入

```
N = 3
M = 4
Z = {{100, 100, 100, 1}, {99, 99, 99, 1}, {98, 98, 98, 1}}
```

输出

2.0（全部交给 4 号工厂加工）

样例 2

输入

```
N = 3
M = 4
Z = {{1, 100, 100, 100}, {99, 1, 99, 99}, {98, 98, 1, 98}}
```

输出

1.0（分别交给 1、2、3 号工厂加工）

样例 3

输入

```
N = 3
M = 4
Z = {{1, 100, 100, 100}, {1, 99, 99, 99}, {98, 1, 98, 98}}
```

输出

1.333333（1 号工厂负责加工 1 号和 2 号玩具，2 号工厂负责加工 3 号玩具）

因为加工完所有玩具的平均时间就是总时间除以 N，所以只要最小化总时间就好了。首先，不妨考虑一下每个工厂只能加工一个玩具的情况。此时，问题就是普通的指派问题，利用最小费用流就能够求解了。而现在的情况是一个工厂能够加工多个玩具。为了分析允许加工多个玩具时，完成的总时间和玩具之间的关系，不妨先考虑只有一个工厂的情形。

假设加工 i 号玩具所需的时间为 Z_i。当我们按照 $a_1, a_2, \cdots, a_N$ 的顺序加工玩具时，显然中途休息是没有好处的，所以总时间的最小值 T 为

$$T = Z_{a_1} + (Z_{a_1} + Z_{a_2}) + \cdots + (Z_{a_1} + Z_{a_2} + \cdots + Z_{a_N})$$

对它做适当的变形，就得到了

$$T = N \times Z_{a_1} + (N-1) \times Z_{a_2} + \cdots + 1 \times Z_{a_N}$$

从该式中应该可以发现，当只有一个工厂时，为了最小化总时间，应该从花费时间较少的玩具开始加工。

那么，当有多个工厂时又该如何呢？因为只有一个工厂时可以用贪心法求解，如果我们已经确定了各个玩具应该在哪个工厂加工的话，就能够计算对应的最小总时间了。但是，本题中的N高达50，不可能枚举所有的分配方案。于是我们再回顾一下只有一个工厂时的最小总时间T的表达式。

$$T = N \times Z_{a_1} + (N-1) \times Z_{a_2} + \cdots + 1 \times Z_{a_N}$$

这个式子除了可以看成是制作多个玩具的一个工厂外，还可以看成是多个只能制作一个玩具的工厂，只不过它们各自需要花费1倍到N倍的时间。这样来想的话，这道题也不过是普通的指派问题而已，用最小费用流就能解决了。

```cpp
// 输入
int N, M;
int Z[MAX_N][MAX_M];

void solve() {
  // 0~N-1: 玩具
  // N~2N-1: 0号工厂
  // 2N~3N-1: 1号工厂
  // ...
  // MN~(M+1)N-1: M-1号工厂
  int s = N + N * M, t = s + 1;
  V = t + 1;
  for (int i = 0; i < N; i++) {
    add_edge(s, i, 1, 0);
  }
  for (int j = 0; j < M; j++) {
    for (int k = 0; k < N; k++) {
      add_edge(N + j * N + k, t, 1, 0);
      for (int i = 0; i < N; i++) {
        add_edge(i, N + j * N + k, 1, (k + 1) * Z[i][j]);
      }
    }
  }

  printf("%.6f\n", (double) min_cost_flow(s, t, N) / N);
}
```

Intervals （POJ No.3680）

给定 N 个带权的开区间。i 号区间覆盖 (a_i, b_i)，权重为 w_i。现在要从中选取一些区间，要求任意点都不被超过 K 个区间覆盖，目标是最大化总的权重。

⚠ **限制条件**
- $1 \leqslant K \leqslant N \leqslant 200$
- $1 \leqslant a_i < b_i \leqslant 100000$
- $1 \leqslant w_i \leqslant 100000$

样例 1

输入

```
N = 3
K = 1
(a, b, w) = {(1, 2, 2), (2, 3, 4), (3, 4, 8)}
```

输出

```
14 (选择所有区间)
```

样例 2

输入

```
N = 3
K = 1
(a, b, w) = {(1, 3, 2), (2, 3, 4), (3, 4, 8)}
```

输出

```
12 (选取2号和3号区间)
```

样例 3

输入

```
N = 3
K = 2
(a, b, w) = {(1, 100000, 100000), (1, 150, 301), (100, 200, 300)}
```

输出

```
100301 (选取1号和2号区间)
```

首先不妨考虑一下$K=1$的情况。此时问题等价于从这N个区间中选取一个元素互不相交的子集，目标是最大化子集元素的权重和。这个问题又被称为区间图的最大权独立集问题，可以用如下的DP算法求解。

首先，对所有区间的端点排序得到一个x_i的数组。令

$$dp[i] := 只考虑 b_k \leq x_i 的区间所能得到的最大总权重$$

则有

$$dp[i] = max(dp[i-1], max\{dp[j]+w_k \mid a_k=x_j \text{ 且 } b_k=x_i\})$$

那么，了解了$K=1$时的解法，让我们参考它再看一下$K>1$时的解法。任意点都不被超过K个区间覆盖就等价于可以把答案划分为K个互不相交的区间组成的子集。那么，利用$K=1$的情况中所用的DP，每次求得最优解，再将选中的区间删去，对剩余部分采取同样处理重复K次，这个方法可行么？这显然是不行的，应该很容易就能找到反例。不妨再来仔细看一下刚才的DP递推式。它可以看作是在求解如下所建的图中的最短路问题。

- 给m个端点x_i建立对应的顶点v_i
- 从v_{i-1}向v_i连一条费用为0的边，对区间k，如果$a_k=x_j$且$b_k=x_i$，则从v_j向v_i连一条费用为$-w_k$的边。

而$K=1$时DP所得到的最大总权重，就是该图中从v_0到v_{m-1}的最短路的费用的相反数。

在该图中沿着权重为$-w_i$的边增广就对应于选中区间w_i。因此，令这类边的容量为1，而其余边的容量为∞，则一个流量为K的v_0-v_{m-1}流就对应原题所要求的K个子集。因此，利用最小费用流，原问题也就迎刃而解了。不过需要注意的是，本题的图中含有负权边。这里我们用上一小节的专栏中所介绍的技术，先令所有负权边初始都满流来处理负权边的情况。

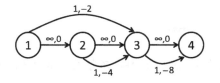

样例2对应的图

```
// 输入
int N, K;
int a[MAX_N], b[MAX_N], w[MAX_N];

void solve() {
  // 预处理端点集合
  vector<int> x;
  for (int i = 0; i < N; i++) {
    x.push_back(a[i]);
    x.push_back(b[i]);
```

```
}
  sort(x.begin(), x.end());
  x.erase(unique(x.begin(), x.end()), x.end());

  // 建图
  int m = x.size();
  int s = m, t = s + 1;
  V = t + 1;
  int res = 0;
  add_edge(s, 0, K, 0);
  add_edge(m - 1, t, K, 0);
  for (int i = 0; i + 1 < m; i++) {
    add_edge(i, i + 1, INF, 0);
  }
  for (int i = 0; i < N; i++) {
    int u = find(x.begin(), x.end(), a[i]) - x.begin();
    int v = find(x.begin(), x.end(), b[i]) - x.begin();
    // 从u向v连一条容量为1、费用为-w[i]的边
    add_edge(v, u, 1, w[i]);
    add_edge(s, v, 1, 0);
    add_edge(u, t, 1, 0);
    res -= w[i];
  }

  res += min_cost_flow(s, t, K + N);
  printf("%d\n", -res);
}
```

专栏　线性规划问题

在线性不等式或等式组成的约束条件下，最大化或最小化线性目标函数值的问题被称为线性规划问题（LP：Linear Programming）。实际上最短路问题、网络流问题等许多最优化问题都可以写成线性规划问题的形式。而所有的线性规划问题通过适当的变形之后，都可以转成如下标准型。

$$\max\{c^T x : Ax \leq b, x \geq 0, x \in \mathbb{R}^n\}$$

这里，A 是矩阵，b 和 c 是向量，$x \geq 0$ 这样的不等式表示的是向量中所有的维度都满足所给不等式。

在线性规划问题中，有一个被称为"对偶性"的重要概念。首先，让我们考虑如下 LP 问题。

maximize $2x_1 + 3x_2$

s.t. $x_1 + 2x_2 \leq 6$　(1)

                $x_1 + x_2 \leq 4$　(2)

                $x_1, x_2 \geq 0$

当 $x_1 = x_2 = 2$ 时，目标函数的值为 10。通过将 2 个约束条件相加，得到

$$(1) + (2): 2x_1 + 3x_2 \leqslant 10$$

所以 10 就是最优解。更一般地，将两个约束条件分别乘上大于零的 y_1 和 y_2 后再相加，就可以得到如下不等式。

$$y_1(1) + y_2(2): (y_1 + y_2)x_1 + (2y_1 + y_2)x_2 \leqslant 6y_1 + 4y_2$$

这里假设 $y_1 + y_2 \geqslant 2$ 和 $2y_1 + y_2 \geqslant 3$ 成立的话，那么右侧的 $6y_1 + 4y_2$ 就是最优解的上界。以最小化满足条件的上界为目标，就得到了下面的 LP 问题。

manimize　　　$6y_1 + 4y_2$

s.t.　　　　　　$y_1 + y_2 \geqslant 2$　　(1')

　　　　　　　　$2y_1 + y_2 \geqslant 3$　　(2')

　　　　　　　　$y_1, y_2 \geqslant 0$

对于这样得到的新问题，如果我们再考虑最大化它的目标函数值的下界的问题，就又会得到和最开始一样的问题。我们将这两个问题分别称为原问题和对偶问题。更一般地，标准型的最大化问题

$$(P) \max\{c^T x : Ax \leqslant b, x \geqslant 0, x \in \mathbb{R}^n\}$$

的对偶问题是最小化问题

$$(D) \min\{b^T y : A^T y \geqslant c, y \geqslant 0, y \in \mathbb{R}^n\}^{[1]}$$

从对偶问题的导出过程可以知道 (P 的最优解)≤(D 的最优解)。事实上，当存在最优解时，等号总是成立的，这又被称为强对偶定理。例如，最大流问题是最小割问题的对偶问题，由强对偶定理可知它们的值是相等的。另外，最大匹配问题是最小顶点覆盖的对偶问题，但是把这些问题写成 LP 问题的形式，最优解未必是整数。不过对于二分图，最优解一定是整数，因此二分图的最大匹配等于最小顶点覆盖。

利用单纯形法或内点法，我们能够高效地求解 LP 问题，不过在程序设计竞赛当中，却不常出现需要使用这些算法求解的题目。不过，了解 LP 问题的对偶性的概念，对于理解算法是很有帮助的，有时候还能有助于将问题转化成网络流的形式得以解决。

――――――――――

[1] 对偶问题里的 y 和原问题里的 x 的维度可能不同，不一定都是 n。——译者注

3.6 与平面和空间打交道的计算几何

▶比赛中常常会出一些几何方面的问题。大多数的几何问题实现起来都比较复杂，并有较多的边界情况和数值误差需要考虑，所以解答起来可能比看起来的还要难。几何问题千变万化，要一一讲解是非常困难的，本节将围绕其中最常用的技巧和思想，介绍求解几何问题的方法。

3.6.1 计算几何基础

Jack Straws （POJ 1127）

桌子上放着 n 根木棍，木棍 i 的两端的坐标分别是(p_{ix}, p_{iy})和(q_{ix}, q_{iy})。给定 m 对木棍(a_i, b_i)，请判断每对木棍是否相连。当两根木棍之间有公共点时，就认为它们是相连的。通过相连的木棍间接的连在一起的两根木棍也认为是相连的。

⚠限制条件
- $2 \leq n \leq 12$
- $0 \leq p_{ix}, p_{iy}, q_{ix}, q_{iy} \leq 100$
- $0 \leq m \leq 10000, 1 \leq a_i, b_i \leq n$

样例

输入

```
n = 4
p = {(0, 4), (0, 1), (1, 2), (1, 0)}
q = {(4, 1), (2, 3), (3, 4), (2, 1)}
m = 4
(a, b) = {(1, 2), (1, 4), (2, 3), (2, 4)}
```

输出

```
CONNECTED
NOT CONNECTED
CONNECTED
NOT CONNECTED
```

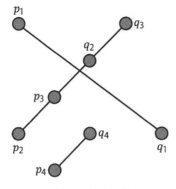

样例对应的场景

木棍就是二维平面上的线段，只要能够判断线段是否相交，那么建图以后就可以轻松地进行连接性判断。那么，应该如何判断两条线段是否相交呢？首先会想到计算两直线的交点，然后判断交点是否在线段上这一方法。那么两条直线的交点要怎么求得呢？虽然可以把直线表示成方程，通过联立方程组求解。但在几何问题中，运用向量的内积和外积进行计算是非常方便的。对于二维向量$p_1=(x_1, y_1)$和$p_2=(x_2, y_2)$，我们定义内积$p_1 \cdot p_2 = x_1 x_2 + y_1 y_2$，外积$p_1 \times p_2 = x_1 y_2 - y_1 x_2$。要判断点$q$是否在线段$p_1$-$p_2$上，只要先利用外积根据是否有$(p_1-q) \times (p_2-q)=0$来判断点$q$是否在直线$p_1$-$p_2$上，再利用内积根据是否有$(p_1-q) \cdot (p_2-q) \leqslant 0$来判断点$q$是否落在$p_1$-$p_2$之间。而要求两直线的交点，通过变量$t$将直线$p_1$-$p_2$上的点表示为$p_1+t(p_2-p_1)$，交点又在直线$q_1$-$q_2$上，所以有：

$$(q_2-q_1) \times (p_1+t(p_2-p_1)-q_1)=0$$

于是可以利用下式求得t的值。

$$p_1 + \frac{(q_2-q_1) \times (q_1-p_1)}{(q_2-q_1) \times (p_2-p_1)}(p_2-p_1)$$

但是，使用这个方法时还要注意边界情况。让我们来看看样例中的木棍2和木棍4。这两条线段是平行的，对应直线没有交点。但平行的线段也有可能有公共点，所以此时需要特别注意。对此有不同的处理方法，这里我们选择通过检查端点是否在另一条线段上来判断。

```
double EPS = 1e-10;

// 考虑误差的加法运算
double add(double a, double b) {
  if (abs(a + b) < EPS * (abs(a) + abs(b))) return 0;
  return a + b;
}

// 二维向量结构体
struct P {
  double x, y;
  P() {}
```

```
    P(double x, double y) : x(x), y(y) {
    }
    P operator + (P p) {
        return P(add(x, p.x), add(y, p.y));
    }
    P operator - (P p) {
        return P(add(x, -p.x), add(y, -p.y));
    }
    P operator * (double d) {
        return P(x * d, y * d);
    }
    double dot(P p) {  // 内积
        return add(x * p.x, y * p.y);
    }
    double det(P p) {  // 外积
        return add(x * p.y, -y * p.x);
    }
};

// 判断点q是否在线段p1-p2上
bool on_seg(P p1, P p2, P q) {
    return (p1 - q).det(p2 - q) == 0 && (p1 - q).dot(p2 - q) <= 0;
}


// 计算直线p1-p2与直线q1-q2的交点
P intersection(P p1, P p2, P q1, P q2) {
    return p1 + (p2 - p1) * ((q2 - q1).det(q1 - p1) / (q2 - q1).det(p2 - p1));
}


// 输入
int n;
P p[MAX_N], q[MAX_N];
int m;
int a[MAX_M], b[MAX_M];

bool g[MAX_N][MAX_N];  // 相连关系图

void solve() {
    for (int i = 0; i < n; i++) {
        g[i][i] = true;
        for (int j = 0; j < i; j++) {
            // 判断木棍i和木棍j是否有公共点
            if ((p[i] - q[i]).det(p[j] - q[j]) == 0) {
                // 平行时
                g[i][j] = g[j][i] = on_seg(p[i], q[i], p[j])
                                 || on_seg(p[i], q[i], q[j])
                                 || on_seg(p[j], q[j], p[i])
                                 || on_seg(p[j], q[j], q[i]);
            } else {
                // 非平行时
                P r = intersection(p[i], q[i], p[j], q[j]);
                g[i][j] = g[j][i] = on_seg(p[i], q[i], r) && on_seg(p[j], q[j], r);
            }
        }
    }
```

```
  }
  // 通过Floyd-Warshall算法判断任意两点间是否相连
  for (int k = 0; k < n; k++) {
    for (int i = 0; i < n; i++) {
      for (int j = 0; j < n; j++) {
        g[i][j] |= g[i][k] && g[k][j];
      }
    }
  }

  for (int i = 0; i < m; i++) {
    puts(g[a[i] - 1][b[i] - 1] ? "CONNECTED" : "NOT CONNECTED");
  }
}
```

像这样，几何问题中需要特别注意处理边界情况和避免分类讨论时产生疏漏。具有代表性的边界情况有：

(1) 两直线平行、三点共线或除零的情况。

(2) 将所有点排序后处理时，弄错了对相同x坐标或y坐标的点的处理顺序。

(3) 判断直线和多边形是否相交时，漏掉了直线恰好通过多边形顶点的情况。

(4) 判断两个实心物体是否相交时，忘记了其中一个完全在另一个内部的情况。

(5) 在物体移动的模拟类问题中，将初始相接触但随后分离的情况误判为碰撞。

此外，求解几何问题时往往会用到浮点数，因而要多注意一下误差问题。由于以整数形式输入的情况很常见，所以如果可能的话，尽量保持整数形式处理也是一种办法。

事实上，判断线段相交时，通常不用前面这样利用两直线交点的方法，而是利用基于ccw函数[1]的方法。有兴趣的读者可以查阅一下相关资料。另外，C++中可以把STL的complex类[2]当作二维向量使用，这样就不用自己实现各种运算且容易完成各类操作，十分方便。这次我们介绍了如何求两直线的交点，此外也有需要求直线同圆的交点或是两个圆的公切线之类的情况。虽然计算并不那么复杂，但容易出现各种差错。对这类在问题中经常会用到的函数，不妨预先准备好相应的模块。

---

[1] ccw是Counter Clock Wise的缩写。——译者注

[2] 严格来说std::complex是C++ Standard Library的一部分，但不属于Standard Templete Library的一部分。——译者注

专栏　计算误差

在处理 double 之类的浮点数时，需要注意浮点误差。浮点数将数字表示为(尾数)×2^(指数)的形式[①]，对于一定范围内的整数，可以精确表示，但对于 0.1 这样的简单的小数，却无法精确表示。对于不能精确表示的数，只能通过所能表示的数中最接近的数近似表示。近似表示造成的误差则称为舍入误差。

对于 double 类型，尾数部分大致相当于 10 进制下的 15 位。多数情况下，就其计算结果而言，精度已经足够了。但当我们要比较两个计算后的结果时，就需要特别注意。

例如上面的问题，首先求出交点，然后判断交点是否在线段上。如果我们完全不考虑误差，程序将会得到 Wrong Answer。这是因为由于误差，原本应该相等的结果有可能实际上并不相等。比较包含舍入误差的浮点数时所采用的方法，一般是选取合适的足够小的常数 EPS，按如下规则处理

$$a < 0 \rightarrow a < -EPS$$
$$a <= 0 \rightarrow a < EPS$$
$$a == 0 \rightarrow abs(a) < EPS$$

在大多数计算结果不是太大的情况下，都可以使用该方法处理。但在几何问题的计算过程中，常会通过内积或外积得到原坐标值平方大小的结果，在比较这些大的结果时需要格外注意。假设所取的 EPS 为 10^{-10}。现在要求对因为误差导致原本相等却实际不等的大约 10^8 大小的两个数作差，并判断差是否等于 0。由于 double 的精度只有约十进制 15 位，所得差的绝对值将大于 EPS，所以会被误判为不等。像这样，求两个非常接近的数的差时将会发生有效位丢失，导致所得结果的有效数字位数大大减少。前面的程序，我们所采取的方法是，在进行浮点数减法时，如果两个数按相对误差比较是相等的就令结果为 0。这样我们在计算的过程中处理了误差，所以在与 0 进行比较时，就可以不考虑误差直接比较了。

众所周知处理误差是一个非常复杂且深奥的问题。不过在程序设计竞赛中，有时候题目描述中会说明计算中的微小误差不会影响结果。即便没有这类说明，大多数情况下，利用上面介绍的方法也足够了。如果无论如何都无法满足精度的话，还可以使用别的处理方法。比如说可以使用分数类避免浮点数运算，在 C++ 中还可以使用精度更高的浮点数类型 long double[②]，在 Java 中还可以使用 BigDecimal 之类的高精度浮点数类。此外，对确定是 0 的结果进行特别处理可以让程序对误差更健壮。在上面的例子中，两直线相交的交点必在直线上，此时可以省去 on_seg 函数的前半部分。

[①] 这是最常见的一类浮点数，但还有其他类型的浮点数。——译者注

[②] C++中long double的精度不会低于double，但有可能只等于double。比如在Visual C++中二者都是64位双精度浮点数；而在GCC中double是64位双精度浮点数，（x86架构下）long double是80位扩展精度浮点数。——译者注

3.6.2 极限情况

White Bird （AOJ 2308）

平面上有 N 个障碍物，i 号障碍物是左下角为 (L_i, B_i)，右上角为 (R_i, T_i) 的与坐标轴平行的长方形。从原点以初速度 V 向任意角度发射出一只白鸟。设重力加速度沿 y 轴负方向，大小为 9.8，射出的鸟将呈抛物线飞出，直到撞到障碍物为止。鸟可以在中途产一枚卵，所产的卵将沿 y 轴负方向竖直落下，直到撞到障碍物为止。请问是否可以让卵击中坐标位于 (X, Y) 的猪。

⚠️限制条件
- $0 \leqslant N \leqslant 50$
- $0 \leqslant V \leqslant 50$
- $0 \leqslant X, Y \leqslant 300$
- $0 \leqslant L_i, B_i, R_i, T_i \leqslant 300$
- 题目保证 L_i, B_i, R_i, T_i 偏移 10^{-6} 也不影响答案

样例 1

输入
```
N = 0
V = 7
(X, Y) = (3, 1)
```

输出
```
Yes
```

样例 2

输入
```
N = 1
V = 7
(X, Y) = (3, 1)
(L, B, R, T) = {(1, 1, 2, 2)}
```

输出
```
No
```

最后的限制条件常常会在几何问题中附带出现，根据这一点就无需考虑只有通过像穿过针孔一样的唯一线路才能让卵击中猪的情况了。首先，让我们考虑一下如何判断以某个角度射出的鸟是否可以产卵击中猪。只要射出的鸟在撞到障碍物之前能够从猪的正上方飞过，并且此时与猪之间没有障碍物的话，在正上方产卵就可以击中猪了。判断白鸟是否撞到障碍物，就是判断抛物线和长方形是否相交（如果将长方形分解为线段，只判断抛物线是否同各条线段相交，就可能无法很好地处理抛物线恰好经过长方形的顶点的情况，需要注意），稍加计算即可完成。

接下来，我们思考一下应该如何枚举所有关键射出角度。假设以某个角度射出时不会撞到障碍物，我们逐渐降低这个角度，直到某处变成

(1) 恰好经过(X, Y)
(2) 恰好经过某个障碍物的左上角或右上角

就不能再降低了。虽然作为解的角度可能有无穷多个，但因为无论哪个都可以不断降低直至变为1或2的情况，所以只要检查这些角度就足够了。

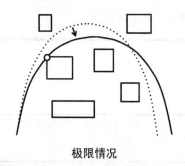

极限情况

```
const double g = 9.8;  // 重力加速度

// 输入
int N, V, X, Y;
int L[MAX_N], B[MAX_N], R[MAX_N], T[MAX_N];

// 计算以vy的速度竖直向上射出t秒后的位置
double calc(double vy, double t) {
  return vy * t - g * t * t / 2;
}

// a相对lb和ub的位置
int cmp(double lb, double ub, double a) {
  return a < lb + EPS ? -1 : a > ub - EPS ? 1 : 0;
}

// 判断当射出路径经过点(qx,qy)时，卵是否能击中猪
bool check(double qx, double qy) {
  // 设初速度在x方向和y方向的分量分别为vx和vy，设通过(qx,qy)的时间为t
  // 求解联立方程式vx^2 + vy^2 = V^2, vx * t = qx, vy * t - 1/2 g t^2 = qy
  double a = g * g / 4, b = g * qy - V * V, c = qx * qx + qy * qy;
```

```
    double D = b * b - 4 * a * c;
    if (D < 0 && D > -EPS) D = 0;
    if (D < 0) return false;
    for (int d = -1; d <= 1; d += 2) {   // 验证联立方程式的两个解的循环
      double t2 = (-b + d * sqrt(D)) / (2 * a);
      if (t2 <= 0) continue;
      double t = sqrt(t2);
      double vx = qx / t, vy = (qy + g * t * t / 2) / t;

      // 判断是否通过猪的正上方
      double yt = calc(vy, X / vx);
      if (yt < Y - EPS) continue;

      bool ok = true;
      for (int i = 0; i < N; i++) {
        if (L[i] >= X) continue;
        // 判断在猪正上方的鸟和猪之间是否有障碍物
        if (R[i] == X && Y <= T[i] && B[i] <= yt) ok = false;
        // 判断在飞到猪正上方之前是否会撞到障碍物
        int yL = cmp(B[i], T[i], calc(vy, L[i] / vx));  // 左侧的相对位置
        int yR = cmp(B[i], T[i], calc(vy, R[i] / vx));  // 右侧的相对位置
        int xH = cmp(L[i], R[i], vx * (vy / g));   // 最高点的相对位置
        int yH = cmp(B[i], T[i], calc(vy, vy / g));
        if (xH == 0 && yH >= 0 && yL < 0) ok = false;
        if (yL * yR <= 0) ok = false;
      }
      if (ok) return true;
    }
    return false;
}

void solve() {
    // 截掉猪以右的障碍物
    for (int i = 0; i < N; i++) {
      R[i] = min(R[i], X);
    }
    bool ok = check(X, Y);       // 直接撞上猪的情况
    for (int i = 0; i < N; i++) {
      ok |= check(L[i], T[i]);  // 经过左上角的情况
      ok |= check(R[i], T[i]);  // 经过右上角的情况
    }
    puts(ok ? "Yes" : "No");
}
```

像这样在几何问题中，当可行解可以取连续一段的值时，很多时候只要考虑边界的极限情况就能够顺利解决问题了。

3.6.3　平面扫描

Coneology （POJ 2932）

平面上有 N 个两两没有公共点的圆，i 号圆的圆心在(x_i, y_i)，半径为 r_i。求所有最外层的，即不包含于其他圆内部的圆。

⚠️**限制条件**

- $1 \leqslant N \leqslant 40000$

样例

输入

```
N = 5
(x, y, r) = {(0, -2, 1), (0, 3, 3), (0, 0, 10), (0, 1.5, 1), (50, 50, 10)}
```

输出

```
2
3 5（最外层的圆有两个，它们是3号和5号。）
```

由于有任意两圆都没有公共点这一条件，要判断一个圆是否在其他圆的内部，只要判断其圆心是否在其他圆内即可。这样判断每个圆是否是最外层的复杂度为$O(N)$，因此很容易得到$O(N^2)$复杂度的算法。现在，给大家介绍一个利用平面扫描这一技术得到的更为高效的算法。

在几何问题中，我们经常利用平面扫描技术来降低算法的复杂度。所谓平面扫描，是指扫描线在平面上按给定轨迹移动的同时，不断根据扫描线扫过部分更新信息，从而得到整体所要求的结果的方法。扫描的方法，既可以从左向右平移与y轴平行的直线，也可以固定射线的端点逆时针转动。

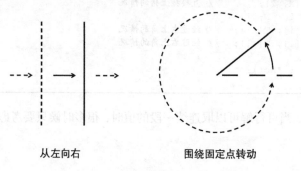

从左向右　　　　　　围绕固定点转动

扫描的方法

对于这道题，我们在从左向右平移与y轴平行的直线的同时，维护与扫描线相交的最外层的圆的集合。从左向右移动的过程中，只有扫描线移动到圆的左右两端时，圆与扫描线的相交关系才会发生变化，因此我们先将所有这样的x坐标枚举出来并排好序。

首先，我们来看一下扫描线移动到某个圆的左端时的情形。此时，我们需要判断该圆是否包含在其他圆中。为此，我们只需从当前与扫描线相交的最外层的圆中，找到上下两侧y坐标方向距离最近的两个圆，并检查它们就足够了。这是因为，假设该圆被包含于更远的圆中，却不被包含于最近的圆中，就会如下图所示，得出两圆相交的结论。而这与题目所给条件不符。于是，只要用二叉查找树来维护这些圆，就能够在$O(\log n)$时间内取得待检查的圆了。

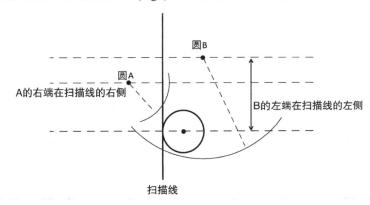

产生矛盾

其次，我们看一下扫描线移动到某个圆的右端时的情形。此时的处理很简单，如果该圆已经包含于其他圆中就什么也不做，如果是最外层的圆就将它从二叉树中删去。综上，总的复杂度为$O(n\log n)$。

```cpp
// 输入
int N;
double x[MAX_N], y[MAX_N], r[MAX_N];

// 判断圆i是否在圆j的内部
bool inside(int i, int j) {
  double dx = x[i] - x[j], dy = y[i] - y[j];
  return dx * dx + dy * dy <= r[j] * r[j];
}

void solve() {
  // 枚举关键点
  vector<pair<double, int> > events;  // 圆的左右两端的x坐标
  for (int i = 0; i < N; i++) {
    events.push_back(make_pair(x[i] - r[i], i));      // 圆的左端
    events.push_back(make_pair(x[i] + r[i], i + N));  // 圆的右端
  }
  sort(events.begin(), events.end());

  // 平面扫描
  set<pair<double, int> > outers;  // 与扫描线相交的最外层的圆的集合
```

```
vector<int> res;                    // 最外层圆的列表
for (int i = 0; i < events.size(); i++) {
  int id = events[i].second % N;
  if (events[i].second < N) {       // 扫描到左端
    set<pair<double, int> >::iterator it = outers.lower_bound(make_pair(y[id], id));
    if (it != outers.end() && inside(id, it->second)) continue;
    if (it != outers.begin() && inside(id, (--it)->second)) continue;
    res.push_back(id);
    outers.insert(make_pair(y[id], id));
  } else {                          // 扫描到右端
    outers.erase(make_pair(y[id], id));
  }
}

sort(res.begin(), res.end());
printf("%d\n", res.size());
for (int i = 0; i < res.size(); i++) {
  printf("%d%c", res[i] + 1, i + 1 == res.size() ? '\n' : ' ');
}
}
```

3.6.4   凸包

Beauty Contest （POJ 2187）

平面上有 N 个牧场。i 号牧场的位置在格点(x_i, y_i)，所有牧场的位置互不相同。请计算距离最远的两个牧场间的距离，输出最远距离的平方。

⚠限制条件

- $2 \leqslant N \leqslant 50000$
- $-10000 \leqslant x_i, y_i \leqslant 10000$

样例

输入

```
N = 8
(x, y) = {(0, 5), (1, 8), (3, 4), (5, 0), (6, 2), (6, 6), (8, 3), (8, 7)}
```

输出

```
80（点(1,8)与点(5,0)）
```

由于在时间限制内无法完全枚举所有点对并取距离的最大值，需要避免计算一些不必要的点对。如果某个点在另外三个点组成的三角形的内部，那么它就不可能属于最远点对，因而可以删去。这样，最后需要考虑的点，就只剩下不在任意三个点组成的三角形内部的，所给点集中最外围的点了。这些最外围的点的集合，就是包围原点集的最小凸多边形的顶点组成的集合，称为原点集的凸包。因为顶点的坐标限定为整数，坐标值的范围不超过M的凸多边形的顶点数只有$O(\sqrt{M}^{2/3})$个，所以只要枚举凸包上的所有点对并计算距离就可以求得最远点对了。

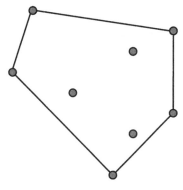

样例对应的凸包

求凸包的算法有很多，要求n个点集对应的凸包，只要$O(n\log n)$时间。这里给大家介绍一种比较容易实现的基于平面扫描法的Graham扫描算法。

首先，把点集按x坐标→y坐标的字典序升序排序。那么排序后的第一个和最后一个点必然是凸包上的顶点，它们之间的部分可以分成上下两条链分别求解。求下侧的链时只要从小到大处理排序后的点列，逐步构造凸包。在构造过程中的凸包末尾加上新的顶点后，可能会破坏凸性，此时只要将凹的部分的点从末尾除去就好了。求上侧的链也是一样地从大到小处理即可。排序的复杂度为$O(n\log n)$，剩余部分处理的复杂度为$O(n)$。

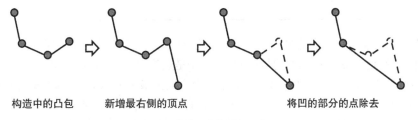

构造中的凸包　　　　新增最右侧的顶点　　　　　将凹的部分的点除去

构造下侧的链

```
// 字典序比较
bool cmp_x(const P& p, const P& q) {
  if (p.x != q.x) return p.x < q.x;
  return p.y < q.y;
}

// 求凸包
vector<P> convex_hull(P* ps, int n) {
  sort(ps, ps + n, cmp_x);
  int k = 0;            // 凸包的顶点数
```

```cpp
vector<P> qs(n * 2);  // 构造中的凸包
// 构造凸包的下侧
for (int i = 0; i < n; i++) {
  while (k > 1 && (qs[k - 1] - qs[k - 2]).det(ps[i] - qs[k - 1]) <= 0) k--;
  qs[k++] = ps[i];
}
// 构造凸包的上侧
for (int i = n - 2, t = k; i >= 0; i--) {
  while (k > t && (qs[k - 1] - qs[k - 2]).det(ps[i] - qs[k - 1]) <= 0) k--;
  qs[k++] = ps[i];
}
qs.resize(k - 1);
return qs;
}

// 距离的平方
double dist(P p, P q) {
  return (p - q).dot(p - q);
}

// 输入
int N;
P ps[MAX_N];

void solve() {
  vector<P> qs = convex_hull(ps, N);
  double res = 0;
  for (int i = 0; i < qs.size(); i++) {
    for (int j = 0; j < i; j++) {
      res = max(res, dist(qs[i], qs[j]));
    }
  }
  printf("%.0f\n", res);
}
```

事实上，即使坐标范围变大这道题也能求解。为此我们需要再次用到凸包的性质。假设最远点对是 p 和 q，那么 p 就是点集中 $(p-q)$ 方向最远的点，而 q 是点集中 $(q-p)$ 方向最远的点。因此，可以按照逆时针逐渐改变方向，同时枚举出所有对于某个方向上最远的点对[①]，那么最远点对一定也包含于其中。在逐渐改变方向的过程中，对踵点对只有在方向等于凸包某条边的法线方向时发生变化，此时点将向凸包上对应的相邻点移动。令方向逆时针旋转一周，那么对踵点对也在凸包上转了一周，这样就可以在凸包顶点数的线性时间内求得最远点对。像这样，在凸包上旋转扫描的方法又叫做旋转卡壳法[②]。

[①] 这样的点对又叫做对踵点对。——译者注

[②] Rotating calipers 通常被称为旋转卡（qiǎ）壳（ké），其名称来源于算法的过程就像用游标卡尺卡着凸包旋转一周一样。事实上卡壳这个中文单词并无此意，在这里可能是一个误用。当然如果认为这里的卡壳是短语，壳指代凸包的话，正确的读法应该是卡（kǎ）壳。也有将该方法直译为旋转卡（kǎ）尺的。——译者注

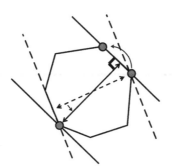

対蹠点対的变化

```
void solve() {
  vector<P> qs = convex_hull(ps, N);
  int n = qs.size();
  if (n == 2) {  // 特别处理凸包退化的情况
    printf("%.0f\n", dist(qs[0], qs[1]));
    return;
  }
  int i = 0, j = 0;  // 某个方向上的对蹠点对
  // 求出x轴方向上的对蹠点对
  for (int k = 0; k < n; k++) {
    if (!cmp_x(qs[i], qs[k])) i = k;
    if (cmp_x(qs[j], qs[k])) j = k;
  }
  double res = 0;
  int si = i, sj = j;
  while (i != sj || j != si) {  // 将方向逐步旋转180度
    res = max(res, dist(qs[i], qs[j]));
    // 判断先转到边i-(i+1)的法线方向还是边j-(j+1)的法线方向
    if ((qs[(i + 1) % n] - qs[i]).det(qs[(j + 1) % n] - qs[j]) < 0) {
      i = (i + 1) % n;  // 先转到边i-(i+1)的法线方向
    } else {
      j = (j + 1) % n;  // 先转到边j-(j+1)的法线方向
    }
  }
  printf("%.0f\n", res);
}
```

3.6.5　数值积分

Intersection of Two Prisms（AOJ 1313）

有一个侧棱与 z 轴平行的棱柱 P_1 和一个侧棱与 y 轴平行的棱柱 P_2。它们都向两端无限延伸，底面分别是包含 M 个顶点和 N 个顶点的凸多边形，其中第 i 个顶点的坐标分别是 (X_{1i}, Y_{1i}) 和 (X_{2i}, Z_{2i})。请计算这两个棱柱公共部分的体积。

⚠️限制条件

- $3 \leqslant M, N \leqslant 100$
- $-100 \leqslant X_{1i}, Y_{1i}, X_{2i}, Z_{2i} \leqslant 100$

样例

输入

```
M = 4
N = 3
(X1, Y1) = {(7, 2), (3, 3), (0, 2), (3, 1)}
(X2, Z2) = {(4, 2), (0, 1), (8, 1)}
```

输出

```
4.708333333333333
```

首先，会想到先求出公共部分的凸多面体的顶点坐标，然后再计算其体积这一方法。公共部分的凸多面体的顶点都是一个棱柱的侧面与另一个棱柱的侧棱的交点，可以通过$O(nm)$时间的枚举求得，因而这一方法貌似很合理。但因为涉及三维空间的几何运算，实现起来是非常麻烦的。

事实上，只要沿着x轴对棱柱切片，就可以非常简洁地解决这道题。我们按某个x值对侧棱与z轴平行的棱柱P_1切片后，就得到了$[y_1, y_2] \times (-\infty, \infty)$这样的在$z$轴方向无限延伸的长方形的横截面。同样的，我们按某个x值对侧棱与y轴平行的棱柱P_2切片后，就得到了$(-\infty, \infty) \times [z_1, z_2]$这样的在$y$轴方向无限延伸的长方形的横截面。因此，我们按某个$x$值对两个棱柱的公共部分切片后，得到的横截面就是长方形$[y_1, y_2] \times [z_1, z_2]$。而长方形的面积通过$(y_2-y_1) \times (z_2-z_1)$就可以轻松求得，之后只要关于$x$轴对面积求积分就能得到公共部分的体积了。

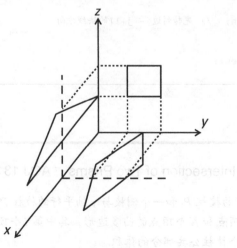

y-z平面所截的横截面

首先，我们枚举出原棱柱底面顶点的所有x坐标并排序。于是，在相邻两个x坐标之间的区间中，按x值切片得到的长方形的顶点坐标是关于x的线性函数，所以面积就是关于x的二次函数，其积分很容易计算。虽然可以通过求得表达式后再来计算二次函数的积分，不过利用下面的Simpson公式则更为轻松。

$$\int_a^b f(x)\mathrm{d}x \approx \frac{b-a}{6}\left(f(a)+4f\left(\frac{a+b}{2}\right)+f(b)\right)$$

Simpson公式就是在数值积分中用二次函数来近似原函数进行积分而得到的公式。如果原函数本身就是次数不超过二的多项式的话，那么通过该公式就可以求得精确的积分值。利用该公式，我们就无需求出关于x的多项式，而只要计算按区间的端点和中点切片得到长方形的面积就足够了。

```cpp
// 输入
int M, N;
int X1[MAX_M], Y1[MAX_M];
int X2[MAX_N], Z2[MAX_N];

// 计算按x值对多边形切片得到的宽度
double width(int* X, int* Y, int n, double x) {
  double lb = INF, ub = -INF;
  for (int i = 0; i < n; i++) {
    double x1 = X[i], y1 = Y[i], x2 = X[(i + 1) % n], y2 = Y[(i + 1) % n];
    // 检查与第i条边是否相交
    if ((x1 - x) * (x2 - x) <= 0 && x1 != x2) {
      // 计算交点的坐标
      double y = y1 + (y2 - y1) * (x - x1) / (x2 - x1);
      lb = min(lb, y);
      ub = max(ub, y);
    }
  }
  return max(0.0, ub - lb);
}

void solve() {
  // 枚举区间的端点
  int min1 = *min_element(X1, X1 + M), max1 = *max_element(X1, X1 + M);
  int min2 = *min_element(X2, X2 + N), max2 = *max_element(X2, X2 + N);
  vector<int> xs;
  for (int i = 0; i < M; i++) xs.push_back(X1[i]);
  for (int i = 0; i < N; i++) xs.push_back(X2[i]);
  sort(xs.begin(), xs.end());

  double res = 0;
  for (int i = 0; i + 1 < xs.size(); i++) {
    double a = xs[i], b = xs[i + 1], c = (a + b) / 2;
    if (min1 <= c && c <= max1 && min2 <= c && c <= max2) {
      // 利用Simpson公式求积分
      double fa = width(X1, Y1, M, a) * width(X2, Z2, N, a);
```

```
    double fb = width(X1, Y1, M, b) * width(X2, Z2, N, b);
    double fc = width(X1, Y1, M, c) * width(X2, Z2, N, c);
    res += (b - a) / 6 * (fa + 4 * fc + fb);
  }
  printf("%.10f\n", res);
}
```

像本题这样，几何问题中往往会因为选用方法的不同，导致实现的复杂程度产生巨大差异。因此，在想到一个解法之后，应该再进一步思考一下是否还有更简洁的解法。

3.7 一起来挑战 GCJ 的题目（2）

➡ 让我们运用迄今为止所介绍的技术，一起来挑战一下GCJ的题目吧。

3.7.1 Numbers

Numbers （2008 Round 1A C）

请输出 $(3+\sqrt{5})^n$ 整数部分的最后 3 位。如果结果不超过 2 位，请补足前导 0。

⚠ **限制条件**
Small
- $2 \leqslant n \leqslant 30$

Large
- $2 \leqslant n \leqslant 2000000000$

样例 1

输入

N=2

输出

027（$(3+\sqrt{5})^2 \fallingdotseq 27.41640786$，因此整数部分的最后3位补足前导0之后是027）

样例 2

输入

N=5

输出

935（$(3+\sqrt{5})^5 \fallingdotseq 3935.739820$，因此整数部分的最后3位是935）

如果用double来计算 $(3+\sqrt{5})^n$，精度显然是不够的。虽然使用Java中支持高精度小数的BigDecimal

可以通过Small测试数据，但是，要通过Large测试数据，就必须把$\sqrt{5}$的值计算到大约n位精度，因此朴素的方法是无法求出答案的。其实，经过仔细分析可以发现，这个问题不需要求出$\sqrt{5}$的值也可以求解。

首先将$(3+\sqrt{5})^n$展开之后可以发现是$a_n+b_n\sqrt{5}$的形式。同样地，我们有$(3-\sqrt{5})^n=a_n-b_n\sqrt{5}$。因此，$(3+\sqrt{5})^n+(3-\sqrt{5})^n=2a_n$是个整数，其中$0<(3-\sqrt{5})^n<1$，这正是解题的关键。由于$(3+\sqrt{5})^n=2a_n-(3-\sqrt{5})^n$，所以$(3+\sqrt{5})^n$的整数部分等于$2a_n-1$。

根据上面的推导，只要高效地求出a_n就可以解决这个问题了。由于$(3+\sqrt{5})^{n+1}=(3+\sqrt{5})(3+\sqrt{5})^n$ $=(3+\sqrt{5})(a_n+b_n\sqrt{5})$，我们可以得到$a_n$、$b_n$和$a_{n+1}$、$b_{n+1}$的递推关系。

$$a_{n+1}=3a_n+5b_n$$
$$b_{n+1}=a_n+3b_n$$
$$a_0=1\ b_0=0$$

我们可以使用矩阵表示这个递推关系，因此可以使用快速幂运算，在$O(\log n)$的时间内求出a_n和b_n。由于只需要最后3位，因此运算时mod 1000就可以了。

```
const int MOD = 1000;

typedef vector<int> vec;
typedef vector<vec> mat;

// 输入
int n;

void solve() {
  mat A(2, vec(2, 0));
  A[0][0] = 3; A[0][1] = 5;
  A[1][0] = 1; A[1][1] = 3;
  A = pow(A, n);
  printf("%03d\n", (A[0][0] * 2 + MOD - 1) % MOD);
}
```

我们称$a-b\sqrt{n}$与$a+b\sqrt{n}$互为共轭。$(a+b\sqrt{n})(a-b\sqrt{n})=a^2-nb^2$，$(a+b\sqrt{n})+(a-b\sqrt{n})=2a$，因此一对共轭的数具有相加或者相乘之后可以得到整数的性质。此外，还有相乘后取共轭和先取共轭再相乘结果相同等良好性质。如果记住这些结论，在解题时往往能比较容易想到解法。

这个问题的输出格式比较特殊，如果不足3位则要补足前导0。不过因为样例中包含了这种情况，所以如果忘记了也会注意到这个问题。但是也有许多问题的样例并不包含一些特殊情况，需要特别注意。此外，C和Java中都可以通过printf("%03d", answer)的方法自动补上需要的前导0。

3.7.2 No Cheating

<hr/>

No Cheating （2008 Round 3 C）

某个高中的期末考试是在一个很大的教室中进行的。这个教室的座位有 M 行 N 列。为了防止作弊，学校在安排学生座位时，需要使得任何一个学生都无法看到其他人的答案。已知在 (x, y) 位置的学生可以看到 $(x-1, y), (x+1, y) (x-1, y-1), (x+1, y-1)$ 四个位置的学生的答案。另外，在教室中有一些座位已经损坏而无法安排学生就座。现在要求一次考试最多能安排多少学生参加。

限制条件

Small

- $1 \leq N, M \leq 10$

Large

- $1 \leq N, M \leq 80$

<hr/>

样例 1

输入

```
M = 2
N = 3
座位情况如下图（'x'表示已经坏掉的座位，'.'表示没有坏的座位）
...
...
```

输出

```
4（按照下面的方法安排座位）
o.o
o.o
```

样例 2

输入

```
M = 2
N = 3

x.x
xxx
```

输出

```
1
```

样例 3

输入

```
M = 2
N = 3

x.x
x.x
```

输出

```
2
```

可以将其看作这样一个图 $G=(V, E)$，把没有坏的座位看作顶点。对于顶点 v，如果能看到顶点 u 对应的座位的答案，就在它们之间连一条无向边 $e=(v, u)$。这样，问题就变成了求任意两点都不相邻的最大的顶点集合 $S⊆V$。

这个问题就是图的最大独立集问题。对于最大独立集问题，如果图是二分图，可以很容易求出答案。而事实上，在这个问题里，所有的边都连接着 x 为偶数的顶点和 x 为奇数的顶点，因此正是一个二分图。

```cpp
const int dx[4] = {-1, -1, 1, 1}, dy[4] = {-1, 0, -1, 0};

// 输入
int M, N;
char seat[MAX_M][MAX_N + 1];  // 座位

void solve() {
  int num = 0;
  V = M * N;
  for (int y = 0; y < M; y++) {
    for (int x = 0; x < N; x++) {
      if (seat[y][x] == '.') {
        num++;
        for (int k = 0; k < 4; k++) {
          int x2 = x + dx[k], y2 = y + dy[k];
          if (0 <= x2 && x2 < N && 0 <= y2 && y2 < M && seat[y2][x2] == '.') {
            add_edge(x * M + y, x2 * M + y2);
          }
        }
      }
    }
  }
  printf("%d\n", num - bipartite_matching());
}
```

3.7.3 Stock Charts

Stock Charts （2009 Round 2 C）

你持有 n 支股票，你希望将股价在一年中的变动情况，以折线图的形式画出来。对于每支股票，你有这 n 支股票在一年中 k 个时间点的数据，并把相邻的数据点用线段连起来，画出折线图（图 A）。将每支股票都画一幅图很浪费空间，但是如果不同股票的线段在端点相接或者相交又会产生混乱。因此你希望在每一张图中画上若干条没有公共点的线段。求最少需要画几幅图？（图 B）

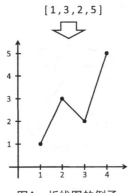

图A：折线图的例子

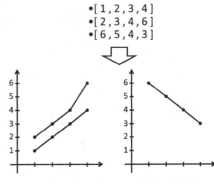

图B：把3支股票画在2幅图上的例子

⚠️限制条件
- $2 \leqslant k \leqslant 25$
- $0 \leqslant price_{i,j} \leqslant 1000000$

（ $price_{i,j}$ 表示股票 i 在时间 j 的股价）

Small
- $1 \leqslant n \leqslant 16$

Large
- $1 \leqslant n \leqslant 100$

样例

输入

```
n = 5, k = 2
price = {{1, 1}, {2, 2}, {5, 4}, {4, 4}, {4, 1}}
```

输出

2（第三支和第五支股票在一张图上，其余股票在另一张图上）

我们可以试想一下以股票为顶点，两支股票是否能画在同一幅图里来决定是否连边。例如，在由于线段相交或者相接而不能画在同一幅图里的股票之间连一条边。这样，这个问题就变成了求这个图的最小着色数。不过由于求解一般图的最小着色数是NP困难的，因此没有办法高效地求出答案。我们需要利用这个问题特有的性质来寻找其他解法。在这个问题中，如果两个折线图不相交，那么其中一条折线必然完全在另一条折线的上方。让我们来试着利用这条性质。

当股票i可以画在股票j的上方时，我们从顶点i向顶点j连一条边，便可以得到一个DAG。考虑在这个图上的路径，容易发现在一条路径上的顶点可以全部画在一幅图中。因此原问题又可以进一步转化为如下问题：使用尽可能少的路径覆盖图中的所有顶点。

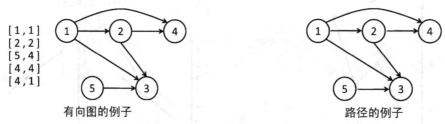

有向图的例子　　　　　　　　　　　　路径的例子

路径的条数和路径的起点个数相等。因此我们试着最小化路径起点的个数。由于对于不是起点的顶点一定都存在另外一个顶点作为路径上的前趋顶点，因此只需要最大化这样的顶点的个数就可以了。

我们考虑左右各有n个顶点的二分图。在前面所建的图中，如果顶点i有一条到顶点j的边，则在二分图中从连接左边的顶点i和右边的顶点j。这个建图方法也可以看成是把前面的图中的每个顶点都拆成2个顶点得到的。

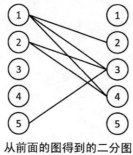

从前面的图得到的二分图

接下来考虑这个图的匹配。我们把匹配中各边对应的原图的边连接起来之后，就可以得到若干条路径，并且匹配中包含的边数和不是起点的顶点数相等。因此求出二分图的最大匹配，然后用n减去这个值，就得到了最小路径覆盖的路径数。[①]

[①] 在转化为二分图时，非常重要的一点是原有向图中不能包含圈。对于一般的有向图，如果尝试使用同样的算法，就会因为产生圈儿导致无法正确计算出结果。

```
const int MAX_N = 100;
const int MAX_K = 25;

int N, K, P[MAX_N][MAX_K];

void solve() {
  V = N * 2;
  for (int i = 0; i < V; i++) G[i].clear();

  for (int i = 0; i < N; i++) {
    for (int j = 0; j < N; j++) {
      if (i == j) continue;
      bool f = true;
      for (int k = 0; k < K; k++) {
        if (P[j][k] >= P[i][k]) f = false;
      }
      if (f) add_edge(i, N + j);
    }
  }

  int ans = N - bipartite_matching();
  printf("%d\n", ans);
}
```

3.7.4 Watering Plants

Watering Plants （2009 Round 2 D）

你在温室中种植了 N 株植物。为了给这些植物浇水，你购买了 2 台自动浇水的机器。每株植物 i 占据了圆心为 (X_i, Y_i)，半径为 R_i 的圆形区域。并且保证任意两个圆都互相不相交或者相切。每台机器都可以给某个完全包含于半径为 r 的圆形区域内的植物浇水。求最小的 r 使得存在一种方案能给所有植物浇水。

⚠**限制条件**
- $1 \leqslant X_i \leqslant 1000$
- $1 \leqslant Y_i \leqslant 1000$
- $1 \leqslant R_i \leqslant 100$

Small

- $1 \leqslant N \leqslant 3$

Large

- $1 \leqslant N \leqslant 40$

样例 1

输入

```
N = 3
(X, Y, R) = {(20, 10, 2), (20, 20, 2), (40, 10, 3)}
```

输出

```
r = 7.0
```

样例 2

输入

```
N = 3
(X, Y, R) = {(20, 10, 3), (30, 10, 3), (40, 10, 3)}
```

输出

```
r = 8.0
```

整理一下问题中的重要信息，可以将原题简化为：

- 平面上有N个圆。
- 要在平面上放置2个半径为R的大圆，使得N个圆都完全包含在至少一个大圆中。
- 求R的最小值。

首先我们考虑一个简化后的问题，即只放置1个大圆的情况。在这种情况下应该如何求解呢？稍作思考就会发现要使R最小，则一定满足下面三种情况的其中一种

    a. 和三圆相内切。

    b. 在径向相对位置和两圆内切。

    c. 和某个圆重合。

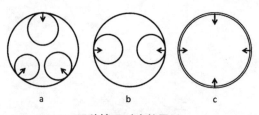

三种情况对应的图示

b和c的情况比较容易计算，但是a的情况应该如何计算圆心坐标呢？况且即使算出了圆心坐标，那么在2个大圆的情况下又应该如何做呢？把N个圆分成2组的情况有2^N种，无法一一尝试。不过

我们发现，半径最小的大圆只有有限种情况，因此我们试着考虑每次从这些情况中选出2个圆，并判断是否能覆盖所有的圆。由于这样的圆只有$O(N^3)$个，所以总算得到了一个比较可行的算法了。但是我们仍然需要解决前面遗留的一个很麻烦的问题：求和三圆相内切的圆。难道没有更容易的解法了吗？

如果2个半径为R的圆可以覆盖所有的圆的话，半径为$R'>R$的圆也可以。因此我们可以使用二分搜索。不过对于一个R，怎么判断2个半径为R的圆能否覆盖所有的圆呢？和之前一样，我们试着最小化需要考虑的圆的数量。由于现在圆的半径已经确定，所以可能会认为有无数种可能的圆。其实对于覆盖的圆的集合相同的大圆，我们只需要选择其中一个有代表性的就可以了。因此实际上只需要考虑如下两种情况就足够了

    a. 和两圆内切。
    b. 和某个圆同心。

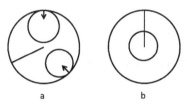

两种情况对应的图示

a的情况应该如何计算圆心的坐标呢？和圆心在(x, y)半径为r的圆相内切的圆的圆心的轨迹为圆心为(x, y)，半径为$R-r$的圆。这样，只需要计算两圆的交点就可以了，比起之前的方法简单了不少。

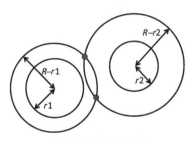

和两圆相内切的圆

而且，这种方法需要考虑的圆只有$O(N^2)$个，即使算上二分搜索的复杂度，也完全可以在规定的时间内得出答案。

```
typedef long long ll;

// 输入
int N;
int X[MAX_N], Y[MAX_N], R[MAX_N];

// 求出圆心在(x,y)半径为r的大圆能覆盖的圆的集合
ll cover(double x, double y, double r) {
  ll S = 0;
  for (int i = 0; i < N; i++) {
    if (R[i] <= r) {
      double dx = x - X[i], dy = y - Y[i], dr = r - R[i];
      if (dx * dx + dy * dy <= dr * dr) {
        S |= 1LL << i;
      }
    }
  }
  return S;
}

// 判断两个半径为r的大圆是否能覆盖所有的圆
bool C(double r) {
  vector<ll> cand;  // 一个大圆能覆盖的集合的列表
  cand.push_back(0);

  // 情况a
  for (int i = 0; i < N; i++) {
    for (int j = 0; j < i; j++) {
      if (R[i] < r && R[j] < r) {
        // 计算两圆的交点
        double x1 = X[i], y1 = Y[i], r1 = r - R[i];
        double x2 = X[j], y2 = Y[j], r2 = r - R[j];
        double dx = x2 - x1, dy = y2 - y1;
        double a = dx * dx + dy * dy;
        double b = ((r1 * r1 - r2 * r2) / a + 1) / 2;
        double d = r1 * r1 / a - b * b;
        if (d >= 0) {
          d = sqrt(d);
          double x3 = x1 + dx * b;
          double y3 = y1 + dy * b;
          double x4 = -dy * d;
          double y4 = dx * d;
          // 考虑到可能产生误差，因此对i和j做特别处理
          ll ij = 1LL << i | 1LL << j;
          cand.push_back(cover(x3 - x4, y3 - y4, r) | ij);
          cand.push_back(cover(x3 + x4, y3 + y4, r) | ij);
        }
      }
    }
  }

  // 情况b
  for (int i = 0; i < N; i++) {
    if (R[i] <= r) {
```

```
        cand.push_back(cover(X[i], Y[i], r) | 1LL << i);
      }
    }

    // 每次从可能的圆中取出2个，并判断是否能覆盖所有的圆
    for (int i = 0; i < cand.size(); i++) {
      for (int j = 0; j < i; j++) {
        if ((cand[i] | cand[j]) == (1LL << N) - 1) {
          return true;
        }
      }
    }
    return false;
}

void solve() {
  // 对半径r使用二分搜索
  double lb = 0, ub = 10000;
  for (int i = 0; i < 100; i++) {
    double mid = (lb + ub) / 2;
    if (C(mid)) ub = mid;
    else lb = mid;
  }

  printf("%.6f\n", ub);
}
```

正如在前一节中提到的那样，如果在几何问题中使用了浮点数，就需要注意浮点数产生的精度误差。例如在前面这个问题中，需要计算两个圆i和j相切的圆，然后判断是否每个圆都被完全覆盖了。这时i和j都应该是被完全覆盖的。但是由于精度误差，可能会导致这两个圆被判断为不能被完全覆盖。因此对i和j的判断需要特殊处理。一般来说，在对有误差的浮点数进行比较时，需要选取适当的较小的数EPS，然后进行如下改写

$a < b \rightarrow a + \text{EPS} < b$

$a \leqslant b \rightarrow a < b + \text{EPS}$

$a == b \rightarrow \text{abs}(a - b) < \text{EPS}$

不过需要注意的是，像这种在二分搜索中进行的比较的情况，如果在比较时使用了考虑误差的比较方法，得到的结果反而可能产生差错。虽然在本题中，产生EPS大小的误差也不会有什么问题，但是在某些问题中也有可能会导致较大的误差产生。

3.7.5 Number Sets

Number Sets （2008 Round 1B B）

给定连续的整数区间[*A*, *B*]和整数 *P*。最初，区间[*A*, *B*]的所有数都属于一个只包含自己的集合。对于区间中的每一个数对，如果它们有不小于 *P* 的公共质因数，就把这两个数所在的集合合并。问对所有的数对都执行完这个操作之后，总共还剩下多少个集合？

⚠限制条件

Small

- $1 \leqslant A \leqslant B \leqslant 100$
- $2 \leqslant P \leqslant B$

Large

- $1 \leqslant A \leqslant B \leqslant 10^{12}$
- $B \leqslant A + 1000000$
- $2 \leqslant P \leqslant B$

样例 1

输入

A = 10, B = 20, P = 5

输出

9（{10, 15, 20}在一个集合里，其他的数都恰好各自在一个独立的集合里，共9个集合）

样例 2

输入

A = 10, B = 20, P = 3

输出

7（{10, 12, 15, 18, 20}, {11}, {13}, {14}, {16}, {17}, {19}共7个集合）

首先因为这是一个集合合并的问题，所以貌似可以使用并查集求解。如果对区间内的任意两个数查询是否包含不小于*P*的公共质因数，每一次查询由于需要分解质因数所以需要花费 $O(\sqrt{B})$ 的时间。因此，整个算法的时间复杂度就是 $O((B-A)^2 \sqrt{B})$ 。虽然可以通过Small数据，但是无法通过Large数据。

我们注意到Large有一个限制条件是$B-A \leq 1000000$。如果满足$A \leq a \leq b \leq B$的整数a, b有公共质因数p，那么p一定能整除$b-a$。由于$B-A \leq 1000000$，因此p也不会超过1000000。

当a和b有公共质因数p时，a和b都是p的倍数。因此，不需要尝试$[A, B]$中所有的数对，只需要遍历所有可能的质因数p，对每一个p合并其所有倍数，就可以更加高效地求得答案。在合并时，从不小于A的最小的p的倍数$((A+p-1)/p \times p)$开始，不断枚举p的倍数直到不超过B的最大的p的倍数$(B/p \times p)$，并把这些数所在的集合合并起来。结合之前对区间筛法和并查集复杂度的分析，可以得出的整个算法的复杂度是$O(B-A)$。

```cpp
typedef long long ll;

int prime[1000000];    // 不超过1000000的第i个的素数
int p;                 // 素数的个数

// 输入
ll A, B, P;

void solve() {
  int len = B - A + 1;
  init_union_find(len);  // 初始化并查集

  for (int i = 0; i < p; i++) {
    // 对不小于P的素数进行处理
    if (prime[i] >= P) {
      // 不小于A的最小的prime[i]的倍数
      ll start = (A + prime[i] - 1) / prime[i] * prime[i];
      // 不大于B的最大的prime[i]的倍数
      ll end = B / prime[i] * prime[i];

      for (ll j = start; j <= end; j += prime[i]) {
        // start和j属于同一个集合
        unite(start - A, j - A);
      }
    }
  }
  int res = 0;
  for (ll i = A; i <= B; i++) {
    // find(i) == i时，i就是并查集的根
    // 集合的个数等于根的个数
    if(find(i - A) == i - A) res++;
  }
  printf("%d\n", res);
}
```

3.7.6 Wi-fi Towers

Wi-fi Towers（2009 World Final D）

给定一个无线电塔的网络。对于每座无线电塔，都有一个半径参数，这座无线电塔可以给这个半径范围内的其他无线电塔发送信号。

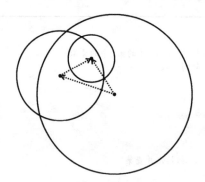

无线电塔的网络

现在，所有的无线电塔都在以某种古老的"协议A"进行通信不过需要把其中一部分无线电塔升级到一种较先进的新"协议B"。如果某个无线电塔被升级到协议B，则在这个无线电塔的电波范围所能覆盖到的所有无线电塔也都必须要升级到协议B才可以（不过需要注意的是，电波范围覆盖到这座无线电塔的无线电塔不必非升级到协议B）。

考虑到升级的花费和升级后的收益，我们给每座无线电塔打一个分数（正分表示升级之后收益更多，负分表示升级的花费更多）。现在需要选择一些合适的无线电塔进行升级，使得升级的无线电塔的总分最大。假设无线电塔的个数为 n，无线电塔 i 的位置为(x_i, y_i)，电波的半径是 r_i，分数是 s_i。

⚠限制条件
Small dataset
- $1 \leqslant n \leqslant 15$

Large dataset
- $1 \leqslant n \leqslant 500$

样例

输入

```
n = 5
x = {0, 0, 5, 10, 15}
y = {1, -1, 0, 0, 1}
r = {7, 7, 1, 6, 2}
s = {10, 10, -15, 10, -20}
```

输出

```
5
```

这个问题可以归约到 s-t 最小割问题上。我们加入 s, t 顶点，然后考虑把这两个顶点分开的割中的最小割。

首先，很自然地想到对于一个割割成的两个顶点集合，让其中一个全部使用"协议B"，另一个全部使用"协议A"。这里不妨假设包含 s 的集合使用"协议B"，包含 t 的集合使用"协议A"。

由于是"最小"割，就需要搞清楚最小化的是什么。看起来最小化"损失"是一个比较合理的解释。我们先不考虑无线电塔之间的互相关系，而是先考虑怎么归约到最小割上。在这里，每一个无线电塔对应图中的一个顶点。

分数为负的的无线电塔如果和 s 相连，也就是升级到了协议B，就产生了损失，因此和 s 之间连一条容量为分数的绝对值的边。由于如果和 t 相连，也就是维持协议A不变，就没有收益也没有损失，因此不需要连边（也可以看成是连了一条容量为0的边）。

分数为正的的无线电塔如果从 s 可达，也就是升级到了协议B，就可以看成是产生了负的损失，但是之后根据最大流最小割定理用最大流求解的话，是不能有容量为负的边的。因此，我们认为分数为正的的无线电塔最开始就是以协议B通讯的，这样使用协议B的损失是0，而如果使用协议A则损失了对应的分数。这样，就可以使得所有边的容量都是正的（注意在求完最小割之后，还需要加上这些分数）。

接下来只需要搞清楚电波之间的关系并加入图中，就可以归约到最小割了。我们要将升级无线电塔 i 时，其他的无线电塔 j 也必须升级这一关系加入图中。

需要防止的情况是 i 和 s 相连，同时 j 和 t 相连。在这种情况下，从 i 到 j 的边（如果存在的话）一定属于割集。因此，我们可以从 i 向 j 连一条容量是 ∞ 的边，这样最小割就不会包含这条边，因为若 i 和 s 相连，则 j 也一定和 s 相连，从而满足了限制条件。[1]

---

[1] 请注意在这个构图中的相反的情况，也就是 j 和 s 相连，同时 i 和 t 相连是允许的。另外，有向图的割等于从和 s 相连的顶点集合出发，到和 t 相连顶点集合的边的容量之和。

综上所述，原问题归约到了最小割上。根据最大流最小割定理，接下来只需要使用合适的最大流算法就可以了。[①]

```
// 输入
int n, x[MAX_N], y[MAX_N], r[MAX_N], s[MAX_N];

int sqr(int x) {
  return x * x;
}

void solve() {
  // 把n作为源点、n+1作为汇点共n+2个顶点的网络
  rep (v, n + 2) G[v].clear();

  int ans = 0;
  for (int i = 0; i < n; i++) {
    if (s[i] < 0) {
      add_edge(n, i, -s[i]);
    }
    else {
      ans += s[i];
      add_edge(i, n + 1, s[i]);
    }

    for (int j = 0; j < n; j++) {
      if (i == j) continue;
      if (sqr(x[i] - x[j]) + sqr(y[i] - y[j]) <= sqr(r[i])) {
        add_edge(j, i, INF);
      }
    }
  }

  ans -= max_flow(n, n + 1);
  printf("%d\n", ans);
}
```

[①] 这一类问题也被叫做最大权闭合图问题。——译者注

练 习 题

3.1　不光是查找值！"二分搜索"

■ 最大化最小值

POJ 3258: River Hopscotch

POJ 3273: Monthly Expense

POJ 3104: Drying

POJ 3045: Cow Acrobats

■ 最大化平均值

POJ 2976: Dropping tests

POJ 3111: K Best

■ 查找第k大的值

POJ 3579: Median

POJ 3685: Matrix

■ 最小化第k大的值

POJ 2010: Moo University - Financial Aid

POJ 3662: Telephone Lines

■ 其他

POJ 1759: Garland

POJ 3484: Showstopper

3.2　常用技巧精选（一）

■ 尺取法

POJ 2566: Bound Found

POJ 2739: Sum of Consecutive Prime Numbers

POJ 2100: Graveyard Design

■ 反转

POJ 3185: The Water Bowls

POJ 1222: Extended Lights Out

■ 弹性碰撞

POJ 2674: Linear world

■ 折半枚举

POJ 3977: Subset

POJ 2549: Sumsets

■ 坐标离散化

AOJ 0531: Paint Color

3.3　活用各种数据结构

■ Binary Indexed Tree

POJ 1990: MooFest

POJ 3109: Inner Vertices

POJ 2155: Matrix

POJ 2886: Who Gets the Most Candies?

■ 线段树和平方分割

POJ 3264: Balanced Lineup

POJ 3368: Frequent values

POJ 3470: Walls

POJ 1201: Intervals

UVa 11990: "Dynamic" Inversion

3.4　熟练掌握动态规划

■ 状态压缩DP

POJ 2441: Arrange the Bulls

POJ 3254: Corn Fields

POJ 2836: Rectangular Covering

POJ 1795: DNA Laboratory

POJ 3411: Paid Roads

■ 矩阵的幂

POJ 3420: Quad Tiling

POJ 3735: Training little cats

■ 利用数据结构高效求解

POJ 3171: Cleaning Shifts

3.5　借助水流解决问题的网络流

■ 最大流与最小割

POJ 3713: Transferring Sylla

POJ 2987: Firing

POJ 2914: Minimum Cut

POJ 3155: Hard Life

■ 二分图匹配

POJ 1274: The Perfect Stall

POJ 2112: Optimal Milking

POJ 1486: Sorting Slides

POJ 1466: Girls and Boys

POJ 3692: Kindergarten

POJ 2724: Purifying Machine

POJ 2226: Muddy Fields

AOJ 2251: Merry Christmas

■ 最小费用流

POJ 3068: "Shortest" pair of paths

POJ 2195: Going Home

POJ 3422: Kaka's Matrix Travels

（续）

练 习 题

AOJ 2266: Cache Strategy

AOJ 2230: How to Create a Good Game

3.6 与平面和空间打交道的计算几何

■ 极限情况

POJ 1981: Circle and Points

POJ 1418: Viva Confetti

AOJ 2201: Immortal Jewels

■ 平面扫描

POJ 3168: Barn Expansion

POJ 3293: Rectilinear polygon

POJ 2482: Stars in Your Window

■ 凸包

POJ 1113: Wall

POJ 1912: A highway and the seven dwarfs

POJ 3608: Bridge Across Islands

POJ 2079: Triangle

POJ 3246: Game

POJ 3689: Equations

■ 数值积分

AOJ 2256: Divide the Cake

AOJ 2215: Three Silhouettes

第 4 章
登峰造极——高级篇

4.1 更加复杂的数学问题

➡ 在本节中，我们将对在2.6节中介绍的算法进行拓展，以解决更加复杂的问题。例如线性方程组、线性同余方程等的求解。此外，还会介绍在计数问题中十分有用的容斥原理。

4.1.1 矩阵

1. 线性方程组

求解线性方程组比较容易，在程序设计竞赛中也经常出现这一类问题。接下来要介绍的，是其中一种未知数个数和方程个数相等，并且有唯一解的较为简单的情况。首先，我们试着求解下面的例题。通过手算求解一些方程，可以更好的理解接下来要介绍的算法。

$$x - 2y + 3z = 6 ....(1)$$
$$4x - 5y + 6z = 12 ....(2)$$
$$7x - 8y + 10z = 21 ..(3)$$

我们希望把这个方程组最终变为这样的形式

$$x + 0y + 0z = a$$
$$0x + y + 0z = b$$
$$0x + 0y + z = c$$

因此从(2)中减去对(1)的两边同时乘以4得到的式子，从(3)中减去对(1)的两边同时乘以7得到的式子。这样除了(1)之外的式子里的未知数x就都被消去了。用同样的方法，我们可以得到唯一含有y的式子和唯一含有z的式子。

$$x - 2y + 3z = 6$$
$$3y - 6z = -12 ....(2')$$
$$6y - 11z = -21 ....(3')$$

目标是只使(2')中含有未知数y，消去其他方程中的y。首先把(2')的两边同时除以3。

$$x - 2y + 3z = 6$$
$$y - 2z = -4 ....(2'')$$
$$6y - 11z = -21$$

从(1)中减去对(2")的两边同时乘以−2得到的式子，从(3')中减去对(2")的两边同时乘以6得到的式子。

$$x - z = -2................(1')$$
$$y - 2z = -4$$
$$z = 3......................(3")$$

从(1')中减去对(3")的两边同时乘以−1得到的式子，从(2")中减去对(3")的两边同时乘以−2得到的式子，就可以求得解($x=1, y=2, z=3$)。即使未知数和式子的数量增加了，也可以用完全一样的方法求解。求解的过程中，在消去某个未知数时，打算保留该未知数的式子的对应未知数系数可能是0，在这种情况下，只需要调整方程的顺序，使得对应的系数不为0就可以了（另外，为了减小误差，应该选择要消去的未知数系数的绝对值尽可能大的方程[①]）。

```cpp
const double EPS = 1E-8;
typedef vector<double> vec;
typedef vector<vec> mat;

// 求解Ax=b，其中A是方阵
// 当方程组无解或者有无穷多解时，返回一个长度为0的数组
vec gauss_jordan(const mat& A, const vec& b) {
  int n = A.size();
  mat B(n, vec(n + 1));
  for (int i = 0; i < n; i++)
    for (int j = 0; j < n; j++) B[i][j] = A[i][j];
  // 把b存放在A的右边方便一起处理
  for (int i = 0; i < n; i++) B[i][n] = b[i];

  for (int i = 0; i < n; i++) {
    // 把正在处理的未知数系数的绝对值最大的式子换到第i行
    int pivot = i;
    for (int j = i; j < n; j++) {
      if (abs(B[j][i]) > abs(B[pivot][i])) pivot = j;
    }
    swap(B[i], B[pivot]);

    // 无解或者有无穷多解
    if (abs(B[i][i]) < EPS) return vec();

    // 把正在处理的未知数的系数变为1
    for (int j = i + 1; j <= n; j++) B[i][j] /= B[i][i];
    for (int j = 0; j < n; j++) {
      if (i != j) {
        // 从第j个式子中消去第i个未知数
        for (int k = i + 1; k <= n; k++) B[j][k] -= B[j][i] * B[i][k];
      }
    }
  }
```

[①] 该方法被称为列主元高斯消元法，相应的还有更为数值稳定的全主元高斯消元法。——译者注。

```
  vec x(n);
  //  存放在右边的b就是答案
  for (int i = 0; i < n; i++) x[i] = B[i][n];
  return x;
}
```

这个算法被称作高斯消元法，复杂度为$O(n^3)$（其中n为方程数）。

对算法进行少许修改之后，就可以处理方程数和未知数的数量不相等或者解不唯一的情况，我们暂不在此介绍。仔细分析算的每一个步骤，也很容易求得行列式的值以及矩阵的秩。具体的方法可以参见讲解线性代数的书。

2. 期望值和方程组

Random Walk

有一个 $N \times M$ 大小的格子。从(0,0)出发，每一步朝着上下左右 4 个格子中可以移动的格子等概率移动。另外有一些格子中有石头，因此无法移至这些格子。求第一次到达$(N-1, M-1)$格子的期望步数。题目假定至少存在一条从(0,0)出发到$(N-1, M-1)$的路径。

⚠️ **限制条件**
- $2 \leqslant N, M \leqslant 10$

样例 1

输入

N = 10, M = 10（格子如下图所示。'#'和'.'分别表示石头和可以移动到的格子。）

```
..######.#
......#..#
.#.##.##.#
.#.......
##.##.####
....#....#
.#######.#
.....#....
.####.####
....#.....
```

输出

1678.00000000

输入

```
N = 10, M = 10

..........
..........
..........
..........
..........
..........
..........
..........
..........
..........
```

输出

```
542.10052168
```

样例 3

输入

```
N = 3, M = 10

.#...#...#
.#.#.#.#.#
...#...#..
```

输出

```
361.00000000
```

设$E(x,y)$表示从(x,y)出发，到终点的期望步数。我们先考虑从(x,y)向上下左右4个方向都可以移动的情况。由于向4个方向的移动都是等概率的，因此可以在$E(x,y)$和$E(x+dx,y+dy)(|dx|+|dy|=1)$之间建立起如下关系。

$$E(x,y)=\frac{1}{4}E(x-1,y)+\frac{1}{4}E(x+1,y)+\frac{1}{4}E(x,y-1)+\frac{1}{4}E(x,y+1)+1$$

如果移动不是等概率的，只需要把1/4改成相应的数值就可以了。

如果存在不能移动的方向，我们也可以列出类似的式子。此外，当$(x,y)=(N-1,M-1)$时，我们有$E(N-1,M-1)=0$。为了使方程有唯一解，我们令有石头的格子和无法到达终点的格子都有$E(x,y)=0$。把得到的方程联立，就可以求解期望步数了。

```
// 输入
char grid[MAX_N][MAX_M + 1];
int N, M;

bool can_goal[MAX_N][MAX_M];  // can_goal[x][y]为true的话，(x,y)可以到达终点
int dx[4] = {-1, 1, 0, 0}, dy[4] = {0, 0, -1, 1};

// 搜索可以达到终点的点
void dfs(int x, int y) {
  can_goal[x][y] = true;
  for (int i = 0; i < 4; i++) {
    int nx = x + dx[i], ny = y + dy[i];
    if (0 <= nx && nx < N && 0 <= ny && ny < M && !can_goal[nx][ny] &&
        grid[nx][ny] != '#') {
      dfs(nx, ny);
    }
  }
}

void solve() {
  mat A(N * M, vec(N * M, 0));
  vec b(N * M, 0);
  for (int x = 0; x < N; x++) {
    for (int y = 0; y < M; y++) {
      can_goal[x][y] = false;
    }
  }
  dfs(N - 1, M - 1);

  // 构建矩阵
  for (int x = 0; x < N; x++) {
    for (int y = 0; y < M; y++) {

      // 到达终点，或者是(x,y)无法到达终点的情况
      if (x == N - 1 && y == M - 1 || !can_goal[x][y]) {
        A[x * M + y][x * M + y] = 1;
        continue;
      }

      // 其余情况
      int move = 0;
      for (int k = 0; k < 4; k++) {
        int nx = x + dx[k], ny = y + dy[k];
        if (0 <= nx && nx < N && 0 <= ny && ny < M && grid[nx][ny] == '.') {
          A[x * M + y][nx * M + ny] = -1;
          move++;
        }
      }
      b[x * M + y] = A[x * M + y][x * M + y] = move;
    }
  }
  vec res = gauss_jordan(A, b);
  printf("%.8f\n", res[0]);
}
```

4.1.2　模运算的世界

1. 逆元

接下来，我们来学习如何求解线性同余方程。让我们考虑如何求解线性方程$ax \equiv b \pmod{m}$。对于实数运算下的方程$ax=b$，由于a存在倒数，因此很容易求解。如果在$\bmod m$的运算下，也有像满足$ay \equiv 1 \pmod{m}$这样的a的倒数一样的数存在，方程就可以求解了。我们把这样的y叫做a的逆元，记作a^{-1}。如果能求解逆元，那么就有$x=a^{-1} \times xa = a^{-1} \times b$，也就可以求出$x$了。由于方程$ax \equiv 1 \pmod{m}$等价于存在整数$k$使得$ax=1+mk$，因此稍作变形之后，可以变为求解满足$ax-mk=1$的$x$的问题。这个问题可以使用extgcd求解。同时，也可以知道如果$\gcd(a,m) \mathrel{!}= 1$，那么逆元是不存在的。

```
int mod_inverse(int a, int m) {
    int x, y;
    extgcd(a, m, x, y);
    return (m + x % m) % m;
}
```

如果a和m不互素，那么$ax \equiv b \pmod{m}$就等价于

$$(a/\gcd(a,m))x \equiv b/\gcd(a,m) \pmod{m/\gcd(a,m)}$$

从式子中可以看出，当b无法整除$\gcd(a,m)$时，原方程无解。在有解的情况下，我们有

$$x \equiv (a/\gcd(a,m))^{-1} \times (b/\gcd(a,m)) \pmod{m/\gcd(a,m)}$$

因此，$ax \equiv b \pmod{m}$的解为

$$x \equiv (a/\gcd(a,m))^{-1} \times (b/\gcd(a,m)) + (m/\gcd(a,m)) \times k \pmod{m} \ (0 \leqslant k < \gcd(a,m))$$

需要注意的是这里和实数的情况有所不同，有可能有多解，也有可能无解。

2. 费马小定理

在p是素数的情况下，对任意整数x都有$x^p \equiv x \pmod{p}$。这个定理被称作费马小定理。其中如果x无法被p整除，我们有$x^{p-1} \equiv 1 \pmod{p}$。利用这条性质，在$p$是素数的情况下，就很容易求出一个数的逆元。把上面的式子变形之后得到$a^{-1} \equiv a^{p-2} \pmod{p}$，因此可以通过快速幂运算求出逆元。

在不是素数的情况下，我们也有类似的欧拉定理可以使用。假设$m = p_1^{e_1} p_2^{e_2} ... p_n^{e_n}$，那么$m$的欧拉函数$\varphi(m)$的定义如下

$$\varphi(m) = m \times \Pi (p_i - 1)/p_i　（\Pi 为连乘符号）$$

欧拉函数的值等于不超过m并且和m互素的数的个数。此时对于和m互素的x，有$x^{\varphi(m)} \equiv 1 \pmod{m}$

成立[1]。在m是素数时，根据定义$\varphi(m)=m-1$，因此欧拉定理也可以看作是费马小定理的推广。

因为n的整数分解可以在$O(\sqrt{n})$时间内完成，所以对于某一个n的欧拉函数也可以在$O(\sqrt{n})$时间内求得。另外，我们可以利用埃氏筛法，每次发现质因子时就把它的倍数的欧拉函数乘上$(p-1)/p$，这样就可以一次性求出1~n的欧拉函数值的表了。

```
// 求欧拉函数值。O(√n)
int euler_phi(int n) {
  int res = n;
  for (int i = 2; i * i <= n; i++) {
    if (n % i == 0) {
      res = res / i * (i - 1);
      for (; n % i == 0; n /= i) ;
    }
  }
  if (n != 1) res = res / n * (n - 1);
  return res;
}

int euler[MAX_N];

// O(MAX_N)时间筛出欧拉函数值的表
void euler_phi2() {
  for (int i = 0; i < MAX_N; i++) euler[i] = i;
  for (int i = 2; i < MAX_N; i++) {
    if (euler[i] == i) {
      for (int j = i; j < MAX_N; j += i) euler[j] = euler[j] / i * (i - 1);
    }
  }
}
```

3. 线性同余方程组

下面给大家介绍一下如何求解由多条线性同余方程联立得到的线性同余方程组。用数学化的符号表示就是求解$a_i \times x \equiv b_i \pmod{m_i}$ $(1 \leqslant i \leqslant n)$这样的方程组。如果方程组有解，那么一定有无穷多解，而且解的全集一定可以写成$x \equiv b \pmod{m}$的形式，因此问题就转化为求解b和m。如果我们能求解方程组$x \equiv b_1 \pmod{m_1}$，$a \times x \equiv b_2 \pmod{m_2}$，那么只要对方程逐个求解，对于任意有限的$n$我们就都可以求出答案了。

因为$x \equiv b_1 \pmod{m_1}$，所以可以把x写成$x = b_1 + m_1 \times t$的形式。把它代入第二条式子，可以得到

$$a(b_1 + m_1 \times t) \equiv b_2 \pmod{m_2}$$

移项整理后得到

$$a \times m_1 \times t \equiv b_2 - a \times b_1 \pmod{m_2}$$

---

[1] 当x和m不互素时，则有，存在一个$h(x)$，对任意$y \geqslant h(x)$均有$x^{y+\varphi(m)} \equiv x^y \pmod{m}$成立。

由于这只是一个一次同余方程,因此很容易求解。当$\gcd(m_2, a \times m_1)$无法整除$b_2 - a \times b_1$时原方程组无解。

```
// 返回一个(b, m)的数对
pair<int, int> linear_congruence(const vector<int>& A, const vector<int>& B,
                                 const vector<int>& M) {
  // 由于最开始没有任何限制,所以先把解设为表示所有整数的x≡0 (mod 1)
  int x = 0, m = 1;

  for (int i = 0; i < A.size(); i++) {
    int a = A[i] * m, b = B[i] - A[i] * x, d = gcd(M[i], a);
    if (b % d != 0) return make_pair(0, -1); // 无解
    int t = b / d * mod_inverse(a / d, M[i] / d) % (M[i] / d);
    x = x + m * t;
    m *= M[i] / d;
  }
  return make_pair(x % m, m);
}
```

4. 中国剩余定理

我们假设同余方程组里所有的a_i都等于1,并且所有的m_i都互素。这样,答案就一定是$x \equiv b \pmod{\prod m_i}$。反之,对于一个合数$n$,我们假设有$n=ab$(其中$a$和$b$互素)。那么如果$x \bmod n$的值确定,$x \bmod a$和$x \bmod b$的值就都确定了。也就是说,我们有$(x \bmod n) \Leftrightarrow (x \bmod a, x \bmod b)$这样一组对应关系。

换句话说,以合数n为模数来考虑与以a和b为模数来考虑是等价的。这个定理叫做中国剩余定理。通过对n进行分解,对于模合数的情况只需要考虑模p^k(p为素数)的情况就可以了。其中,如果n不能被任何一个完全平方数整除[①],那么问题就可以转化为模数为素数的情况,从而变得容易求解。中国剩余定理不是一个算法,而是可以看成在思考算法时的一个提示

例:$f(x) \equiv 0 \pmod{n} \Leftrightarrow f(x) \equiv 0 \pmod{p^k} \ (p^k | n)$

5. n!(n的阶乘)

在计数问题中,经常需要用到$n!$。在学完前面介绍的内容之后,有必要了解$n!$在$\bmod p$下的一些性质。下面我们假设p是素数,$n! = a p^e$(a无法被p整除),并试图求解$a \bmod p$和e。e是$n!$能够迭代整除p的次数,因此可以使用下面的式子进行计算。

$$n/p + n/p^2 + n/p^3 + \cdots$$

这个结论很显然,因为n/d和不超过n的能被d整除的正整数的个数相等。由于只需要对于$p^t \leq n$的t进行计算,因此复杂度是$O(\log_p n)$。

接下来计算$a \bmod p$。首先计算$n! = 1 \times 2 \times \cdots \times n$的因数中不能被$p$整除的项的积。假设$n=10, p=3$,则

[①] 这样的数叫做Square-free number。——译者注

$$n! = 1 \times 2 \times 4 \times 5 \times 7 \times 8 \times 10 \times (3 \times 6 \times 9)$$

$$1 \times 2 \times 4 \times 5 \times 7 \times 8 \times 10 \equiv 1 \times 2 \times 1 \times 2 \times 1 \times 2 \times 1 \ (\mathrm{mod}\ p)$$

从这个例子中可以看出，不能被p整除的项在$\mathrm{mod}\ p$下呈周期性。因此，不能被p整除的项的积等于$(p-1)!^{(n/p)} \times (n \ \mathrm{mod}\ p)!$。事实上，根据威尔逊定理，我们有$(p-1)! \equiv -1$。因为除了1和$p-1$之外其余的项都可以和各自的逆元相乘得到1。

接下来，计算可以被p整除的项的积。可以被p整除的项有$p, 2p, 3p, \cdots, (n/p)p$。把这些项分别除以$p$之后得到$1, 2, 3, \cdots, n/p$。因此，问题的范围就由$n$缩小到了$n/p$。如果预处理出$0 \leqslant n < p$范围中$n! \ \mathrm{mod}\ p$的表，就可以在$O(\log_p n)$时间内算出答案。如果不预处理，那么复杂度是$O(p \log_p n)$。

```
int fact[MAX_P]; // 预处理的n! mod p的表。O(p)。

// 分解n!≡a p^e，返回a mod p。O(log_p n)。
int mod_fact(int n, int p, int& e) {
  e = 0;
  if (n == 0) return 1;

  // 计算p的倍数的部分
  int res = mod_fact(n / p, p, e);
  e += n / p;

  // 由于(p-1)!≡-1，因此(p-1)!^(n/p)只需要知道n/p的奇偶性就可以计算了。
  if (n / p % 2 != 0) return res * (p - fact[n % p]) % p;
  return res * fact[n % p] % p;
}
```

6. $C_n^k \ \mathrm{mod}\ p$

了解了$n!$在$\mathrm{mod}\ p$下的性质之后，$C_n^k \ \mathrm{mod}\ p$也就可以计算了。首先，把C_n^k写成$n!$的积的形式。

$$C_n^k = \frac{n!}{k!(n-k)!}$$

设$n! = a_1 p_1^{e_1}, k! = a_2 p_2^{e_2}, (n-k)! = a_3 p_3^{e_3}$。从式子中可以看出，当$e_1 > e_2 + e_3$时，$C_n^k$可以被$p$整除，$e_1 = e_2 + e_3$时无法被$p$整除。在无法整除的情况下，$C_n^k \equiv a_1 (a_2 \, a_3)^{-1}$。

```
// 求nC_k mod p。O(log_p n)。
int mod_comb(int n, int k, int p) {
  if (n < 0 || k < 0 || n < k) return 0;
  int e1, e2, e3;
  int a1 = mod_fact(n, p, e1), a2 = mod_fact(k, p, e2), a3 = mod_fact(n - k, p, e3);
  if (e1 > e2 + e3) return 0;
  return a1 * mod_inverse(a2 * a3 % p, p) % p;
}
```

另外，如果把 C_n^k 画成杨辉三角形的样子，会发现得到的图形具有自相似的性质。也可以根据这个性质求出 C_n^k。设 $n=\Sigma n_i p^i$，$k=\Sigma k_i p^i$（表示成 p 进制），则 $C_n^k \equiv \Pi_{n_i} C_{k_i} (\bmod\ p)$。[①]

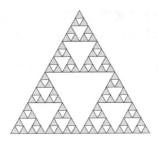

mod 2的情况（白色三角形表示0，黑色三角形表示1）

4.1.3 计数

1. 容斥原理

容斥原理

给定 $a_1, a_2, \cdots, a_m$，求 1 到 n 的整数中至少能整除 a 中一个元素的数有几个？

⚠️**限制条件**
- $1 \leqslant n \leqslant 10^9$
- $1 \leqslant m \leqslant 15$

样例1

输入

```
n = 100, m = 2
a = {2, 3}
```

输出

67（2的倍数有50个，3的倍数有33个，6的倍数有16个，因此50+33-16=37个）

样例2

输入

```
n = 100, m = 3
a = {2, 3, 7}
```

---

① 这个定理被称作Lucas定理。——译者注

输出

72

如果对于1到n中的每个数都判断是否满足条件，那么复杂度是$O(n×m)$，无法在时间限制之内得出答案。由于m的范围比较小，我们可以试着对这一条件加以利用。

首先我们考虑一下$m=1$的情况。此时，答案是n/a_1，因此很容易求解。当$m=2$时，如果直接计算$n/a_1+n/a_2$，就会发现$\mathrm{lcm}(a_1,a_2)$的倍数被计算了2遍，因此减掉重复计算的部分就得到了$n/a_1+n/a_2-n/\mathrm{lcm}(a_1,a_2)$。依次类推，就可以发现对于一般情况的计算方法。

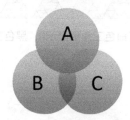

文氏图

下面我们就来试着写出一般情况的计算公式。假设$A_i(1\leqslant i\leqslant m)$是$X$的一些子集，我们要求$|\cup A_i|$。例如在上面的问题里，就可以看成$A_i=\{n|n$可以整除$a_i\}$。此时，有如下等式成立。

$$\left|\bigcup A_i\right|=\sum_{1\leqslant i\leqslant m}|A_i|-\sum_{1\leqslant i<j\leqslant m}|A_i\cap A_j|+\sum_{1\leqslant i<j<k\leqslant m}|A_i\cap A_j\cap A_k|-\cdots+(-1)^{m+1}\sum|A_1\cap A_2\cap\cdots\cap A_m|$$

这个式子被称作容斥原理。一般在集合的个数m比较小，并且$|A_i\cap A_j\cap\cdots\cap A_k|$这些项容易计算时适合使用容斥原理。假设计算一个$|A_i\cap A_j\cap\cdots\cap A_k|$需要花费$O(f)$的时间，那么总共就需要花费$O(2^m f)$的时间。不过，这是最坏情况下的花费。如果满足一些特殊性质，那么可能并不需要枚举所有的2^m种情况，或者可以使用DP来计算。

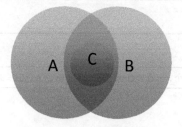

特殊情况下的文氏图

```
typedef long long ll;

int a[MAX_M];
int n, m;
void solve() {
```

```
ll res = 0;
for (int i = 1; i < (1 << m); i++) {
  int num = 0;
  for (int j = i; j != 0; j >>= 1) num += j & 1;  // i的二进制表示中1的数量
  ll lcm = 1;
  for (int j = 0; j < m; j++) {
    if (i >> j & 1) {
      lcm = lcm / gcd(lcm, a[j]) * a[j];
      // 如果lcm大于n，则n/lcm=0。因此在溢出之前break。
      if(lcm > n) break;
    }
  }
  if (num % 2 == 0) res -= n / lcm;
  else res += n / lcm;
}
printf("%d\n", res);
}
```

2. 莫比乌斯函数

请思考下面的问题。

没有周期性的字符串的计数

求所有由 a~z 组成的（不一定要使用所有字母）长度为 n 的字符串中，没有周期性的字符串的个数。如果一个长度为 n 的字符串可以通过一个长度为 m<n 的字符串重复 n/m 次后得到，我们就称它具有周期性。

⚠️**限制条件**
- $2 \leqslant n \leqslant 10^9$

样例 1

输入

n = 2

输出

650（满足条件的是像aa和bb这样相同字母连续的字符串之外的其他字符串，因此有26*25=650种）

样例 2

输入

n = 4

输出

5895（从26^4种可能中除去abab形式的字符串之后，aaaa形式的字符串也被除去了，因此共有$26^4-26^2=456300$种）

输入

n = 15315300

输出

334

我们定义一个字符串的最小循环节的长度为这个字符串的周期。例如：abab的循环节是ab，周期是2，abcabcabcabc的循环节是abc，周期是3。为了记述方便，我们令X^m表示把X重复m次之后拼接得到的字符串（例如：$(ab)^2=abab$）。假设d是n的一个约数，下面我们试着统计满足题目条件的周期为d的约数的字符串的个数。显然，把任意长度为d的字符串作为X代入$X^{(n/d)}$中得到的字符串的周期一定是d的约数，所以周期为d的约数的字符串共有26^d个。

由于我们要求的是周期恰好为n的字符串的个数，因此貌似可以使用容斥原理求解。但是当我们试着使用容斥原理求解时就会发现，约数的个数虽然不算多，但是也可能达到100个或者200个，如果直接套用容斥原理的话无法在规定时间内得出答案。

可以发现周期为d的约数的字符串组成的集合和周期为e的约数的字符串组成的集合的交集是周期为gcd(d,e)的约数的字符串组成的集合。根据这个性质，在容斥原理中加上或者减去的2^m个集合对应的项中，只有n的约数个数种不同。所以，只需要对每个集合分别计算加了多少次和减了多少次，就可以在O(约数个数)时间内算出答案。

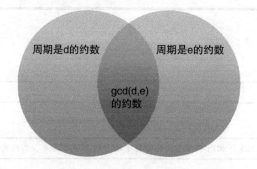

包含关系

可以知道d是n的约数时，被加减了多次的总和（26^d的系数）只和n/d相关，而与n无关。求这个系数的函数叫做莫比乌斯函数，记作$\mu(n/d)$。莫比乌斯函数满足下面的关系式。这个式子被叫做莫比乌斯反演公式。

$$f(n) = \sum_{d|n} g(d) \Leftrightarrow g(n) = \sum_{d|n} \mu(\frac{n}{d}) f(d)$$

在这个问题中，$f(d)$是周期为d的约数的字符串的个数，$g(d)$是周期恰好为d的字符串的个数。由于$f(d)$已经可以高效地求出了，因此就可以用右边的式子算出$g(n)$。莫比乌斯函数可以通过如下方法计算得到。

- 若n可以被除1以外的完全平方数整除，$\mu(n)=0$。
- 否则设n的质因数的个数为k，$\mu(n)=(-1)^k$。

例如因为1的质因数的个数是0，所以$\mu(1)=1$，$30=2\times3\times5$共有3个质因数，所以$\mu(30)=-1$，$12=4\times3$可以被完全平方数整除，所以$\mu(12)=0$。由于整数分解可以在$O(\sqrt{n})$时间内完成，所以$\mu(n)$也就可以在$O(\sqrt{n})$时间内计算出来。另外，如果使用埃氏筛法，可以在$O(n)$时间内求出$1\sim n$所有的μ的值。

在本题中，由于n很大，所以无法预处理出一个$1\sim n$的表。对于所有的约数d计算$\mu(d)$只需要花费$O(约数的个数 \times \sqrt{n})$的时间，可以在规定时间内出解（$n\leq10^9$的约数个数的最大值是800左右）。不过，由于计算出了n的整数分解，对于n的所有约数d的$\mu(d)$的值也就可以很容易地计算出来，因此实际上只需要$O(\sqrt{n})$时间就可以了。假如$n=60=4\times3\times5$的话，就可以按照如下方法计算。

$\mu(1)=\mu(2\times3)=\mu(2\times5)=(3\times5)=1$

$\mu(2)=\mu(3)=\mu(5)=\mu(2\times3\times5)=-1$

其他为0

```
// 把n的约数的莫比乌斯函数值用map的形式返回。O( √n )
map<int, int> moebius(int n) {
  map<int, int> res;
  vector<int> primes;

  // 枚举n的质因数
  for (int i = 2; i * i <= n; i++) {
    if (n % i == 0) {
      primes.push_back(i);
      while (n % i == 0) n /= i;
    }
  }
  if (n != 1) primes.push_back(n);

  int m = primes.size();
  for (int i = 0; i < (1 << m); i++) { // 虽然要执行2ᵐ次，但是这不超过n的约数个数
    int mu = 1, d = 1;
    for (int j = 0; j < m; j++) {
      if (i >> j & 1) {
        mu *= -1;
        d *= primes[j];
```

```
        }
      }
      res[d] = mu;
    }
    return res;
}

const int MOD = 10009;

// 输入
int n;

void solve() {
    int res = 0;
    map<int, int> mu = moebius(n);
    for (map<int, int>::iterator it = mu.begin(); it != mu.end(); ++it) {
        res += it->second * mod_pow(26, n / it->first, MOD); // μ(d)*26^{n/d}
        res = (res % MOD + MOD) % MOD;
    }
    printf("%d\n", res);
}
```

4.1.4   具有对称性的计数

Pólya计数定理

在组合问题中，有时要求把旋转和翻转之后相同的状态看成本质相同的状态，并要求计算本质不同的状态个数。能够在这一类问题中发挥作用的就是Pólya计数定理。

让我们先来看一个简单的问题。用k种颜色给一个2×2的格子染色一共有多少种方法？旋转之后相同的染色方案看作同一种。

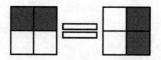

我们把旋转分成0度、90度、180度、270度四种情况分别计算。

(1) 旋转0度之后不变的染色方案有k^4种。

(2) 旋转90度之后不变的染色方案是所有格子都染相同颜色，共k种。

(3) 旋转180度之后不变的染色方案是对角线的格子染相同颜色，共k^2种。

(4) 旋转270度之后不变的染色方案是所有格子都染相同颜色，共k种。

实际上，取这4个值的平均值$(k^4+k^2+2×k)/4$就是答案了。

让我们思考一下为什么可以这样计算。下图中(a)形式的染色方案在(1)中被重复计算了4次。(b)形式的染色方案在(1)中计算了2次，在(3)中计算了2次，共被重复计算了4次。(c)形式的染色方案在(1)中计算了1次，(2)中计算了1次，(3)中计算了1次，(4)中计算了1次，共被重复计算了4次。这三种情况都被重复计算了4次，因此除以4就是最后答案了。

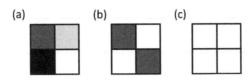

和容斥原理不同，这里先把所有方案重复计算了相同的次数，然后再把结果除以重复的次数。像这样的计数方法，被称作Pólya计数定理。

下面我们试着解决一些更复杂的问题。

石头染色方案计数问题

有 n 块石头排成一圈。现在要用 m 种颜色染这 n 块石头，问一共有多少种不同的染色方案。旋转之后相同的方案视作同一种。输出方案数 mod 1000000007 之后的结果。

⚠️**限制条件**
- $1 \leq n \leq 10^9$
- $1 \leq m \leq 10^9$

样例 1

输入

```
n = 2
m = 10
```

输出

55（2块石头染不同颜色的方案有10×9/2=45种，染相同颜色的方案有10种，共55种）

样例 2

输入

```
n = 4
m = 10
```

输出

2530（之前的问题的k=10的情况）

样例 3

输入

```
n = 4
m = 2
```

输出

```
6
```

样例 4

输入

```
n = 1000000000
m = 1000000000
```

输出

```
898487047
```

$n=4$的情况我们已经解决了。下面我们试着用同样的方法求解这个问题。首先考虑旋转的种类。显然，共有旋转0个位置、旋转1个位置、旋转2个位置……旋转$n-1$个位置等n种转法。

下面我们计算旋转k个位置之后和原来相同的染色方案的个数。首先我们按照顺时针顺序从0到$n-1$给石头编号。由于旋转k个位置之后和原来相同，所以第i个石头和第$(i+k)$ mod n个石头的颜色相同。这么递推下去可以知道第i个石头和第$(i+k\times t)$ mod n个石头的颜色相同。求解$k\times t=0$ (mod n)的最小的t。很显然，$t=n/\gcd(k,n)$满足条件，并且是最小的。

颜色一定和第i个石头相同的石头，可以像下面这样不断旋转来枚举得到

$i\rightarrow(i+k)$ mod $n\rightarrow(i+2k)$ mod $n\rightarrow\cdots\rightarrow i$

颜色一定和第i个石头相同的石头的集合叫做i的轨迹。很显然，i的轨迹和$(i+k)$ mod n的轨迹是完全相同的。我们可以把n个石头划分为若干条互不相交的轨迹。而旋转之后和原来相同的染色方案就是将每一条轨迹里所有的石头都染同一种颜色。因此，只要知道轨迹的个数，就可以算出有多少种染色方案旋转之后和原来相同了。

接下来，我们求解旋转k个位置情况下的个数。每一个轨迹中石头的个数是$t=n/\gcd(k,n)$。由于在本题中不同轨迹中的石头的个数相同，所以轨迹的个数就是$n/t=\gcd(k,n)$。因此，旋转k个位置之后和原来相同的染色方案数就是$m^{\gcd(k,n)}$。

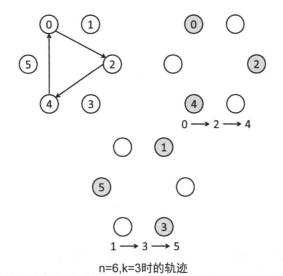

$$0 \longrightarrow 2 \longrightarrow 4$$

$$1 \longrightarrow 3 \longrightarrow 5$$

n=6,k=3时的轨迹

计算最后答案可以不断枚举k的值,并把$m^{\gcd(k,n)}$加起来。但是因为$n \leq 10^9$,如果老老实实按照0~n–1的顺序枚举,无法在规定时间内出解。不过,$\gcd(k,n)$只有有限个不同的值,所以可以把相同的值合并在一起计算。

设d是n的约数。我们要统计满足$\gcd(k,n)=d$的$k(0 \leq k < n)$的个数。很显然,k是d的倍数,所以可以把k写做$k=d \times t(0 \leq t < n/d)$。其中$d=\gcd(k,n)=\gcd(d \times t,n)=d \times \gcd(t,n/d)$。因此,$\gcd(t,n/d)=1$,满足条件的$t$的个数就是欧拉函数$\varphi(n/d)$。

把所有的值加起来之后除以n就是答案了。计算的表达式为

$$\frac{1}{n} \sum_{d|n} m^d \varphi(n/d)$$

在计算这个表达式时,需要对n的所有约数d求解欧拉函数$\varphi(d)$。但是,由于d的质因数也是n的质因数,如果事先求出了n的质因数,那么$\varphi(d)$就很容易求出了。n的质因数的个数有$O(\log n)$个,因此计算每个$\varphi(d)$需要$O(\log n)$时间。

```cpp
const int MOD = 1000000007;
typedef long long ll;

// 输入
int n, m;

void solve() {
  map<int, int> primes = prime_factor(n);
  vector<int> divs = divisor(n);
  ll res = 0;
```

```
`   for (int i = 0; i < divs.size(); i++) {

      // 求divs[i]的欧拉函数值
      ll euler = divs[i];
      for (map<int, int>::iterator it = primes.begin(); it != primes.end(); ++it) {
        int p = it->first;
        if (divs[i] % p == 0) euler = euler / p * (p - 1);
      }

      res += euler * mod_pow(m, n / divs[i], MOD) % MOD;
      res %= MOD;
    }

    // 最后除以n
    printf("%lld\n", res * mod_pow(n, MOD - 2, MOD) % MOD);
  }
```

实际上，这个问题也可以使用莫比乌斯函数求解。设$f(d)$为周期恰好为d的染色方案的总数，其中即使旋转后和原来相同也当作不同的方案计算。$f(d)$可以使用“没有周期性的字符串的计数”问题中用过的方法求解。如果再考虑上旋转，$f(d)$中的每一种染色方案都恰好被算了d次。因此，答案就是

$$\sum_{d|n} f(d)/d$$

设$d(n)$表示n的约数的个数，那么这个方法中对于一个d求$f(d)$的复杂度是$O(d(n))$，一共要计算n的约数个数那么多次，所以总的复杂度是$O(d(n)^2 + \sqrt{n})$。而且，把这个式子变形并化简之后，就有

$$\sum_{d|n}\frac{f(d)}{d} = \sum_{d|n}\frac{1}{d}\sum_{e|d}\mu(\frac{d}{e})m^e = \sum_{e|n}m^e\sum_{d|\frac{n}{e}}\frac{\mu(d)}{ed} = \frac{1}{n}\sum_{d|n}m^{\frac{n}{d}}\sum_{e|d}\mu(\frac{d}{e})e = \frac{1}{n}\sum_{d|n}m^{\frac{n}{d}}\varphi(d)$$

这和通过Pólya计数定理得到的结果是完全相同的。

附有把翻转之后得到的方案看作同一方案等条件的问题，以及立方体的染色问题等都可以利用Pólya定理求解。另外，有同样颜色的石头数量有上限限制、相邻的石头不能染成相同的颜色等附加约束的问题也可以求解。

4.2 找出游戏的必胜策略

▉▶本节，我们来讨论一下双人对战游戏中的必胜策略，并介绍Nim游戏和Grundy值[①]等重要概念。

4.2.1 游戏与必胜策略

1. 硬币游戏1

硬币游戏 1

Alice 和 Bob 在玩这样一个游戏。给定 k 个数字 $a_1, a_2, \cdots, a_k$。一开始，有 x 枚硬币，Alice 和 Bob 轮流取硬币。每次所取硬币的枚数一定要在 $a_1, a_2, \cdots, a_k$ 当中。Alice 先取，取走最后一枚硬币的一方获胜。当双方都采取最优策略时，谁会获胜？题目假定 $a_1, a_2, \cdots, a_k$ 中一定有 1。

⚠限制条件
- $1 \leq x \leq 10000$
- $1 \leq k \leq 100$
- $1 \leq a_i \leq x$

样例1

输入

```
x = 9
k = 2
a = {1, 4}
```

输出

```
Alice
```

---

① Grundy值又叫Nim值，国内则更常称为Sprague-Grundy函数。——译者注

样例 2

输入

```
x = 10
k = 2
a = {1, 4}
```

输出

```
Bob
```

下面来考虑当轮到自己时，还有 j 枚硬币时的胜负情况。

■ 题目规定取光所有的硬币就获胜，这等价于轮到自己时如果没有硬币了就失败。因此，$j=0$ 时是必败态。

■ 如果对于某个 $i(1 \leqslant i \leqslant k)$，$j-a_i$ 是必败态的话，j 就是必胜态。（如果当前有 j 枚硬币，只要取走 a_i 枚对手就必败→自己必胜）。

■ 如果对于任意的 $i(1 \leqslant i \leqslant k)$，$j-a_i$ 都是必胜态的话，j 就是必败态。（不论怎么取，对手都必胜→自己必败）。

根据这些规则，我们就能利用动态规划算法按照 j 从小到大的顺序计算必胜态必败态。只要看 x 是必胜态还是必败态，就能知道谁会获胜了。

像这样，通过考虑各个状态的胜负条件，判断必胜态和必败态，是有胜败的游戏的基础。

```
// 输入
int X, K, A[MAX_K];

// 动态规划所用的数组
bool win[MAX_X + 1];

void solve() {
  // 轮到自己时没有硬币了，则失败
  win[0] = false;

  for (int j = 1; j <= X; j++) {
    // 如果可以让对手到达必败态，则必胜
    win[j] = false;
    for (int i = 0; i < K; i++) {
      win[j] |= A[i] <= j && !win[j - A[i]];
    }
  }

  if (win[X]) puts("Alice");
  else puts("Bob");
}
```

2. A Funny Game

A Funny Game （POJ 2484）

n 枚硬币排成一个圈。Alice 和 Bob 轮流从中取一枚或两枚硬币。不过，取两枚时，所取的两枚硬币必须是连续的。硬币取走之后留下空位，相隔空位的硬币视为不连续的。Alice 开始先取，取走最后一枚硬币的一方获胜。当双方都采取最优策略时，谁会获胜？

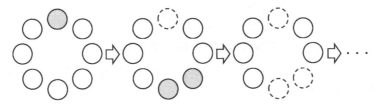

例子

⚠限制条件

• $0 \leqslant n \leqslant 1000000$

样例 1

输入

    n = 1

输出

    Alice

样例 2

输入

    n = 3

输出

    Bob

n 高达1000000，考虑到还有将连续部分分裂成几段等的情况，状态数非常地多，搜索和动态规划法都难以胜任。需要更加巧妙地判断胜败关系。

首先，试想一下如下情况。能够把所有的硬币分成像下图这样的两个完全相同的组的状态，是必胜状态？还是必败状态？

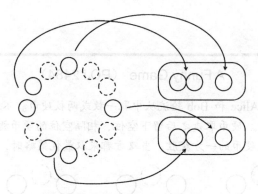

被分成两个相同的组的状态的例子

事实上这是必败态。不论自己采取什么选取策略，对手只要在另一组采取相同的策略，就又回到了分成两个相同的组的状态。

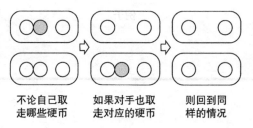

不论自己取   如果对手也取   则回到同
走哪些硬币   走对应的硬币   样的情况

必定能够再次回到同样的情况

不断这样循环下去，总会在某次轮到自己时没有硬币了。也就是说，因为对手取走了最后一枚硬币而败北。

接下来，让我们回到正题。Alice在第一步取走了一枚或两枚硬币之后，原本成圈的硬币就变成了长度为$n-1$或是$n-2$的链。这样只要Bob在中间位置，根据链长的奇偶性，取走一枚或两枚硬币，就可以把所有硬币正好分成了两个长度相同的链。

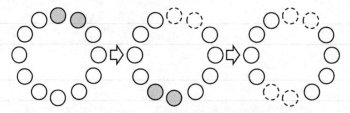

Bob总是能够将硬币分成两个长度相同的链

这正如我们前面所讨论的一样，是必败态。也就是说，Alice必败，而Bob必胜。只不过，当$n \leqslant 2$时，Alice可以在第一步取光，所以胜利的是Alice。在这类游戏当中，作出对称的状态后再完全模仿对手的策略常常是有效的。

```
// 输入
int n;

void solve() {
  if (n <= 2) puts("Alice");
  else puts("Bob");
}
```

3. Euclid's Game

Euclid's Game （POJ 2348）

让我们看一下这个以辗转相除法为基础的游戏。

给定两个整数 a 和 b。Stan 和 Ollie 轮流从较大的数字中减去较小数字的倍数。这里的倍数指的是 1 倍、2 倍等这样的正整数倍，并且相减后的结果不能小于零。Stan 先手，在自己的回合将其中一个数变为零的一方获胜。当双方都采取最优策略时，谁会获胜？

⚠️**限制条件**
- a 和 b 都是正整数（在 32 位有符号整数范围之内）

样例 1

输入

```
a = 34, b = 12
```

输出

```
Stan wins
```

样例 2

输入

```
a = 15, b = 24
```

输出

```
Ollie wins
```

让我们来找找看该问题中必胜态和必败态的规律。首先，如果 $a>b$ 则交换，假设 $a<b$。另外，如果 b 已经是 a 的倍数了则必胜，所以假设 b 并非 a 的倍数。此时，a 和 b 的关系，按自由度的观点，可以分成以下两类。

(1) $b-a<a$的情况

(2) $b-a>a$的情况

对于第一种情况，如果从b中减去a的2倍及以上的数则变为负数，所以只能从b中减去a，没有选择的余地。相对的，对于第二种情况，有从b中减去a，减去$2a$，或更高的倍数等多种选择。

对于第一种情况，要判断必胜还是必败是很简单的。因为没有选择的余地，如果b减去a之后所得到的状态是必败态的话，它就是必胜态，如果得到的是必胜态的话，它就是必败态。

例如，从$(4,7)$这个状态出发就完全没有选择的机会，按照

$$(4, 7) \rightarrow (4, 3) \rightarrow (1, 3)$$

的顺序，轮到$(1,3)$的一方将获胜，所以有

$$(4, 7) \rightarrow (4, 3) \rightarrow (1, 3)$$
  必胜 → 必败 → 必胜

可见$(4,7)$是必胜态。

接下来，我们来看一下第二种情况是必胜态还是必败态。假设x是使得$b-ax<a$的整数，考虑一下从b中减去$a(x-1)$的情况。例如对于$(4,19)$则减去12。

此时，接下来的状态就成了前边讲过的没有选择余地的第一种情况。如果该状态是必败态的话，当前状态就是必胜态。

那么，如果减去$a(x-1)$后的状态是必胜态的话，该如何是好呢？此时，从b中减去ax后的状态是减去$a(x-1)$后的状态唯一可以转移到的状态，根据假设，减去$a(x-1)$后的状态是必胜态，所以该状态是必败态。因此，当前状态是必胜态。

例如对于$(4,17)$，由于从17中减去12得到的$(4,5)$就是必败态，所以只要减去12就能获胜。另一方面，对于$(4,19)$，减去12得到的$(4,7)$是必胜态，因此$(4,3)$就是必败态，只要减去16就能获胜。

由此可知，第二种情况总是必胜的。所以，从初始状态开始，最先达到有自由度的第二种状态的一方必胜。

```
// 输入
int a, b;

void solve() {
  bool f = true;

  for (;;) {
    if (a > b) swap(a, b);
```

```
    // b是a的倍数时必胜
    if (b % a == 0) break;

    // 如果是解说中的第二种情况必胜
    if (b - a > a) break;

    b -= a;
    f = !f;
  }

  if (f) puts("Stan wins");
  else puts("Ollie wins");
}
```

4.2.2 Nim

1. Nim

Nim

有 n 堆石子，每堆各有 a_i 颗石子。Alice 和 Bob 轮流从非空的石子堆中取走至少一颗石子。Alice 先取，取光所有石子的一方获胜。当双方都采取最优策略时，谁会获胜？

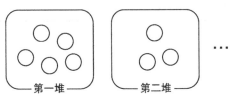

Nim的样子

⚠️**限制条件**

- $1 \leqslant n \leqslant 1000000$
- $1 \leqslant a_i \leqslant 10^9$

样例 1

输入

```
n = 3
a = {1, 2, 4}
```

输出

```
Alice
```

样例 2

输入

```
n = 3
a = {1, 2, 3}
```

输出

```
Bob
```

这个游戏是称为Nim的经典游戏，该游戏的策略也成为了许多游戏的基础。要判断该游戏的胜负只要用异或运算就好了。有以下结论成立。

a_1 XOR a_2 XOR $\cdots$ XOR $a_n \neq 0 \rightarrow$ 必胜态

a_1 XOR a_2 XOR $\cdots$ XOR $a_n = 0 \rightarrow$ 必败态

因此，只要计算异或值，如果非零则Alice必胜，为零则Bob必胜。

让我们来简略地证明一下。首先一旦从XOR为零的状态取走至少一颗石子，XOR就一定会变成非零。因此，可以证实必败态只能转移到必胜态。

接下来，我们来证明必胜态总是能转移到某个必败态。观察XOR的二进制表示最高位的1，选取石子数的二进制表示对应位也为1的某堆石子。只要从中取走使得该位变为0，且其余XOR中的1也反转的数量的石子，XOR就可以变成零。

```
int N, A[MAX_N];

void solve() {
  int x = 0;
  for (int i = 0; i < N; i++) x ^= A[i];

  if (x != 0) puts("Alice");
  else puts("Bob");
}
```

2. Georgia and Bob[①]

Georgia and Bob （POJ 1704）

Georgia 和 Bob 在玩如下游戏。

棋盘的例子

---

① 这里介绍的问题又被称为Staircase Nim。——译者注

如上图所示，排成直线的格子上放有 n 个棋子。棋子 i 在左数第 p_i 个格子上。Georgia 和 Bob 轮流选择一个棋子向左移动。每次可以移动一格及以上任意多格，但是不允许反超其他的棋子，也不允许将两个棋子放在同一个格子内。

无法进行移动操作的一方失败。假设 Georgia 先进行移动，当双方都采取最优策略时，谁会获胜？

⚠️限制条件
- $1 \leqslant n \leqslant 1000$
- $1 \leqslant p_i \leqslant 10000$

样例 1

输入
```
n = 3
p = {1, 2, 3}
```

输出
```
Bob will win
```

样例 2

输入
```
n = 8
p = {1, 5, 6, 7, 9, 12, 14, 17}
```

输出
```
Georgia will win
```

如果将棋子两两成对当作整体考虑，我们就可以把这个游戏转为Nim游戏。先按棋子个数的奇偶分情况讨论。首先，考虑棋子个数为偶数的情况。把棋子从前往后两两组成一对，那么，我们就可以将每对棋子看成Nim中的一堆石子。石子堆中石子的个数等于两个棋子之间的间隔。

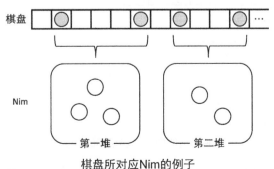

棋盘所对应Nim的例子

让我们想想看为什么能够这样转换。考虑其中的某一对棋子，将右边的棋子向左移动就相当于从Nim的石子堆中取走石子。

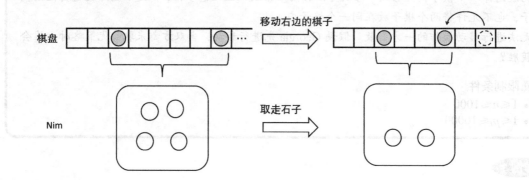

将右边的棋子向左移动的例子

另一方面，将左边的棋子向左移动，石子的数量就增加了。这就与Nim不同了。但是，即便对手增加了石子的数量，只要将所加部分减回去就回到了原来的状态；即便自己增加了石子的数量，只要对手将所加的部分减回去也回到了原来的状态。因此，该游戏的胜负状态和所转移成的Nim的胜负状态是一致的。

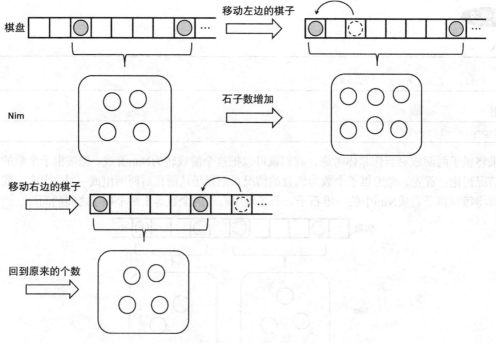

将左边的棋子向左移动的例子

当棋子的个数为奇数时，对最左边的棋子按下图进行特殊处理后，同样可以转成Nim。

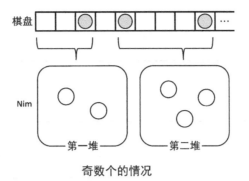

奇数个的情况

```
const int MAX_N = 1000;

int N, P[MAX_N];

void solve() {
  if (N % 2 == 1) P[N++] = 0;
  sort(P, P + N);

  int x = 0;
  for (int i = 0; i + 1 < N; i += 2) {
    x ^= (P[i + 1] - P[i] - 1);
  }

  if (x == 0) puts("Bob will win");
  else puts("Georgia will win");
}
```

4.2.3　Grundy 数

1. 硬币游戏2

硬币游戏 2

Alice 和 Bob 在玩这样一个游戏。给定 k 个数字 $a_1,a_2,\cdots,a_k$。一开始，有 n 堆硬币，每堆各有 x_i 枚硬币。Alice 和 Bob 轮流选出一堆硬币，从中取出一些硬币。每次所取硬币的枚数一定要在 $a_1,a_2,\cdots,a_k$ 当中。Alice 先取，取光硬币的一方获胜。当双方都采取最优策略时，谁会获胜？题目保证 $a_1,a_2,\cdots,a_k$ 中一定有 1。

⚠限制条件
- $1 \leqslant n \leqslant 1000000$
- $1 \leqslant k \leqslant 100$
- $1 \leqslant x_i, a_i \leqslant 10000$

样例 1

输入

```
n = 3
k = 3
a = {1, 3, 4}
x = {5, 6, 7}
```

输出

```
Alice
```

样例 2

输入

```
n = 3
k = 3
a = {1, 3, 4}
x = {5, 6, 8}
```

输出

```
Bob
```

这和本节最初介绍的硬币问题1类似，只不过那道题中只有一堆硬币，而本题中有 n 堆。如果依然用动态规划算法的话，状态数将高达 $O(x_1 \times x_2 \times \cdots \times x_n)$。

在此，为了高效地求解该问题，给大家介绍一下Grundy值这一重要概念。利用它，不光是这个游戏，其他许多游戏都可以转成前面所介绍的Nim。

让我们再来考虑一下只有一堆硬币的情况。硬币枚数 x 所对应的Grundy值的计算方法如下。

```
int grundy(int x) {
  集合 S = {};
  for (j = 1, ..., k) {
    if (a_j <= x)  将grundy(x - a_j)加到S中
  }
  return  最小的不属于S的非负整数
}
```

也就是说，当前状态的Grundy值就是除任意一步所能转移到的状态的Grundy值以外的最小非负整数。这样的Grundy值，和Nim中的一个石子堆类似，有如下性质。

- Nim中有 x 颗石子的石子堆，能够转移成有 $0, 1, \cdots, x-1$ 颗石子的石子堆
- 从Grundy值为 x 的状态出发，可以转移到Grundy值为 $0, 1, \cdots, x-1$ 的状态

只不过，与Nim不同的是，转移后的Grundy值也有可能增加。不过，对手总能够选取合适的策略再转移回相同Grundy值的状态，所以对胜负没有影响[①]。另外，上面的程序是用单纯的递归函数实现的，改成动态规划或记忆化搜索之后，就能够保证求解的复杂度为$O(xk)$。

了解了一堆硬币的Grundy值的计算方法之后，就可以将它看作Nim中的一个石子堆。Nim中我们用如下方法判断胜负。

■ 所有石子堆的石子数x_i的XOR

x_1 XOR x_2 XOR $\cdots$ XOR x_k

为零则必败，否则必胜

Grundy值等价于Nim中的石子数，所以对于Grundy值的情况，有

■ 所有硬币堆的Grundy值的XOR

$grundy(x_1)$ XOR $grundy(x_2)$ XOR $\cdots$ XOR $grundy(x_n)$

为零则必败，否则必胜

不光是这个游戏，在许多游戏中，都可以根据"当前状态的Grundy值等于除任意一步所能转移到的状态的Grundy值以外的最小非负整数"这一性质，来计算Grundy值，再根据XOR来判断胜负。

```
// 输入
int N, K, X[MAX_N], A[MAX_K];

// 利用动态规划计算grundy值的数组
int grundy[MAX_X + 1];

void solve() {
  // 轮到自己时剩0枚则必败
  grundy[0] = 0;

  // 计算grundy值
  int max_x = *max_element(X, X + N);
  for (int j = 1; j <= max_x; j++) {
    set<int> s;
    for (int i = 0; i < K; i++) {
      if (A[i] <= j) s.insert(grundy[j - A[i]]);
    }

    int g = 0;
    while (s.count(g) != 0) g++;
    grundy[j] = g;
  }
```

---

① 但是，对于状态可能有循环时，需要注意不分胜负、达成平局（游戏不会结束）的情况。因为在这个游戏中，石子数始终是减少的，所以不会发生平局。

```
// 判断胜负
int x = 0;
for (int i = 0; i < N; i++) x ^= grundy[X[i]];

if (x != 0) puts("Alice");
else puts("Bob");
}
```

2. Cutting Game

Cutting Game （POJ 2311）

两个人在玩如下游戏。

准备一张分成 $w×h$ 的格子的长方形纸张，两人轮流切割纸张。要沿着格子的边界切割，水平或者垂直地将纸张切成两部分。切割了 n 次之后就得到了 $n+1$ 张纸，每次都选择切得的某一张纸再进行切割。首先切出只有一个格子的纸张（1×1 的各自组成的纸张）的一方获胜。当双方都采取最优策略时，先手是必胜？还是必败？

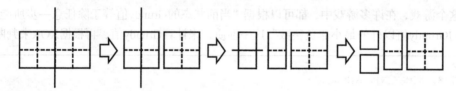

例子

⚠️ **限制条件**
- $2≤w, h≤200$

 样例 1

输入

```
w = 2, h = 2
```

输出

```
LOSE
```

样例 2

输入

```
w = 4, h = 2
```

输出

```
WIN
```

前面的硬币问题2中，有n堆硬币，我们求出每堆硬币的Grundy值，再根据它们XOR后的值判断胜负。另一方面，这个游戏中，初始只有一张纸，纸张的数量随着切割增加。这样会发生分割的游戏，也能够计算Grundy值。

当$w \times h$的纸张分成两张时，假设所分得的纸张的Grundy值分别为g_1和g_2，则这两张纸对应的状态的Grundy值可以表示为g_1 XOR g_2。

在Nim中，不论有几堆石子，初始状态是怎样的，只要XOR的结果相同，那么对胜负是没有影响的。这里也是同样的，只要Grundy值相同，即便发生分割，只要对分割后的各部分取XOR，就可以用这一个Grundy值来代表几个游戏复合而成的状态，Grundy值也可以同样计算。[①]

了解了会发生分割的游戏的处理方法之后，只要像之前的问题一样，枚举所有一步能转移到的状态的Grundy值，就能够计算Grundy值了。

另外，切割纸张时，一旦切割出了长或宽为1的纸张，下一步就一定能够切割出1×1的纸张，所以可以知道此时必败。因此，切割纸张时，总要保证长和宽至少为2（无论如何都不能保证时，就是必败态。此时根据Grundy值的定义，不需要特别处理其Grundy值也是0）。

```cpp
const int MAX_WH = 200;

//  记忆化搜索所用的数组，程序开始执行时全部初始化为-1
int mem[MAX_WH + 1][MAX_WH + 1];

int grundy(int w, int h) {
  if (mem[w][h] != -1) return mem[w][h];

  set<int> s;
  for (int i = 2; w - i >= 2; i++) s.insert(grundy(i, h) ^ grundy(w-i, h));
  for (int i = 2; h - i >= 2; i++) s.insert(grundy(w, i) ^ grundy(w, h-i));

  int res = 0;
  while (s.count(res)) res++;
  return mem[w][h] = res;
}

void solve(int w, int h) {
  if (grundy(w, h) != 0) puts("WIN");
  else puts("LOSE");
}
```

---

① 或者也可以说，这是因为XOR运算满足结合律。

4.3 成为图论大师之路

▮▶图是非常有用的数据结构，除了在第2章已经介绍的算法外，还有各种各样的相关算法。在此，我们主要讨论强连通分量分解和最近公共祖先等问题。

4.3.1 强连通分量分解

对于一个有向图顶点的子集S，如果在S内任取两个顶点u和v，都能找到一条从u到v的路径，那么就称S是强连通的。如果在强连通的顶点集合S中加入其他任意顶点集合后，它都不再是强连通的，那么就称S是原图的一个强连通分量（SCC: Strongly Connected Component）。任意有向图都可以分解成若干不相交的强连通分量，这就是强连通分量分解。把分解后的强连通分量缩成一个顶点，就得到了一个DAG（有向无环图）。

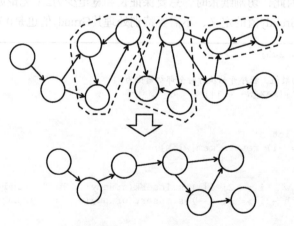

虚线包围的部分构成一个强连通分量

强连通分量分解可以通过两次简单的DFS实现。第一次DFS时，选取任意顶点作为起点，遍历所有尚未访问过的顶点，并在回溯前给顶点标号（post order，后序遍历）。对剩余的未访问过的顶点，不断重复上述过程。

完成标号后，越接近图的尾部（搜索树的叶子），顶点的标号越小。第二次DFS时，先将所有边反向，然后以标号最大的顶点为起点进行DFS。这样DFS所遍历的顶点集合就构成了一个强连通分量。之后，只要还有尚未访问的顶点，就从中选取标号最大的顶点不断重复上述过程。

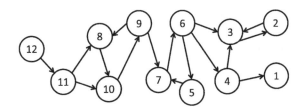

后续遍历的例子。根据搜索顺序的不同，标号结果也可能不同

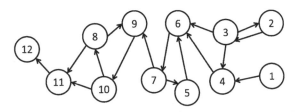

反向后的图

正如前文所述，我们可以将强连通分量缩点并得到DAG。此时可以发现，标号最大的节点就属于 DAG头部（搜索树的根）的强连通分量。因此，将边反向后，就不能沿边访问到这个强连通分量 以外的顶点。而对于强连通分量内的其他顶点，其可达性不受边反向的影响，因此在第二次DFS 时，我们可以遍历一个强连通分量里的所有顶点。

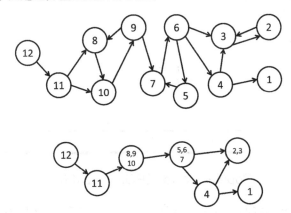

边反向后，从8、9、10号顶点只能到达其头部方向的顶点11和12

该算法只进行了两次DFS，因而总的复杂度是$O(|V|+|E|)$。

```
int V;  // 顶点数
vector<int> G[MAX_V];    // 图的邻接表表示
vector<int> rG[MAX_V];   // 把边反向后的图
vector<int> vs;          // 后序遍历顺序的顶点列表
bool used[MAX_V];        // 访问标记
int cmp[MAX_V];          // 所属强连通分量的拓扑序
```

```
void add_edge(int from, int to) {
  G[from].push_back(to);
  rG[to].push_back(from);
}

void dfs(int v) {
  used[v] = true;
  for (int i = 0; i < G[v].size(); i++) {
    if (!used[G[v][i]]) dfs(G[v][i]);
  }
  vs.push_back(v);
}

void rdfs(int v, int k) {
  used[v] = true;
  cmp[v] = k;
  for (int i = 0; i < rG[v].size(); i++) {
    if (!used[rG[v][i]]) rdfs(rG[v][i], k);
  }
}

int scc() {
  memset(used, 0, sizeof(used));
  vs.clear();
  for (int v = 0; v < V; v++) {
    if (!used[v]) dfs(v);
  }
  memset(used, 0, sizeof(used));
  int k = 0;
  for (int i = vs.size() - 1; i >= 0; i--) {
    if (!used[vs[i]]) rdfs(vs[i], k++);
  }
  return k;
}
```

Popular Cows （POJ No.2186）

每头牛都想成为牛群中的红人。给定 N 头牛的牛群和 M 个有序对 (A, B)。(A, B) 表示牛 A 认为牛 B 是红人。该关系具有传递性，所以如果牛 A 认为牛 B 是红人，牛 B 认为牛 C 是红人，那么牛 A 也认为牛 C 是红人。不过，给定的有序对中可能包含 (A, B) 和 (B, C)，但不包含 (A, C)。求被其他所有牛认为是红人的牛的总数。

⚠️**限制条件**

- $1 \leqslant N \leqslant 10000$
- $1 \leqslant M \leqslant 50000$
- $1 \leqslant A, B \leqslant N$

样例

输入

```
N = 3
M = 3
(A, B) = {(1, 2), (2, 1), (2, 3)}
```

输出

```
1 (3号牛)
```

考虑以牛为顶点的有向图，对每个有序对(A, B)连一条从A到B的有向边。那么，被其他所有牛认为是红人的牛对应的顶点，也就是从其他所有顶点都可达的顶点。虽然这可以通过从每个顶点出发搜索求得，但总的复杂度却是O(NM)，是不可行的，必须要考虑更为高效的算法。

假设有两头牛A和B都被其他所有牛认为是红人。那么显然，A被B认为是红人，B也被A认为是红人，即存在一个包含A、B两个顶点的圈，或者说，A、B同属于一个强连通分量。反之，如果一头牛被其他所有牛认为是红人，那么其所属的强连通分量内的所有牛都被其他所有牛认为是红人。由此，我们把图进行强连通分量分解后，至多有一个强连通分量满足题目的条件。而按前面介绍的算法进行强连通分量分解时，我们还能够得到各个强连通分量拓扑排序后的顺序，唯一可能成为解的只有拓扑序最后的强连通分量。所以在最后，我们只要检查这个强连通分量是否从所有顶点可达就好了。该算法的复杂度为O(N+M)，足以在时限内解决原题。

```
// 输入
int N, M;
int A[MAX_M], B[MAX_M];

void solve() {
  V = N;
  for (int i = 0; i < M; i++) {
    add_edge(A[i] - 1, B[i] - 1);
  }
  int n = scc();

  // 统计备选解的个数
  int u = 0, num = 0;
  for (int v = 0; v < V; v++) {
    if (cmp[v] == n - 1) {
      u = v;
      num++;
    }
  }

  // 检查是否从所有点可达
  memset(used, 0, sizeof(used));
  rdfs(u, 0);  // 重用强连通分量分解的代码
```

```
for (int v = 0; v < V; v++) {
  if (!used[v]) {
    //  从该点不可达
    num = 0;
    break;
  }
}

printf("%d\n", num);
}
```

4.3.2 2-SAT

给定一个布尔方程，判断是否存在一组布尔变量的真值指派使整个方程为真的问题，被称为布尔方程的可满足性问题（SAT）。SAT问题是NP完全的，但对于满足一定限制条件的SAT问题，还是能够有效求解的。我们将下面这种布尔方程称为合取范式。

$$(a \vee b \vee \cdots) \wedge (c \vee d \vee \cdots) \wedge \cdots$$

其中$a, b, \cdots$称为文字，它是一个布尔变量或其否定。像$(a \vee b \vee \dots)$这样用$\vee$连接的部分称为子句。如果合取范式的每个子句中的文字个数都不超过两个，那么对应的SAT问题又称为2-SAT问题。

■ 2-SAT布尔公式的例子

$(a \vee b) \wedge \neg a$ 令a为假而b为真，则可以满足

$(a \vee \neg b) \wedge (b \vee c) \wedge (\neg c \vee \neg a)$ 令a和b为真而c为假，则可以满足

$(a \vee b) \wedge (a \vee \neg b) \wedge (\neg a \vee b) \wedge (\neg a \vee \neg b)$ 无法满足

利用强连通分量分解，可以在布尔公式子句数的线性时间内解决2-SAT问题。首先，利用⇒（蕴涵）将每个子句$(a \vee b)$改写成等价形式$(\neg a \Rightarrow b \wedge \neg b \Rightarrow a)$。这样原布尔公式就变成了把$a \Rightarrow b$形式的布尔公式用$\wedge$连接起来的形式。对每个布尔变量$x$，构造两个顶点分别代表$x$和$\neg x$，以⇒关系为边建立有向图。此时，如果图上的$a$点能够到达$b$点的话，就表示当$a$为真时$b$也一定为真。因此，该图中同一个强连通分量中所含的所有文字的布尔值均相同。

如果存在某个布尔变量x，x和$\neg x$均在同一个强连通分量中，则显然无法令整个布尔公式的值为真。反之，如果不存在这样的布尔变量，那么对于每个布尔变量x，让

x所在的强连通分量的拓扑序在$\neg x$所在的强连通分量之后 ↔ x为真

就是使得该公式的值为真的一组合适的布尔变量赋值。

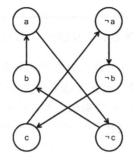

(a∨¬b)∧(b∨c)∧(¬c∨¬a)所对应的图

```
int main() {
    // 布尔公式为(a∨¬b)∧(b∨c)∧(¬c∨¬a)时
    // 构造6个顶点，分别对应a、b、c、¬a、¬b、¬c。
    V = 6;

    // a∨¬b转成¬a⇒¬b∧b⇒a
    add_edge(3, 4); // 从¬a连一条到¬b的边
    add_edge(1, 0); // 从b连一条到a的边
    // b∨c转成¬b⇒c∧¬c⇒b
    add_edge(4, 2); // 从¬b连一条到c的边
    add_edge(5, 1); // 从¬c连一条到b的边
    // ¬c∨¬a转成c⇒¬a∧a⇒¬c
    add_edge(2, 3); // 从c连一条到¬a的边
    add_edge(0, 5); // 从a连一条到¬c的边

    // 进行强连通分量分解
    scc();

    // 判断是否x和¬x在不同的强连通分量中
    for (int i = 0; i < 3; i++) {
        if (cmp[i] == cmp[3 + i]) {
            printf("NO");
            return 0;
        }
    }

    // 如果可满足，则给出一组解
    printf("YES\n");
    for (int i = 0; i < 3; i++) {
        if (cmp[i] > cmp[3 + i]) {
            printf("true\n");
        } else {
            printf("false\n");
        }
    }

    return 0;
}
```

Priest John's Busiest Day（POJ No.3683）

约翰是街区里唯一的神父。假设有 N 对新人打算在同一天举行结婚仪式。第 i 对新人的结婚仪式的时间为 S_i 到 T_i，在其仪式开始时或是结束时需要进行一个用时 D_i 的特别仪式（也就是从 S_i 到 S_i+D_i 或是从 T_i-D_i 到 T_i），该特别仪式需要神父在场。请判断是否可以通过合理安排每个特别仪式在开始还是结束时进行，从而保证神父能够出席所有的特别仪式。如果可能的话，请输出出席各个特别仪式的时间。当然，神父不可能同时出席多个特别仪式。不过神父前往仪式的途中所花费的时间可以忽略不计，神父可以在出席完一个特别仪式后，立刻出席另一个开始时间与其结束时间相等的特别仪式。

⚠️ **限制条件**
- $1 \leqslant N \leqslant 1000$

样例

输入

```
N = 2
(S, T, D) = {(08:00, 09:00, 30), (08:15, 09:00, 20)}
```

输出

```
YES
08:00 08:30
08:40 09:00
```

对于每个结婚仪式 i，只有在开始或结束时进行特别仪式两种选择。因此可以定义变量 x_i

　　x_i 为真 $\leftrightarrow$ 在开始时进行特别仪式

这样，对于结婚仪式 i 和 j，如果 $S_i \sim S_i+D_i$ 和 $S_j \sim S_j+D_j$ 冲突，就有 $\neg x_i \vee \neg x_j$ 为真。对于开始和结束、结束和开始、结束和结束等三种情况，也可以得到类似的条件。于是，要保证所有特别仪式的时间不冲突，只要考虑将这所有的子句用 $\wedge$ 连接起来所得到的布尔公式就好了。例如，对于输入样例，可以的到布尔公式

　　$(\neg x_1 \vee \neg x_2) \wedge (x_1 \vee \neg x_2) \wedge (x_1 \vee x_2)$

而当 x_1 为真而 x_2 为假时，其值为真。这样，我们就把原问题转为了 2-SAT 问题。接下来只要进行强连通分量分解并判断是否有使得布尔公式值为真的一组布尔变量赋值就好了。

```
// 输入
int N;
int S[MAX_N], T[MAX_N], D[MAX_N];  // S和T是换算成分钟后的时间
```

```
void solve() {
  // 0~N-1: x_i
  // N~2N-1: ¬x_i
  V = N * 2;
  for (int i = 0; i < N; i++) {
    for (int j = 0; j < i; j++) {
      if (min(S[i] + D[i], S[j] + D[j]) > max(S[i], S[j])) {
        // x_i⇒¬x_j、x_j⇒¬x_i
        add_edge(i, N + j);
        add_edge(j, N + i);
      }
      if (min(S[i] + D[i], T[j]) > max(S[i], T[j] - D[j])) {
        // x_i⇒x_j、¬x_j⇒¬x_i
        add_edge(i, j);
        add_edge(N + j, N + i);
      }
      if (min(T[i], S[j] + D[j]) > max(T[i] - D[i], S[j])) {
        // ¬x_i⇒¬x_j、x_j⇒x_i
        add_edge(N + i, N + j);
        add_edge(j, i);
      }
      if (min(T[i], T[j]) > max(T[i] - D[i], T[j] - D[j])) {
        // ¬x_i⇒x_j、¬x_j⇒x_i
        add_edge(N + i, j);
        add_edge(N + j, i);
      }
    }
  }
  scc();

  // 判断是否可满足
  for (int i = 0; i < N; i++) {
    if (cmp[i] == cmp[N + i]) {
      printf("NO\n");
      return;
    }
  }

  // 如果可满足，则给出一组解
  printf("YES\n");
  for (int i = 0; i < N; i++) {
    if (cmp[i] > cmp[N + i]) {
      // x_i为真，即在结婚仪式开始时举行
      printf("%02d:%02d %02d:%02d\n", S[i] / 60, S[i] % 60, (S[i] + D[i]) / 60,
          (S[i] + D[i]) % 60);
    } else {
      // x_i为假，即在结婚仪式结束时举行
      printf("%02d:%02d %02d:%02d\n", (T[i] - D[i]) / 60, (T[i] - D[i]) % 60,
          T[i] / 60, T[i] % 60);
    }
  }
}
```

4.3.3　LCA

在有根树中，两个节点 u 和 v 的公共祖先中距离最近的那个被称为最近公共祖先（LCA，Lowest Common Ancestor）。用于高效计算 LCA 的算法有许多，在此我们介绍其中的两种。在下文中，我们都假设节点数为 n。

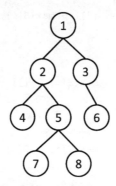

LCA的例子（4和7的LCA为2，8和6的LCA为1，5和8的LCA为5）

1. 基于二分搜索的算法

记节点 v 到根的深度为 depth(v)。那么，如果节点 w 是 u 和 v 的公共祖先的话，让 u 向上走 depth(u)-depth(w) 步，让 v 向上走 depth(v)-depth(w) 步，就都将走到 w。因此，首先让 u 和 v 中较深的一方向上走 |depth(u)-depth(v)| 步，再一起一步步向上走，直到走到同一个节点，就可以在 O(depth(u)+depth(v)) 时间内求出 LCA。

```
// 输入
vector<int> G[MAX_V];  // 图的邻接表表示
int root; // 根节点的编号

int parent[MAX_V];      // 父亲节点（根节点的父亲记为-1）
int depth[MAX_V];       // 节点的深度

void dfs(int v, int p, int d) {
  parent[v] = p;
  depth[v] = d;
  for (int i = 0; i < G[v].size(); i++) {
    if (G[v][i] != p) dfs(G[v][i], v, d + 1);
  }
}

// 预处理
void init() {
  // 预处理出parent和depth
  dfs(root, -1, 0);
}

// 计算u和v的LCA
```

```
int lca(int u, int v) {
  // 让u和v向上走到同一深度
  while (depth[u] > depth[v]) u = parent[u];
  while (depth[v] > depth[u]) v = parent[v];
  // 让u和v向上走到同一节点
  while (u != v) {
    u = parent[u];
    v = parent[v];
  }
  return u;
}
```

节点的最大深度是$O(n)$，所以该算法的复杂度也是$O(n)$。如果只需计算一次LCA的话，这便足够了。但如果要计算多对节点的LCA的话如何是好呢？刚才的算法，通过不断向上走到同一节点来计算u和v的LCA。这里，到达了同一节点后，不论再怎么向上走，到达的显然还是同一节点。利用这一点，我们能够利用二分搜索求出到达共同祖先所需的最少步数吗？事实上，只要利用如下预处理，就可以实现二分搜索。

首先，对于任意顶点v，利用其父亲节点信息，可以通过parent2[v]=parent[parent[v]]得到其向上走两步所到的顶点。再利用这一信息，又可以通过parent4[v]=parent2[parent2[v]]得到其向上走四步所到的顶点。依此类推，就能够得到其向上走2^k步所到的顶点parent[k][v]。有了k=floor(log n)以内的所有信息后，就可以二分搜索了，每次的复杂度是$O(\log n)$。另外，预处理parent[k][v]的复杂度是$O(n\log n)$。

```
// 输入
vector<int> G[MAX_V];    // 图的邻接表表示
int root;               // 根节点的编号

int parent[MAX_LOG_V][MAX_V];  // 向上走2^k步所到的节点（超过根时记为-1）
int depth[MAX_V];              // 节点的深度

void dfs(int v, int p, int d) {
  parent[0][v] = p;
  depth[v] = d;
  for (int i = 0; i < G[v].size(); i++) {
    if (G[v][i] != p) dfs(G[v][i], v, d + 1);
  }
}

// 预处理
void init(int V) {
  // 预处理出parent[0]和depth
  dfs(root, -1, 0);
  // 预处理出parent
  for (int k = 0; k + 1 < MAX_LOG_V; k++) {
    for (int v = 0; v < V; v++) {
      if (parent[k][v] < 0) parent[k + 1][v] = -1;
      else parent[k + 1][v] = parent[k][parent[k][v]];
    }
```

```
    }
  }

  // 计算u和v的LCA
  int lca(int u, int v) {
    // 让u和v向上走到同一深度
    if (depth[u] > depth[v]) swap(u, v);
    for (int k = 0; k < MAX_LOG_V; k++) {
      if ((depth[v] - depth[u]) >> k & 1) {
        v = parent[k][v];
      }
    }
    if (u == v) return u;
    // 利用二分搜索计算LCA
    for (int k = MAX_LOG_V - 1; k >= 0; k--) {
      if (parent[k][u] != parent[k][v]) {
        u = parent[k][u];
        v = parent[k][v];
      }
    }
    return parent[0][u];
  }
```

像这样，预处理出2^k的表的技巧，在计算LCA之外也很有用，相关的问题也经常出现在程序设计竞赛当中。对此，下一节中还会介绍其他例子。

2. 基于RMQ的算法

对于涉及有根树的问题，将树转为从根DFS标号后得到的序列处理的技巧常常十分有效。对于LCA，利用该技巧也能够高效地计算。首先，按从根DFS访问的顺序得到顶点序列vs[i]和对应的深度depth[i]。对于每个顶点v，记其在vs中首次出现的下标为id[v]。

i	0	1	2	3	4	5	6	7	8	9	10	11	12	13	14
vs	1	2	4	2	5	7	5	8	5	2	1	3	6	3	1
depth	0	1	2	1	2	3	2	3	2	1	0	1	2	1	0

i	1	2	3	4	5	6	7	8
id	0	1	11	2	4	12	5	7

样例对应的标号

这些都可以在$O(n)$时间内求得。而LCA(u,v)就是访问u之后到访问v之前所经过顶点中离根最近的那个，假设id[u]≤id[v]，那么有

$$LCA(u,v)=vs[id[u]≤i≤id[v]中令depth(i)最小的i]$$

而这可以利用RMQ高效地求得。

```
// 输入
vector<int> G[MAX_V];        // 图的邻接表表示
int root;

int vs[MAX_V * 2 - 1];       // DFS访问的顺序
int depth[MAX_V * 2 - 1];    // 节点的深度
int id[MAX_V];               // 各个顶点在vs中首次出现的下标

void dfs(int v, int p, int d, int &k) {
  id[v] = k;
  vs[k] = v;
  depth[k++] = d;
  for (int i = 0; i < G[v].size(); i++) {
    if (G[v][i] != p) {
      dfs(G[v][i], v, d + 1, k);
      vs[k] = v;
      depth[k++] = d;
    }
  }
}

// 预处理
void init(int V) {
  // 预处理出vs、depth和id
  int k = 0;
  dfs(root, -1, 0, k);
  // 预处理出RMQ（返回的不是最小值，而是最小值对应的下标）
  rmq_init(depth, V * 2 - 1);
}

// 计算u和v的LCA
int lca(int u, int v) {
  return vs[query(min(id[u], id[v]), max(id[u], id[v]) + 1)];
}
```

Housewife Wind （POJ No.2763）

××村里有 n 个小屋，小屋之间有双向可达的道路相连，所构成的图是一棵树。通过连接 a_i 号小屋和 b_i 号小屋的道路 i 需要花费 w_i 的时间。你一开始在 s 号小屋。请处理以下 q 个查询。

A：输出从当前位置移动到节点 x 所需的时间。　B：将通过道路 x 所需的时间改为 t。

⚠️限制条件
- $1 \leqslant n \leqslant 100000$
- $0 \leqslant q \leqslant 100000$
- $1 \leqslant a_i, b_i \leqslant n$
- $1 \leqslant w_i \leqslant 10000$

样例

输入

```
n = 3
q = 3
s = 1
(a, b, w) = {(1, 2, 1), (2, 3, 2)}
(查询的类型, x(, t)) = {(A, 2), (B, 2, 3), (A, 3)}
```

输出

```
从1移动到2
从2移动到3
```

虽然直接DFS也可以求出树上两点之间的距离，但是这对于每个A类型的查询，都要花费$O(n)$的时间，实在太慢了。必须利用树的特性，得到更为高效的算法。为了高效地处理A类型的查询，可以利用二分搜索版LCA算法中介绍的技巧，记录下从每个顶点向上走2^k步的总长度。这样一来，在$O(\log n)$地计算LCA的同时，也可以同样$O(\log n)$地求出到LCA的距离，因此处理A类型查询的复杂度为$O(\log n)$。但是，这个方法对于B类型的查询却无法高效地处理。

因此，让我们先考虑一下图是链状时这一简单的情况。假设i和$i+1$两点之间的边的长度为w_i，则两点u和$v(u<v)$之间的距离为

$$\sum_{i=u}^{v-1} w_i$$

只要用BIT，不论是A类型的查询还是B类型的查询，都能够在$O(\log n)$时间内处理。

再回过头来考虑树的情况。因为树中连接两点的路径是唯一的，如果我们对顶点进行合理排列的话，能否像链状时那样，进行类似的处理呢？考虑利用RMQ计算LCA时所用的，按DFS访问的顺序排列的顶点序列。这样，u和v之间的路径，就是在序列中u和v之间的所有边减去往返重复的部分得到的结果。

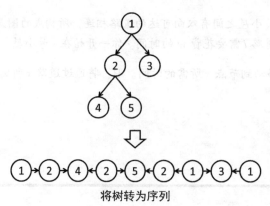

将树转为序列

于是，只要令边的权重沿叶子方向为正，沿根方向为负，那么往返重复的部分就自然抵消了，于是有

$$(u,v之间的距离)=(从LCA(u,v)到u的边的权重和)+(从LCA(u,v)到v的边的权重和)$$

同链状的情况一样，利用BIT的话，计算权重和和更新边权都可以在$O(\log n)$时间内办到，而LCA也能够在$O(\log n)$时间内求得。

```
struct edge { int id, to, cost; };

int n, q, s;
int a[MAX_V - 1], b[MAX_V - 1], w[MAX_V - 1];
int type[MAX_Q];  // 0：A类型，1：B类型
int x[MAX_Q], t[MAX_Q];

vector<edge> G[MAX_V]; // 图的邻接表表示
int root;

int vs[MAX_V * 2 - 1];      // DFS访问的顺序
int depth[MAX_V * 2 - 1];   // 节点的深度
int id[MAX_V];              // 各个顶点在vs中首次出现的下标
int es[(MAX_V - 1) * 2];    // 边的下标（i*2+(叶子方向:0,根方向:1)）

void dfs(int v, int p, int d, int &k) {
  id[v] = k;
  vs[k] = v;
  depth[k++] = d;
  for (int i = 0; i < G[v].size(); i++) {
    edge &e = G[v][i];
    if (e.to != p) {
      add(k, e.cost);
      es[e.id * 2] = k;
      dfs(e.to, v, d + 1, k);
      vs[k] = v;
      depth[k++] = d;
      add(k, -e.cost);
      es[e.id * 2 + 1] = k;
    }
  }
}

int stack_v[MAX_V + 10];
int stack_i[MAX_V + 10];

// 预处理
void init(int V) {
  // 初始化BIT
  bit_n = (V - 1) * 2;
  // 预处理出vs、depth、id和es
  int k = 0;
  dfs(root, -1, 0, k);
  // 预处理出RMQ（返回的不是最小值，而是最小值对应的下标）
```

```
  rmq_init(depth, V * 2 - 1);
}

// 计算u和v的LCA
int lca(int u, int v) {
  return vs[query(min(id[u], id[v]), max(id[u], id[v]) + 1)];
}

void solve() {
  // 预处理
  root = n / 2;  // 不论以哪个节点为根都没有问题
  for (int i = 0; i < n - 1; i++) {
    G[a[i] - 1].push_back((edge){i, b[i] - 1, w[i]});
    G[b[i] - 1].push_back((edge){i, a[i] - 1, w[i]});
  }
  init(n);
  // 处理查询
  int v = s - 1;  // 当前位置
  for (int i = 0; i < q; i++) {
    if (type[i] == 0) {
      // 从当前位置移动到x[i]
      int u = x[i] - 1;
      int p = lca(v, u);
      // 利用BIT计算p到v和p到u的费用之和，即区间(id[p],id[v])和(id[p],id[u])的权重和
      printf("%d\n", sum(id[v]) + sum(id[u]) - sum(id[p]) * 2);
      v = u;
    } else {
      // 将通过道路x[i]的权重改为t[i]。
      int k = x[i] - 1;
      add(es[k * 2], t[i] - w[k]);
      add(es[k * 2 + 1], w[k] - t[i]);
      w[k] = t[i];
    }
  }
}
```

4.4 常用技巧精选（二）

▶ 通过活用栈和队列等简单的数据结构，可以巧妙地降低一些算法的复杂度。在这一节中，将会给大家介绍这些技巧。

4.4.1 栈的运用

Largest Rectangle in a Histogram （POJ No.2559）

柱状图是由一些宽度相等的长方形下端对齐后横向排列得到的图形。现在有由 n 个宽度为 1，高度分别为 $h_1, h_2, \cdots, h_n$ 的长方形从左到右依次排列组成的柱状图。问里面包含的长方形的最大面积是多少。

⚠ 限制条件
- $1 \leq n \leq 100000$
- $0 \leq h_i \leq 10^9$

样例

输入

```
n = 7
h = {2, 1, 4, 5, 1, 3, 3}
```

输出

```
8
```

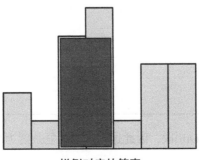

样例对应的答案

如果确定了长方形的左端点L和右端点R，那么最大可能的高度就是$\min\{h_i|L\leqslant i<R\}$。这样我们就得到了一个$O(n^3)$的算法。如果对计算区间最小值进行一些优化，那么可以把复杂度降为$O(n^2)$。但即使这样，仍然无法在规定时间内求出答案。那么我们应该怎么做才能更加高效地求解呢？设面积最大的长方形的左端是L，右端是R，高度是H。如果$h_{L-1}\geqslant H$，那么左端点就可以更新为$L-1$，从而可以得到更大的长方形。这与假设矛盾，因此$h_{L-1}<H$。同理可得$h_R<H$，并且高度$H=\min\{h_i|L\leqslant i<R\}$。因此，我们固定可以给出这样的$H$的$i$并进行分析。此时，$L$是满足$h_{j-1}<h_i$的最大的$j(\leqslant i)$。$R$是满足$h_j<h_i$的最小的$j(>i)$。我们把这两个值分别表示为$L[i]$和$R[i]$。则

$L[i]=(j\leqslant i$并且$h_{j-1}<h_i$的最大的$j)$

$R[i]=(j>i$并且$h_j>h_i$的最小的$j)$

如果能求出$L[i]$和$R[i]$，那么最大的面积就是$\max\{h_i\times(R[i]-L[i])|0\leqslant i<n\}$。$L$和$R$可以使用栈非常高效地求解。我们先考虑计算$L$的情况。首先定义一个栈，并且将它初始化为空。然后不断增加i的值，并维护这个栈使它按照下面的顺序存储用于推算后面的L值的元素。

设在栈里的元素从上到下的值为x_i，则$x_i>x_{i+1}$且$h_{x_i}>h_{x_{i+1}}$

在计算$L[i]$时，首先，当栈顶的元素j满足$h_j\geqslant h_i$，则不断取出栈顶元素。若栈为空，则$L[i]=0$，若$h_j<h_i$，则$L[i]=j+1$。然后把i压入栈中。例如，对于样例输入，算法按照如下的步骤执行。

```
i = 0
L[0] = 0
压入0 → {0}
i = 1
弹出0 → {} (h[0]>=h[1])
L[1] = 0
压入1 → {1}
i = 2
L[2] = 2
压入2 → {1, 2}
i = 3
L[3] = 3
压入3 → {1, 2, 3}
i = 4
弹出3 → {1, 2} (h[3]>=h[4])
弹出2 → {1} (h[2]>=h[4])
弹出1 → {} (h[1]>=h[4])
L[4] = 0
压入4 → {4}
...
```

由于栈的压入和弹出操作都是$O(n)$次，因此这个算法的复杂度为$O(n)$。对于R也可以用同样的方法计算。

i	0	1	2	3	4	5	6
h	2	1	4	5	1	3	3
L	0	0	2	3	0	5	5
R	1	7	4	4	7	7	7
h(R-L)	2	7	8	5	7	6	6

对于样例的L和R

```
// 输入
int n;
int h[MAX_N];

int L[MAX_N], R[MAX_N];
int st[MAX_N];  // 栈

void solve() {
  // 计算L
  int t = 0;  // 栈的大小
  for (int i = 0; i < n; i++) {
    while (t > 0 && h[st[t - 1]] >= h[i]) t--;
    L[i] = t == 0 ? 0 : (st[t - 1] + 1);
    st[t++] = i;
  }

  // 计算R
  t = 0;
  for (int i = n - 1; i >= 0; i--) {
    while (t > 0 && h[st[t - 1]] >= h[i]) t--;
    R[i] = t == 0 ? n : st[t - 1];
    st[t++] = i;
  }

  long long res = 0;  // 注意防止溢出
  for (int i = 0; i < n; i++) {
    res = max(res, (long long)h[i] * (R[i] - L[i]));
  }
  printf("%lld\n", res);
}
```

4.4.2　双端队列的运用

滑动最小值

给定一个长度为 n 的数列 $a_0,a_1,\cdots,a_{n-1}$ 和一个整数 k。求数列 $b_i=\min\{a_i,a_{i+1},\cdots,a_{i+k-1}\}$ $(i=0,1,\cdots,n-k)$。

⚠限制条件
- $1 \leqslant k \leqslant n \leqslant 10^6$
- $0 \leqslant a_i \leqslant 10^9$

样例

输入

```
n = 5
k = 3
a = {1, 3, 5, 4, 2}
```

输出

```
b = {1, 3, 2}
```

这个问题可以使用RMQ在$O(n \log n)$复杂度内解决。但是，如果利用要求的范围大小总是一定的这一条件，则可以使用双端队列（Deque：可以在头部和末尾插入和删除元素的数据结构）在$O(n)$时间内解决这个问题。

最开始时双端队列为空，然后不断维护双端队列使它按照下面的顺序，存储用于计算后面的最小值的a的元素的下标。

设双端队列从头部开始的元素的值为x_i，则$x_i < x_{i+1}$且$a_{x_i} < a_{x_{i+1}}$。

首先，为了计算b_0，把0到$k-1$依次加入队列。在加入i时，当双端队列的末尾的值j满足$a_j \geqslant a_i$，则不断取出。直到双端队列为空或者$a_j < a_i$之后再在末尾加入i。

等到$k-1$都加入双端队列了之后，查看双端队列头部的值j，那么$b_0 = a_j$。如果$j=0$，由于在之后的计算中都不会再用到了，因此从双端队列的头部删去。

接下来，为了计算b_i，需要在双端队列的末尾加入k。不断加入元素，就可以算出后面的b_i的值。由于双端队列的加入和删除都进行了$O(n)$次，因此整个算法的复杂度是$O(n)$。[①]

例如，对于样例输入，算法按照如下的步骤执行。

```
加入0 → {0}
加入1 → {0, 1}
加入2 → {0, 1, 2}
b_0 = a_0 = 1
删除0 → {1, 2}
加入3 → {1, 3}  (a_2>=a_3，因此删除2)
b_1 = a_1 = 3
删除1 → {3}
加入4 → {4}  (a_3>=a_4，因此删除3)
b_2 = a_4 = 2
```

---

① 由于双端队列中的元素始终保持单调性，因此这个数据结构也被称作单调队列。——译者注

```
// 输入
int n, k;
int a[MAX_N];

int b[MAX_N];
int deq[MAX_N];   // 双端队列

void solve() {
  int s = 0, t = 0;  // 双端队列的头部和末尾

  for (int i = 0; i < n; i++) {
    // 在双端队列的末尾加入i
    while (s < t && a[deq[t - 1]] >= a[i]) t--;
    deq[t++] = i;

    if (i - k + 1 >= 0) {
      b[i - k + 1] = a[deq[s]];

      if (deq[s] == i - k + 1) {
        // 从双端队列的头部删除元素
        s++;
      }
    }
  }

  for (int i = 0; i <= n - k; i++) {
    printf("%d%c", b[i], i == n - k ? '\n' : ' ');
  }
}
```

多重背包问题

有 n 种物品，它们的重量和价值分别是 w_i 和 v_i。现在要从中选出一些物品使得总重量不超过 W，并且价值的和最大。不过第 i 种物品最多可以选 m_i 个。

⚠️限制条件

- $1 \leqslant n \leqslant 100$
- $1 \leqslant w_i, v_i \leqslant 100$
- $1 \leqslant m_i \leqslant 10000$
- $1 \leqslant W \leqslant 10000$

样例

输入

```
n = 3
(w, v, m) = {(3, 2, 5), (2, 4, 1), (4, 3, 3)}
W = 12
```

输出

11（第一种物品2个，第二种物品1个，第三种物品1个）

这是一道有个数限制的背包问题。对于每个物品至多选一个或者可以选任意个的问题我们已经可以在$O(nW)$时间内求解了。如果使用同样的方法解答本题，则状态转移方程为

$dp[i][j]$:=到第i个物品为止总重量不超过j的所有选法中最大可能的价值

$dp[i+1][j]=\max\{dp[i][j-k\times w[i]]+k\times v[i]|0\leqslant k\leqslant m_i$且$j-k\times w[i]\geqslant 0\}$

如果使用这个转移方程，复杂度就是$O(nmW)$，无法在规定时间内出解。让我们注意观察转移方程中求最大值的部分。这个式子中若$j \bmod w[i]$的值不同则之间是互相独立的。我们首先考虑一下$j \bmod w[i]=0$的情况。我们定义

$a[j]=dp[i][j\times w[i]]$

则转移方程可以写成

$dp[i+1][(j+k)\times w[i]]=\max\{a[j]+k\times v[i],a[j+1]+(k-1)\times v[i],\cdots,a[j']+(j+k-j')\times v[i],\cdots,a[j+k]\}$

但是这样还是无法方便地计算，因此再进行如下变形

$b[j]=a[j]-j\times v[i]$

$dp[i+1][(j+k)\times w[i]]=\max\{b[j],b[j+1],\cdots,b[j+k]\}+(j+k)\times v[i]$

这样变形之后，在求最大值时可以使用之前提到的滑动最小值的方法求解，所以复杂度就降到了$O(nW)$。

```
// 输入
int n, W;
int w[MAX_N], v[MAX_N], m[MAX_N];

int dp[MAX_W + 1];   // DP数组（循环使用）
int deq[MAX_W + 1];  // 双端队列（保存数组下标）
int deqv[MAX_W + 1]; // 双端队列（保存值）

void solve() {
  for (int i = 0; i < n; i++) {
    for (int a = 0; a < w[i]; a++) {
      int s = 0, t = 0;  // 双端队列的头部和末尾
      for (int j = 0; j * w[i] + a <= W; j++) {
        // 向双端队列的末尾加入j
        int val = dp[j * w[i] + a] - j * v[i];
        while (s < t && deqv[t - 1] <= val) t--;
        deq[t] = j;
        deqv[t++] = val;
        // 从双端队列的头部取出t
        dp[j * w[i] + a] = deqv[s] + j * v[i];
```

```
      if (deq[s] == j - m[i]) {
        s++;
      }
    }
  }
}
printf("%d\n", dp[W]);
}
```

虽然复杂度上差了一些，不过也可以使用下面的方法求解。把 m_i 分解为如下形式

$$m_i = 1 + 2 + 4 + \cdots + 2^k + a (0 \leqslant a < 2^{k+1})$$

由于 $1, 2, \cdots, 2^k$ 的组合可以表示出 $0 \sim 2^{k+1}-1$ 的所有整数，因此 $1, 2, \cdots, 2^k, a$ 可以表示出 $0 \sim m_i$ 的所有整数。因此，我们把 m_i 个重量和价值分别为 w_i 和 v_i 的物品，看成重量和价值分别为 $w_i \times x, v_i \times x (x=1, 2, \cdots, 2^k, a)$ 的 $k+2$ 个物品。这样，物品的总个数就变为 $O(n \log m)$ 个，使用一般的01背包DP可以在 $O(n W \log m)$ 时间内求出答案。

```
int dp[MAX_W + 1];    // DP数组

void solve() {
  for (int i = 0; i < n; i++) {
    int num = m[i];
    for (int k = 1; num > 0; k <<= 1) {
      int mul = min(k, num);
      for (int j = W; j >= w[i] * mul; j--) {
        dp[j] = max(dp[j], dp[j - w[i] * mul] + v[i] * mul);
      }
      num -= mul;
    }
  }
  printf("%d\n", dp[W]);
}
```

K-Anonymous Sequence　（POJ No.3709）

给定一个长度为 n 的非严格单调递增数列 $a_0, a_1, \cdots, a_{n-1}$。每一次操作可以使数列中的任何一项的值减小 1。现在要使数列中的每一项都满足其他项中至少有 $k-1$ 项和它相等。求最少要对这个数列操作的次数。

⚠️限制条件
- $2 \leqslant k \leqslant n \leqslant 500000$
- $0 \leqslant a_i \leqslant 500000$

样例

输入

```
n = 7
k = 3
a = {2, 2, 3, 4, 4, 5, 5}
```

输出

```
3 (2, 2, 2, 4, 4, 4, 4)
```

由于a_0是数列中最小的值，很显然没有必要把任何一个数减到a_0以下，所以就有至少$k-1$个其他的数需要减少至和a_0相等。又因为减小大的值而保留小的值不会使结果更优，所以可以从小到大选择需要减少至a_0的项。对于剩下的部分也有同样的结论成立。这样，我们就有了下面的DP方程。

dp[i]:=在只考虑前i项的情况下，满足题目条件的最少的操作次数（不可能的情况为INF）

$dp[0]=0$

$dp[i]=min\{dp[j]+(a_{j+1}-a_j)+\cdots+(a_{i-1}-a_j)|0 \leqslant j \leqslant i-k\}$

最终答案为$dp[n]$

直接计算的复杂度为$O(n^3)$。不过转移方程中涉及到了部分和的计算，可以通过预处理出这些值对算法进行改进。

$S[i]=a_0+\cdots+a_{i-1}$

$dp[i]=min\{dp[j]+S[i]-S[j]-a_j \times (i-j)|0 \leqslant j \leqslant i-k\}$

这样复杂度就降为了$O(n^2)$，不过由于题目中n很大，仍然无法满足要求。由于只是按顺序进行转移是无法在规定时间内出解的，所以有必要挖掘转移方程中的一些特殊性质。考虑到对于某个i，在j从0变化到$i-k$的过程中$S[i]$是一个定值，因此先把它提到外面。

$dp[i]=S[i]+min\{dp[j]-S[j]-a_j \times (i-j)|0 \leqslant j \leqslant i-k\}$

这样变形之后，min里面的项就是关于i的线性函数了。

$f_j(x)=-a_j \times x+dp[j]-S[j]+a_j \times j$

$dp[i]=S[i]+min\{f_j(i)|0 \leqslant j \leqslant i-k\}$

也就是说，计算$dp[i]$就相当于从$i-k+1$条直线中寻找$x=i$的最小值。而$dp[i]$和$dp[i+1]$的区别仅在于$dp[i+1]$需要多考虑一条直线，并且所求的x坐标增加了1。因此，可以得到如下算法。

1. 使用某种数据结构维护所有可能成为最小值的直线的集合，并以成为最小值的顺序排列保存，记为L。
2. 计算$dp[i]$只需要取L的头部的直线进行计算就可以了。

3. i每增加1，如果L的头部的直线变得不是最小了，则删除之。

4. 增加一条直线时对L进行更新。

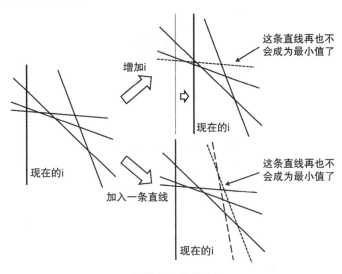

下侧的包络线的变化

如果使用二叉搜索树来维护L，就可以得到一个$O(n\log n)$的算法。更进一步，在本题中由于f_i的斜率（$=-a_j$）具有非严格单调递减的性质，因而4的更新可以从L的末尾进行更新。这样，就可以使用双端队列代替二叉搜索树，从而更加高效地进行求解。

1. 使用双端队列维护所有可能成为最小值的直线的集合，并以成为最小值的顺序排列保存，记为L。

2. 计算$dp[i]$，只需要取L的头部的直线进行计算就可以了。

3. i每增加1，当L的头部的直线变得不是最小时，则删除之。

4. 增加一条直线时，先删除所有在L的末尾中已经不可能成为最小值的直线，然后加入L的末尾。

由于共对双端队列进行了最多n次的加入和删除操作，因此这个算法的复杂度是$O(n)$。此外关于4的判断，经过推导之后可以按如下方式进行。

假设有3条直线按照斜率排列有

$f_1(x)=a_1x+b_1$

$f_2(x)=a_2x+b_2$

$f_3(x)=a_3x+b_3$

$a_1 \geqslant a_2 \geqslant a_3$

则

f_2不可能成为最小值对应的直线$\Leftrightarrow (a_2-a_1) \times (b_3-b_2) \geqslant (b_2-b_1) \times (a_3-a_2)$

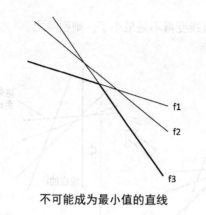

不可能成为最小值的直线

```
typedef long long ll;

// 输入
int n, k;
ll a[MAX_N];

ll dp[MAX_N + 1];  // DP数组
ll S[MAX_N + 1];   // a的和
int deq[MAX_N];    // 双端队列

// 直线f_j在x位置的值
ll f(int j, int x) {
    return -a[j] * x + dp[j] - S[j] + a[j] * j;
}

// 判断f2是否有可能成为最小值
bool check(int f1, int f2, int f3) {
    ll a1 = -a[f1], b1 = dp[f1] - S[f1] + a[f1] * f1;
    ll a2 = -a[f2], b2 = dp[f2] - S[f2] + a[f2] * f2;
    ll a3 = -a[f3], b3 = dp[f3] - S[f3] + a[f3] * f3;
    return (a2 - a1) * (b3 - b2) >= (b2 - b1) * (a3 - a2);
}

void solve() {
    // 和的计算
    for (int i = 0; i < n; i++) {
        S[i + 1] = S[i] + a[i];
    }

    // 双端队列的初始化
    int s = 0, t = 1;
    deq[0] = 0;

    dp[0] = 0;

    for (int i = k; i <= n; i++) {
        if (i - k >= k) {
            // 从末尾删除不再可能成为最小值的直线
```

```
    while (s + 1 < t && check(deq[t - 2], deq[t - 1], i - k)) t--;

    // 往双端队列中加入i-k
    deq[t++] = i - k;
  }

  // 若头部的值不是最小值了则删去
  while (s + 1 < t && f(deq[s], i) >= f(deq[s + 1], i)) s++;

  dp[i] = S[i] + f(deq[s], i);
  }

  printf("%lld\n", dp[n]);
}
```

4.4.3 倍增法

观看计划

有一个喜欢动画的少年，他希望每周都能收看尽可能多的动画。每一部动画都在每周固定的时间段播出。不过，由于他不喜欢录下电视节目留到以后观看，因此只能在播出时观看。此外，他每周看的动画都是固定的，并且他不可能同时观看播出时间有重叠的两部动画。在他的国家，一周共被划分成了 M 个单位的时间。现在假设一共有 N 部动画分别在每周的 s_i 时刻开始播放并在 t_i 时刻播放结束，问每周他最多能看多少部动画。

⚠️限制条件
- $1 \leq N \leq 10^5$
- $2 \leq M \leq 10^6$
- $0 \leq s_i, t_i < M (s_i \neq t_i)$
- $s_i > t_i$ 表示播出时间跨越了每周的最后一个时刻

样例 1

输入

```
N = 3
M = 10
(s, t) = {(0, 3), (3, 7), (7, 0)}
```

输出

3（可以看所有的动画）

样例 2

输入

```
N = 3
M = 10
(s, t) = {(0, 5), (2, 7), (6, 9)}
```

输出

2（可以观看第一部和第三部动画）

本题可以看成在圆周上有 N 个区间，要从中选出尽可能多互不相交的区间的问题。和这个问题类似的有区间调度问题（请参照2.2.2）。本题仅仅是把那个问题的时间全集首尾相连形成一个圆周而已。区间调度问题可以根据结束时间排序之后使用贪心法求解。本题是否也可以用同样的方法求解呢？首先我们先确定一个要选择的区间。这样，和这个区间不相交的区间就不存在圆周，从而变成了简单的区间调度问题。因此，我们可以得到这样一个 $O(N^2)$ 的算法。

```cpp
// 输入
int N, M;
int s[MAX_N], t[MAX_N];

pair<int, int> ps[MAX_N * 2];  // 为了按照结束时间排序而使用的数对的数组

void solve() {
  int res = 0;

  // 为了处理方便而把原来的数据复制了一份存在后面
  for (int i = 0; i < N; i++) {
    if (t[i] < s[i]) t[i] += M;
    s[N + i] = s[i] + M;
    t[N + i] = t[i] + M;
  }

  // 按照结束时间排序
  for (int i = 0; i < N * 2; i++) {
    ps[i] = make_pair(t[i], s[i]);
  }
  sort(ps, ps + N * 2);

  // 确定一个最开始选择的区间
  for (int i = 0; i < N; i++) {
    // 剩下的部分使用贪心法求解
    int tmp = 0, last = 0;
    for (int j = i; ps[j].first <= ps[i].second + M; j++) {
      if (last <= ps[j].second) {
        tmp++;
        last = ps[j].first;
      }
    }
```

```
      res = max(res, tmp);
    }

    printf("%d\n", res);
  }
```

不过$O(N^2)$是不够的，我们应该如何改进这个算法呢？因为确定第一个区间之后使用的贪心算法存在大量的重复计算，所以在这个部分有改良的余地。在贪心算法中，对于某个区间i，我们选择满足$t[i] \leqslant s[j]$的所有j中$t[j]$最小的那个区间来作为i的下一个区间。这样的i和j的对应关系和最开始所选的区间无关。因此，记录下这些对应关系就可以节省不少计算量。这些对应关系的计算可以通过对区间的端点排序之后$O(N \log N)$求得。

```
// 输入
int N, M;
int s[MAX_N * 2], t[MAX_N * 2];

pair<int, int> ps[MAX_N * 4];    // 为了按照结束时间排序而使用的数对的数组
int next[MAX_N * 2];             // 用来存放每个区间的下一个区间的数组

void solve() {
  int res = 0;

  // 为了处理方便而把原来的数据复制了一份存在后面
  for (int i = 0; i < N; i++) {
    if (t[i] < s[i]) t[i] += M;
    s[N + i] = s[i] + M;
    t[N + i] = t[i] + M;
  }

  // 对区间的端点排序
  for (int i = 0; i < N * 2; i++) {
    ps[i] = make_pair(t[i], i);
    ps[N * 2 + i] = make_pair(s[i], N * 2 + i);
  }
  sort(ps, ps + N * 4);

  // 计算next
  int last = -1;
  for (int i = N * 4 - 1; i >= 0; i--) {
    int id = ps[i].second;
    if (id < N * 2) {
      // 区间的末尾
      next[id] = last;
    } else {
      // 区间的开始
      id -= N * 2;
      if (last < 0 || t[last] > t[id]) {
        last = id;
      }
    }
  }
```

```
   // 确定一个最开始选择区间
   for (int i = 0; i < N; i++) {
     // 剩下的部分使用贪心法求解
     int tmp = 0;
     for (int j = i; t[j] <= s[i] + M; j = next[j]) {
       tmp++;
     }
     res = max(res, tmp);
   }

   printf("%d\n", res);
 }
```

但是，即使在贪心法中利用了这样的对应关系，仍然无法降低复杂度。虽然能够节省求解下一个区间的计算，但是仍然需要对要选中的区间遍历一遍，最坏情况下共有 $O(N)$ 个区间。那么怎样才能降低复杂度呢？

现在我们对于某一个区间 i，已经算出了 i 的下一个应该使用的区间是 next[i]。利用这个值，我们可以算出下一个区间的再下一个区间是 next2[i]=next[next[i]]。然后可以利用 2 个之后的区间 next2 算出 4 个之后的区间 next4=next2[next2[i]]。不断重复类似的计算，就可以在 $O(Nk)$ 时间内预处理出 2^k 个之后的区间 next[k][i]。如果得到了对于 k=floor(log N) 的预处理结果，那么就可以把贪心法中一个区间一个区间地遍历，改为使用二分搜索的方式。对于一个初始选取的区间计算的复杂度是 $O(\log N)$。因此整个算法的复杂度就是 $O(N \log N)$。

```
 // 输入
 int N, M;
 int s[MAX_N * 2], t[MAX_N * 2];

 pair<int, int> ps[MAX_N * 4];       // 为了按照结束时间排序而使用的数对的数组
 int next[MAX_LOG_N][MAX_N * 2];     // 用来存放每个区间的下一个区间的数组

 void solve() {
   int res = 0;

   // 为了处理方便而把原来的数据复制了一份存在后面
   for (int i = 0; i < N; i++) {
     if (t[i] < s[i]) t[i] += M;
     s[N + i] = s[i] + M;
     t[N + i] = t[i] + M;
   }

   // 对区间的端点排序
   for (int i = 0; i < N * 2; i++) {
     ps[i] = make_pair(t[i], i);
     ps[N * 2 + i] = make_pair(s[i], N * 2 + i);
   }
   sort(ps, ps + N * 4);
```

```
// 计算next[0]
int last = -1;
for (int i = N * 4 - 1; i >= 0; i--) {
  int id = ps[i].second;
  if (id < N * 2) {
    // 区间的末尾
    next[0][id] = last;
  } else {
    // 区间的开始
    id -= N * 2;
    if (last < 0 || t[last] > t[id]) {
      last = id;
    }
  }
}

// 计算next
for (int k = 0; k + 1 < MAX_LOG_N; k++) {
  for (int i = 0; i < N * 2; i++) {
    if (next[k][i] < 0) next[k + 1][i] = -1;
    else next[k + 1][i] = next[k][next[k][i]];
  }
}

// 确定一个最开始选择的区间
for (int i = 0; i < N; i++) {
  // 进行二分搜索
  int tmp = 0, j = i;
  for (int k = MAX_LOG_N - 1; k >= 0; k--) {
    int j2 = next[k][j];
    if (j2 >= 0 && t[j2] <= s[i] + M) {
      j = j2;
      tmp |= 1 << k;
    }
  }
  res = max(res, tmp + 1);
}

printf("%d\n", res);
}
```

实际上，针对本题还有一种除去排序只需要花费$O(N)$时间的算法。有兴趣的读者可以试着思考一下。

4.5　开动脑筋智慧搜索

▶一旦搜索空间变得比较大，2.1节中介绍的穷竭搜索算法就显得不够高效了。在本节中，将给大家介绍剪枝和A*等在这种情况下对搜索进行优化的方法。

4.5.1　剪枝

本节要介绍的剪枝和A*等方法，通常比较难估算其复杂度。与其他算法不同，很难知道这类方法能对搜索速度有多大的提高，建议通过对各类方法的实际测试，边比较边学习。比较时，不光要比较所用时间，还应该统计搜索过程中的状态数，以便得到更清晰的结果。

在比赛中尝试各种方法是不切实际的，不妨先尝试某种看似可行的方法，如果还不够高效的话，再考虑进一步优化。

1. 调整搜索的顺序

数独 （POJ 2676，2918，3074，3076）

给定一个由 3×3 的方块分割而成的 9×9 的格子。其中一些格子中填有 1~9 的数字，其余格子则是空白的。请在空白的格子中填入 1~9 的数字，使得在每行、每列和每个 3×3 的方块中，1~9 的每个数字都恰好出现一次。如果解不唯一，输出任意一组即可。

数独的例子

样例

输入

```
(0表示空白格子)
000000520
080400000
030009000
501000600
200700000
000300000
600010000
000000704
000000030
```

输出

```
416837529
982465371
735129468
571298643
293746185
864351297
647913852
359682714
128574936
```

POJ中有2676、2918、3074、3076四道数独问题。其难度大致是2676=2918<3074<3076。其中，3076是格子更大一圈的16×16的数独问题。

首先考虑从左上角的空白格子开始填数字的深度优先搜索。所填的数字应该是在所在行、列和方块中都没有填过的数字。只要采取这一显而易见的的剪枝，就能够通过POJ 2676和2918了。

但这个算法却无法通过POJ 3074，对于像前面的样例这样空白格子比较多的情况，该方法就行不通，需要进一步优化。

考虑处理某一行时，对于某个还没用过的数字，如果该行只有一个可行的空白格子，就只能将该数字填入该格子中。对于列和方块也一样。反之，如果某个格子可填的数字只有一个，也只能将该数字填入该格子。这样，我们优先处理数字或格子唯一确定的情况。此外，如果搜索过程中发现没有可选的数字或格子这样矛盾的情况，则提前停止搜索。这样优化之后，POJ 3074也能顺利通过了。

但是，还留有16×16的数独问题运行会超过时间限制。当没有唯一确定的数字或格子时，现在的搜索又会回到原来从左上的空白格子开始填数字的方法。而人们在求解数独问题时，是不会特地这样做的，通常会先处理选择少的格子。

例如，假设有一个只有两个候选数字的格子，如果选择其中一个产生了矛盾，那么就可以确定应该选择另一个。而对于有五个候选数字的格子，即使其中一个出现了矛盾，依然还有四个候选数字需要尝试。也就是说，比起从左上角开始填数字，优先选择候选数字少的格子填数字要更加高效。这样16×16的数独问题也能够解决了。

这样，通过调整搜索的顺序能够大大优化搜索的效率。这里，我们选择了从分支少的部分开始搜索的策略。此外，也可以从一些影响大的部分开始搜索，例如通过确定一个部分，顺带确定尽可能多的其他部分。

2. 没有更优解则剪枝

Square Destroyer （PKU 1084）

有一个由火柴棒作为边组成的 $N×N$ 的格子。按照下图，给火柴棒编号。将移除某些火柴棒后的状态作为初始状态，需要再移除一些火柴棒，以保证图中一个正方形也没有。请求出所需移除火柴棒的最少根数。

⚠️限制条件
- $1 \leqslant N \leqslant 5$

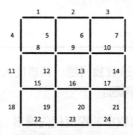

N=3时的网格

样例1

输入

```
N = 2
没有已经移除的火柴棒
```

输出

```
3
```

样例2

输入

```
N = 3
火柴棒12、17、23已经移除
```

输出

3（再移除火柴棒6、8、19就能够破坏所有正方形）

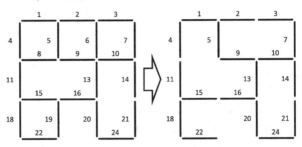

先试一下从1号火柴棒开始依次选择移除或不移除的穷竭搜索。如果不做任何优化，则总的状态数为$O(2^{2N(N+1)})$，太大了。接下来考虑该如何剪枝。

显而易见的剪枝有:如果移除当前火柴棒也不会破坏任何正方形的话则不除去，以及将待选择的所有火柴棒都移除也还有正方形留下的话则不继续搜索等。将这些剪枝实现之后，就可以通过$N \leq 3$的数据了。

```
// 下面是由输入处理后得到的数据
// M和S分别是初始状态中剩余的火柴棒数和正方形数
int M, S;
// m[i][j] == true ⟺ 火柴棒i属于正方形j
bool m[MAX_MATCH][MAX_SQUARE];
// mmax[i] = 正方形i中火柴棒的最大编号
int mmax[MAX_SQUARE];

// p是当前考察的火柴棒的编号，num是至今已经移除的火柴棒的根数
// state[i] == true ⟺ 正方形i尚未破坏
int dfs(int p, int num, vector<bool> state) {
  // 如果检查完了所有火柴棒，也就破坏了所有的正方形
  if (p == M) return num;

  // 如果一定要移除火柴棒p，则use == true
  // 如果一定不除去火柴棒p，则notuse == true
  bool use = false, notuse = true;
  for (int i = 0; i < S; i++) {
    // 火柴棒p会破坏正方形i，所以可以移除
    if (state[i] && m[p][i]) notuse = false;

    // 只剩火柴棒p能破坏正方形i了，所以必须移除
    if (state[i] && mmax[i] == p) use = true;
  }

  int res = INF;
  // 不移除火柴棒p的分支
  if (!use) res = min(res, dfs(p + 1, num, state));

  // 移除火柴棒p的分支
```

```
for (int i = 0; i < S; i++) {
    if (m[p][i]) state[i] = false;
}
if (!notuse) res = min(res, dfs(p + 1, num + 1, state));
return res;
}

void solve() {
    vector<bool> state(S, true);
    printf("%d\n", dfs(0, 0, state));
}
```

此外, 当发现无法更新最优解时, 即确定继续搜索所得到的解都比当前已知的最优解更差的话, 则没有继续搜索下去的必要了。因为这个分支中的解一定不会比当前已经除去的火柴棒的根数小, 如果已知的最优解不比这个大的话, 就可以不再继续搜索下去了。下面代码中的 num >= min_res 做的就是这个。

```
// 已经找到的最优解
int min_res;
int dfs(int p, int num, vector<bool> state) {
    // 如果检查完了所有的火柴棒, 也就破坏了所有的正方形
    if (p == M) return min_res = num;

    // 如果比已知的最优解要差, 则不继续搜索
    if (num >= min_res) return INF;

    // 以下省略
```

如果我们能够更早一点发现得不到更优的解, 则可以让剪枝更为有效。例如, 接下来所能找到的解总是没有(当前已经除去的火柴棒数)+(剩余的正方形数)/(一根火柴所能破坏的最多正方形数)小, 这就是更好的剪枝用下界。

作为一个更好的下界, 可以考虑没有公共边的正方形的最大集合的基数。由于集合中的任意两个正方形都没有公共边, 所以一根火柴至多只能破坏其中一个正方形, 于是可以作为一个解的下界。

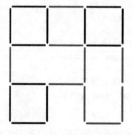

没有公共边的正方形的例子

求没有公共边的正方形的最大集合属于最大独立集问题, 这本身就是一个非常困难的问题。不过, 我们可以用贪心的近似算法得到最大集合的基数的下界 (也就是原问题的下界的下界)。

下面的代码使用了如下贪心算法。

- 记所求的集合为X，初始令$X=$空集。
- 把所有正方形按其所含的火柴棒数排序。
- 按顺序处理正方形，如果它与X中已有的正方形都没有公共边，则将它加到X中。

计算这个下界的函数记为hstar，将之前的num >= min_res改为num + hstar(p, state) >= min_res就好了。

```cpp
// 考虑p以后的火柴时解的下界
int hstar(int p, vector<bool> state) {
  vector<pair<int, int> > ps;
  for (int i = 0; i < S; i++) {
    if (state[i]) {
      // 统计剩余正方形所包含的火柴棒数
      int num = 0;
      for (int j = p; j < M; j++) {
        if (m[j][i]) num++;
      }
      ps.push_back(make_pair(num, i));
    }
  }
  // 按火柴棒数从小到大排序
  sort(ps.begin(), ps.end());
  int res = 0;
  // used[i] == true ⟺ X中已经有包含火柴棒i的正方形了
  vector<bool> used(M, false);
  for (int i = 0; i < ps.size(); i++) {
    int id = ps[i].second;
    bool ok = true;
    // 是否将正方形id加入X中
    for (int j = p; j < M; j++) {
      if (used[j] && m[j][id]) ok = false;
    }
    if (ok) {
      res++;
      for (int j = p; j < M; j++) {
        if (m[j][id]) used[j] = true;
      }
    }
  }
  return res;
}
```

做到这一步，就可以通过$N \leqslant 5$的所有数据了。与(剩余的正方形数)/(一根火柴所能破坏的最多正方形数)这一下界相比，利用这个下界将能够极为显著地加速搜索。[1]

---

[1] 还可以进一步优化。譬如说对于火柴棒A和B，移除B所能破坏的正方形都能通过移除A破坏的话，我们就可以无视B而只考虑A。此外，在这里我们只是简单地从1号火柴棒开始按顺序搜索，也可以考虑通过调整搜索的顺序进行优化。

4.5.2　A*与 IDA*

1. IDA*

继续考虑前面的问题。刚刚讲到的剪枝，虽然在较快找到接近最优解的解时能够有效减少状态数，但在尚未找到较好的解时，依然会尝试许多不必要的状态。虽然我们在下界（在前面的代码中就是num + hstar(p, state)）比最优解更大时可以剪枝，但是不知道最优解的话就没法做到了。因此，我们可以不直接去求最优解，而是改成通过搜索判断是否有不超过某个x的解。把x从0开始每次增加1，那么首次找到解时的x便是最优解。这样，搜索过程中就不会访问那些下界比最优解更大的状态了。

将程序改成判断是否有不超过某个x的解，只需要在之前的下界超过x时，停止搜索就好了，代码几乎没什么变动。在本题中，由于我们在没有找到解时会返回INF，所以搜索部分的代码无须改动。

```
void solve() {
  vector<bool> state(S, true);

  // min_res从0开始递增，直到找到解
  min_res = 0;
  while (dfs(0, 0, state) == INF) min_res++;

  printf("%d\n", min_res);
}
```

考虑平凡下界的情况（即总有hstar(p, state)=0），此时，这个程序就会像宽度优先搜索一样，按距离初始状态的远近顺序访问各个状态。这被称为迭代加深搜索（IDDFS，Interative Deepening Depth-First Search）。

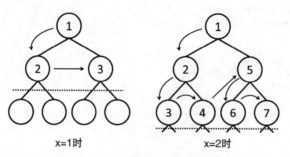

x=1,2时搜索的情况

而像这次这样，通过估算下界提前剪枝优化后的算法则称为IDA*。它通常可以表述如下。

(1) 给出状态v到目标状态（在前面的问题中就是没有正方形的状态）的距离下界的估算函数$h^*(v)$
(2) 令$x=0$
(3) 对满足$d(v)+h^*(v) \leqslant x$的状态进行深度优先搜索，判断是否有不超过x的解（$d(v)$表示从初始状态到v的距离）

(4) 如果找到解，则x就是最优解，程序结束

(5) 否则，将x增加1并回到第3步

IDA*中所访问的状态总是满足$d(v)+h^*(v) \leq$（最优解），而$h^*(v)$的估值越接近到目标状态的实际距离，则搜索经过的状态数越少。

2. A*

正如深度优先算法可以利用下界优化一样，宽度优先搜索和Dijkstra算法也可以利用下界优化。只要将优先队列中的键改成$d(v)+h^*(v)$就可以了，其中$d(v)$是初始状态到状态v的距离，$h^*(v)$是到目标状态的距离下界。这种算法称为A*。只不过需要注意的是，与宽度优先搜索和Dijkstra算法不同，在选用某些下界进行估算的情况下，优先队列顶端的元素对应的$d(v)$未必已经是初始状态到v的最短距离。

如果对于所有的边(u,v)都有$cost(u,v)+h^*(u)-h^*(v) \geq 0$成立，那么第一次取出某个节点$v$时，对应的$d(v)$就一定是最短距离。但是在Square Destroyer中用到的下界并不满足这样的性质。不过，由于h^*是到目标状态t的距离的下界，所以第一次从队首取出的距离同样就是最短距离。

3. A*与IDA*的比较

A*和IDA*分别是针对宽度优先搜索和深度优先搜索的优化算法。就像在Square Destroyer中看到的那样，可以很容易地把深度优先搜索改写成IDA*。同样地，也可以很容易地把宽度优先搜索或Dijkstra算法改写成A*。

当然，不仅在代码上改写很容易，它们各自也继承了一些改写前算法的特点。例如，IDA*基本不怎么花费内存，而A*则要花费关于搜索空间的线性的内存。另一方面，可以通过不同路径达到同一状态时，IDA*可能会重复多次经过某些状态而导致效率一落千丈，而A*通过选取合适的下界则可以保证每个状态至多检查一次。

通常来说，随着搜索深度的增加，搜索空间的大小呈指数级别增长。所以，虽然IDA*在不断增加递归深度限制的过程中重复搜索了很多状态，但总的访问状态数和最后一次所访问的状态数还是同一数量级的。

专栏 整数规划问题

在线性规划问题之上，再给变量加上必须是整数的限制，就得到了整数规划问题（IP, Integer Programming）。此前所讲解的许多问题都可以规约到整数规划问题。例如，Square Destroyer 就可以转为整数规划问题中的集合覆盖问题。虽然整数规划问题与线性规划问题形式相似，但与线性规划问题不同的是，要求解整数规划问题的最优解通常是非常困难的。

在前文中,我们似乎没有任何铺垫就提出了通过最大独立集问题估算 Square Destroyer 的最优解下界。如果将 Square Destroyer 写成整数规划问题的形式,那么也就能自然的导出这个下界了。

首先,把 Square Destroyer 写成整数规划问题的形式。记初始状态中剩余火柴棒的根数为 n,剩余正方形的个数为 m。用一个 n 维向量 x 表示火柴棒的取舍,其中 $x_i=1$ 表示除去火柴棒 i,$x_i=0$ 表示留下火柴棒 i。于是除去火柴棒的根数就是

$$\sum_{i=1}^{n} x_i$$

而正方形 j 将因为取走某个火柴棒而遭到破坏这一条件可以写成

$$\sum x_i \geqslant 1$$

其中,求和中的 i 是所有满足取走火柴 i 将会破坏正方形 j 的 i。利用矩阵和向量,我们就可以将问题写成

(PI) $\min\{c^T x: Ax \geqslant b, x \geqslant 0, x \in \mathbb{Z}^n\}$

的形式。

让我们来计算该整数规划问题的最优解的下界。先不考虑整数规划问题中的变量应该是整数这一限制。

(PL) $\min\{c^T x: Ax \geqslant b, x \geqslant 0, x \in \mathbb{R}^n\}$

因为(PL)比(PI)的限制更松,所以(PL 的最优解)≤(PI 的最优解)。再考虑(PL)的对偶问题。

(DL) $\max\{b^T y: A^T y \leqslant c, y \geqslant 0, y \in \mathbb{R}^m\}$

根据强对偶定理,有(PL 的最优解)=(DL 的最优解)。再给 DL 加上变量应该是整数这一限制,得到的问题限制更紧,所以最优解应该更小。

(DI) $\max\{b^T y: A^T y \leqslant c, y \geqslant 0, y \in \mathbb{Z}^m\}$

综上,有(DI 的最优解)≤(DL 的最优解)=(PL 的最优解)≤(PI 的最优解)。于是我们得到了原问题(PI)的最优解的三个下界。而这里的(DI)就是我们在 Square Destroyer 中估算最优解的下界时所用的最大独立集问题。在求解 Square Destroyer 时,我们又是通过贪心算法求得最大独立集问题的近似解作为下界的。根据前面的分析,如果我们通过单纯形算法求解(PL)或(DL),则可以得到更为逼近的下界。

4.6 划分、解决、合并：分治法

➡️分治法是算法设计方法的一种。它通过将问题划分为规模更小的子问题，递归地解决划分后的子问题，再将结果合并从而高效地解决问题。

4.6.1 数列上的分治法

逆序数

题目描述请参考 3.3 节中的逆序数问题。

在3.3节中，我们利用树状数组在$O(n \log n)$的时间内解决了这个问题。此外，我们还可以通过一个完全不同的分治算法在$O(n \log n)$的时间内解决这个问题。同样的，我们要做的是统计$i<j$而$a_i>a_j$的逆序对(i,j)的个数。

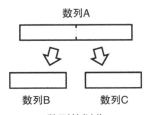

数列的划分

假设我们要统计数列A中逆序对的个数。如图所示，我们可以将数列A分成两半得到数列B和数列C。于是，数列A中所有的逆序对必居下面三者其一。

(1) i,j都属于数列B的逆序对(i,j)
(2) i,j都属于数列C的逆序对(i,j)
(3) i属于数列B而j属于数列C的逆序对(i,j)

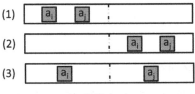

三种逆序对

所以，只要分别统计这三种逆序对，再把结果加起来就好了。对于(1)和(2)，可以通过递归求得。而对于(3)，我们可以对数列C中的每个数字，统计在数列B中比它大的数字的个数，再把结果加起来就好了。这可以通过下面这样在归并排序的同时进行统计而得到。

因为每次递归数列的长度都会减半，所以递归的深度为$O(\log n)$，而每一层总的操作都是$O(n)$，所以总的复杂度为$O(n \log n)$。

```cpp
typedef long long ll;

// 输入
vector<int> A;

ll merge_count(vector<int> &a) {
  int n = a.size();
  if (n <= 1) return 0;

  ll cnt = 0;
  vector<int> b(a.begin(), a.begin() + n / 2);
  vector<int> c(a.begin() + n / 2, a.end());

  cnt += merge_count(b);  // (1)
  cnt += merge_count(c);  // (2)
  // 此时，b和c已经分别排好序了

  // (3)
  int ai = 0, bi = 0, ci = 0;
  while (ai < n) {
    if (bi < b.size() && (ci == c.size() || b[bi] <= c[ci])) {
      a[ai++] = b[bi++];
    } else {
      cnt += n / 2 - bi;
      a[ai++] = c[ci++];
    }
  }

  return cnt;
}

void solve() {
  printf("%lld\n", merge_count(A));
}
```

在这类问题中，我们把问题分割成更小的子问题递归求解，再处理不同子问题之间的部分，这种算法设计方法就是分治法。

4.6.2 树上的分治法

1. 重心分解（Centroid Decomposition）

上一节，我们在数列上运用了分治法。而本节，我们要思考的分治法的运用对象不是数列，而是树。后面的讨论中，我们统一用 n 表示树上节点的个数。

对数列分治时，我们选择了在数列中央将数列二等分，可是对树应该如何分割才好呢？如果我们不假思索随意选择顶点或边进行分割，就可能导致子问题规模不均匀，发生退化。划分不均匀时，递归的深度就有可能退化成 $O(n)$，而问题的复杂度也可能因此变得很高。

而选择使得删除该顶点后得到的最大子树的顶点数最少的顶点作为分割顶点，似乎是个不错的主意。我们称这样的顶点为重心（Centroid）。事实上，删除重心后得到的所有子树，其顶点数必然不超过 $n/2$。因此，如果每次都选择重心进行分割的话，那么每次树的大小也至少减半，所以递归的深度是 $O(\log n)$，可以保证不发生退化，从而进行高效处理。

要证明重心具有以上性质是很容易的，下面我们就来证明一下。选取任意顶点作为起点，每次都沿着边向最大子树的方向移动，最终一定会到达某个顶点，将其删除后得到的所有子树的顶点数都不超过 $n/2$。如果这样的点存在的话，那么也就可以证明删除重心后得到的所有子树的顶点数都不超过 $n/2$。

记当前顶点为 v，如果顶点 v 已经满足上述条件则停止。否则，与顶点 v 邻接的某个子树的顶点数必然大于 $n/2$。假设顶点 v 与该子树中的顶点 w 邻接，那么我们就把顶点 w 作为新的顶点 v。不断重复这一步骤，必然会在有限步停止。这是因为对于移动中所用的边 (v, w)，必有 v 侧的子树的顶点数小于 $n/2$，w 侧的子树的顶点数大于 $n/2$，所以不可能再从 w 移动到 v。因而该操作永远不会回到已经经过的顶点，而顶点数又是有限的，所以算法必然在有限步停止。

2. 运用重心分解的问题

Tree （POJ 1741）

给定一棵 n 个顶点构成的树。其中连接顶点 a_i 和 b_i 的边 i 的长度为 l_i。请统计最短距离不超过 k 的顶点的对数。

⚠️**限制条件**
- $1 \leqslant n \leqslant 10000$
- $1 \leqslant l_i \leqslant 1000$

样例

输入

```
n = 5, k = 4
a = {1, 1, 1, 3}
b = {2, 3, 4, 5}
l = {3, 1, 2, 1}
```

输出

8

---

n比较大，直接枚举所有顶点对是行不通的，于是我们来考虑基于分治法的算法。

假设我们按重心把树分成了若干子树，那么所要求的顶点对必居下面三者其一。

(1) 顶点v,w属于同一子树的顶点对(v,w)

(2) 顶点v,w属于不同子树的顶点对(v,w)

(3) 顶点s和其他顶点v组成的顶点对(s,v)

首先，对于第(1)种情况，可以通过递归得到。对于第(2)种情况，于是从顶点v到顶点w的路径必然经过了顶点s，只要先求出每个顶点到s的距离，就可以轻松统计出和不超过k的顶点对数。而对于第(3)种情况，只要添加一个到s距离为0的顶点，就可以转为第(2)种情况处理了。

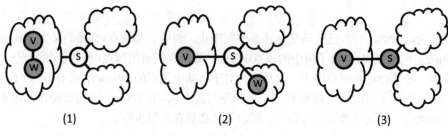

(1)　　　　　　　　(2)　　　　　　　　(3)

三种顶点对

不过，需要注意的是，应该在(1)中统计的属于同一子树的顶点对，要避免在(2)中进行重复统计。在下面的程序中，我们通过先减去重复统计的顶点对数来避免这一问题。

在递归的每一层我们都做了排序，复杂度是$O(n \log n)$，而递归的深度为$O(\log n)$，所以总的复杂度是$O(n \log^2 n)$。[①]

```cpp
struct edge { int to, length; };

// 输入
int N, K;
vector<edge> G[MAX_N];

bool centroid[MAX_N];        // 顶点是否已经作为重心删除的标记
int subtree_size[MAX_N];     // 以该顶点为根的子树的大小（查找重心时使用）

int ans;  // 答案

// 计算子树的大小(subtree_size)的递归函数
int compute_subtree_size(int v, int p) {
```

---

① 本题也有利用合适的数据结构，自底向上地合并统计的$O(n\log_2 n)$的解法。——译者注

```
  int c = 1;
  for (int i = 0; i < G[v].size(); i++) {
    int w = G[v][i].to;
    if (w == p || centroid[w]) continue;
    c += compute_subtree_size(G[v][i].to, v);
  }
  subtree_size[v] = c;
  return c;
}

// 查找重心的递归函数。t是整个连通分量的大小。
// 在以v为根的子树中寻找一个顶点，使得删除该顶点后得到的最大子树的顶点数最少，
// 返回值为pair(最大子树的顶点数，顶点编号)
pair<int, int> search_centroid(int v, int p, int t) {
  pair<int, int> res = make_pair(INT_MAX, -1);
  int s = 1, m = 0;
  for (int i = 0; i < G[v].size(); i++) {
    int w = G[v][i].to;
    if (w == p || centroid[w]) continue;

    res = min(res, search_centroid(w, v, t));

    m = max(m, subtree_size[w]);
    s += subtree_size[w];
  }
  m = max(m, t - s);
  res = min(res, make_pair(m, v));
  return res;
}

// 计算子树中的所有顶点到中心的距离的递归函数
void enumerate_paths(int v, int p, int d, vector<int> &ds) {
  ds.push_back(d);
  for (int i = 0; i < G[v].size(); i++) {
    int w = G[v][i].to;
    if (w == p || centroid[w]) continue;
    enumerate_paths(w, v, d + G[v][i].length, ds);
  }
}

// 统计和不超过K的顶点对的个数
int count_pairs(vector<int> &ds) {
  int res = 0;
  sort(ds.begin(), ds.end());
  int j = ds.size();
  for (int i = 0; i < ds.size(); i++) {
    while (j > 0 && ds[i] + ds[j - 1] > K) --j;
    res += j - (j > i ? 1 : 0);   // 除去和本身组成的顶点对
  }
  return res / 2;
}

// 对顶点v所在的子树，查找中心并分割求解的递归函数
void solve_subproblem(int v) {
  // 查找重心s
```

```
compute_subtree_size(v, -1);
int s = search_centroid(v, -1, subtree_size[v]).second;
centroid[s] = true;

// (1)：统计按顶点s分割后的子树中的对数
for (int i = 0; i < G[s].size(); i++) {
  if (centroid[G[s][i].to]) continue;
  solve_subproblem(G[s][i].to);
}

// (2), (3)：统计经过s的对数
vector<int> ds;
ds.push_back(0);  // 包含顶点s的部分
for (int i = 0; i < G[s].size(); i++) {
  if (centroid[G[s][i].to]) continue;

  vector<int> tds;
  enumerate_paths(G[s][i].to, s, G[s][i].length, tds);

  ans -= count_pairs(tds);  // 先把会重复统计的部分减掉
  ds.insert(ds.end(), tds.begin(), tds.end());
}

ans += count_pairs(ds);
centroid[s] = false;
}

void solve() {
  ans = 0;
  solve_subproblem(0);
  printf("%d\n", ans);
}
```

4.6.3　平面上的分治法

最近点对问题 （UVa 10245）

给定平面上的 n 个点，求距离最近的两个点的距离。

⚠️ **限制条件**

- $1 \leq n \leq 10000$

样例

输入

```
n = 5
x = {0, 6, 43, 39, 189}
y = {2, 67, 71, 107, 140}
```

输出

```
36.2215
```

这是一道经典问题。因为 n 比较大，直接枚举所有点对是行不通的。于是我们来考虑基于分治法的算法。

假设我们把所有点按 x 坐标分成了左右两半，那么最近点对的距离就是下面二者的最小值。

(1) 2点 p 和 q 同属于左半边或右半边时点对 (p, q) 的距离
(2) 2点 p 和 q 属于不同区域时点对 (p, q) 的距离

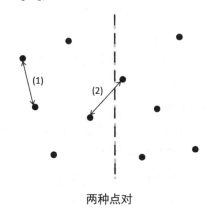

两种点对

首先，对于(1)可以通过递归计算。但是，对于(2)该如何处理呢？事实上，如果直接处理的话，并没有比原问题简单多少，仍然不好处理。不过，如果我们已经知道了(1)部分的最小值，不妨记为 d，再考虑下面的(2')。

(2') 2点 p 和 q 属于不同区域时，距离小于 d 的点对 (p, q) 的距离

在(2)的基础上加上了距离小于 d 的限制。因为我们已经在(1)中找到了距离为 d 的点对，所以不需要再考虑那么距离大于等于 d 的点对了。所以把(2)换成(2')依然可以保证答案的正确性。利用这个条件，所需考虑的点对的数量也就减少了。

首先，我们考虑 x 坐标。假设将点划分为左右两半的直线为 l，其 x 坐标为 x_0。那么根据(2')，到直线 l 的距离大于等于 d 的点就没有必要考虑了。我们只需要考虑那些到直线 l 的距离小于 d 的点，也就是 x 坐标满足 $x_0 - d < x < x_0 + d$ 的点。

接下来，我们考虑 y 坐标。对于每个点，都只需考虑与那些 y 坐标不比自己大的点组成的点对。另外，也没有必要考虑那些 y 坐标相差大于等于 d 的点。也就是说，对于 y 坐标为 y_p 的点，我们只需与考虑 y 坐标满足 $y_p - d < y \leq y_p$ 的点组成的点对就足够了。

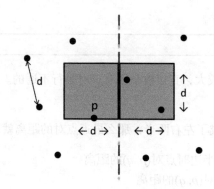

对于点p所需考虑的点的范围

综合以上两点可知，我们要检查的点都在$x_0-d<x<x_0+d$且$y_p-d<y\leq y_p$的矩形区域内。也许大家可能担心这个区域内会有过多的点需要处理，不过因为这里的d不仅是一个上界，而且是由(1)得到的最小值，所以可以证明该区域内的点不会太多。

因为d是(1)中的最小值，所以同属左半边的点，还有同属右半边的点，其距离都不小于d。因此，把待考虑的矩形区域分成左右两个正方形后，每个正方形内至多只包含三个点。所以可以证明，在该矩形区域内，除去p以外，至少还有$3\times2-1$，即5个点。[1]

为了实现按x坐标划分，我们可以在开始时先将所有点按x坐标排序。另一方面，为了更高效地检查对应矩形区域内的点，在(2')的处理之前，我们要把所有待考虑的点按y坐标排序。为此，我们在递归处理的同时，按y坐标进行归并排序。

这样，递归的深度为$O(\log n)$，而每一层有$O(n)$个操作，所以总的复杂度是$O(n \log n)$。[2]

```
typedef pair<double, double> P;   //  first保存x坐标，second保存y坐标

// 输入
int N;
P A[MAX_N];

// 用于按y坐标归并的比较函数
bool compare_y(P a, P b) {
  return a.second < b.second;
}

// 传入的a已经按x坐标排好序了
double closest_pair(P *a, int n) {
  if (n <= 1) return INF;
  int m = n / 2;
  double x = a[m].first;
```

---

[1] 事实上我们无须考虑在与p同侧的正方形内的点，不过考虑了也不影响结果，且实现起来更方便。
[2] 本题也有利用合适的数据结构，进行平面扫描的$O(n\log n)$的解法。

```
double d = min(closest_pair(a, m), closest_pair(a + m, n - m));  // (1)
inplace_merge(a, a + m, a + n, compare_y);  // 归并两个排好序的数列
// 此时，a已经按y坐标排好序了

// (2')
vector<P> b;  // 将到直线的距离小于d的顶点加入
for (int i = 0; i < n; i++) {
  if (fabs(a[i].first - x) >= d) continue;

  // 从后往前检查b中y坐标相差小于d的点
  for (int j = 0; j < b.size(); j++) {
    double dx = a[i].first - b[b.size() - j - 1].first;
    double dy = a[i].second - b[b.size() - j - 1].second;
    if (dy >= d) break;
    d = min(d, sqrt(dx * dx + dy * dy));
  }
  b.push_back(a[i]);
}

return d;
}

void solve() {
  sort(A, A + N);  // 按x坐标排序
  printf("%f\n", closest_pair(A, N));
}
```

4.7 华丽地处理字符串

➡由于字符串是信息最自然的表现形式之一，有许多相关的问题，也有许多的相关的算法。本节将要介绍有关字符串的动态规划算法、字符串匹配和后缀数组。

4.7.1 字符串上的动态规划算法

1. 单字符串的情况

禁止字符串

考虑只由'A', 'G', 'C', 'T'四种字符组成的 DNA 字符串。给定一个长度为 k 的字符串 S。请计算长度恰好为 n 且不包含 S 的字符串的个数。输出个数 mod 10009 后的结果。

⚠**限制条件**
- $1 \leqslant k \leqslant 100$
- $1 \leqslant n \leqslant 10000$

样例

输入

```
n = 3, k = 2, S = "AT"
```

输出

56

首先，我们来考虑生成所有满足条件的字符串这一直观的解法。字符串的个数可能高达4^n，这显然是行不通的。接下来，与其在生成字符串后再判断它是否包含S，不如在穷竭搜索的过程中，每在末尾加一个字符，都确保其最后k个字符不等于S。可以发现最后k个字符之前的字符对以后的搜索并无影响。所以，我们可以以剩余字符的个数和最后$k-1$个字符为状态进行动态规划。

这样的状态数依然高达4^{k-1}。不过，事实上可以将其中的许多状态看作是等价的，从而大大减少所需的状态数。首先，我们以S等于"ATCG"为例进行分析。动态规划的状态是字符的个数和最后3个字符。

譬如说，我们可以将最后三个字符为"TTA"的状态和"CCA"的状态看作是等价的。这是因为'A'是S的第一个字符，所以"TT"或"CC"这两个字符对以后是否出现S并无影响。同理可知，对于以'A'结尾的状态，'A'前面的字符是什么并不重要。由此可知，我们可以将"**A"（'*'代表任意一个字符）看作一个状态。

以'T'结尾的状态又如何呢？'T'是S的第二个字符。因此要使该字符对S的出现有影响，其前面的字符必须是'A'，并且同之前分析的一样，再前面的字符是什么并无影响。所以，可以将"*AT"看作一个状态。而如果'T'前面的字符不是'A'的话，那么这个'T'也可以无视。

综合以上分析，我们知道最初的4^3种状态，可以归纳为以下4种

- "A"，"*AT"，"ATC"，其他

也就是把所生成字符串的后缀和S的前缀相匹配的长度作为状态。所以，状态总数只有k个。

接下来，我们来考虑一个更为复杂的例子，令S等于"ATCATCG"。此时，有个地方需要稍微注意一下。简单地像前面一样处理的话，将得到"ATCATC"和"***ATC"这两个状态。如果我们对"***ATC"的前3个字符不加任何限制的话，那么就发生了以"ATCATC"结尾的状态，同时属于这两个状态这一奇怪现象。不过，要解决这一问题也很容易。最初我们引入'*'时，是用于代替那些已知对以后是否出现S无影响的字符。对于"ATCATC"，如果下一个字符是'G'的话，就得到了S，对S的出现是有影响的。所以"ATCATC"不应该属于"***ATC"。

将这个一般化就会发现，状态应该是所生成字符串的后缀和S的前缀相匹配的长度，只不过当有多种匹配时，应当选择最长的作为状态。

为了让动态规划算法部分更加高效，下面的程序预先处理出了从某个状态添加某个字符后的状态转移表，然后利用该表完成动态规划。预处理部分的复杂度是$O(k^3)$，动态规划的复杂度是$O(kn)$。

```
const char *AGCT = "AGCT";
const int MOD = 10009;

// 输入
int N, K;
string S;

int next[MAX_K][4];   // 添加某个字符后转移到的状态
int dp[MAX_N + 1][MAX_K];

void solve() {
  // 预处理
  for (int i = 0; i < K; i++) {
    for (int j = 0; j < 4; j++) {
      // 在S长度为i的前缀后添加一个字符
      string s = S.substr(0, i) + AGCT[j];
      // 反复删除第一个字符，直到成为S的前缀
```

```
    while (S.substr(0, s.length()) != s) {
      s = s.substr(1);
    }
    next[i][j] = s.length();
  }
}

// 动态规划边界的初值
dp[0][0] = 1;
for (int i = 1; i < K; i++) dp[0][i] = 0;
// 动态规划
for (int t = 0; t < N; t++) {
  for (int i = 0; i < K; i++) dp[t + 1][i] = 0;

  for (int i = 0; i < K; i++) {
    for (int j = 0; j < 4; j++) {
      int ti = next[i][j];
      if (ti == K) continue;  // 不允许出现S
      dp[t + 1][ti] = (dp[t + 1][ti] + dp[t][i]) % MOD;
    }
  }
}

int ans = 0;
for (int i = 0; i < K; i++) ans = (ans + dp[N][i]) % MOD;
printf("%d\n", ans);
}
```

2. 多字符串的情况

DNA Repair （POJ 3691）

考虑只由'A', 'G', 'C', 'T'四种字符组成的 DNA 字符串。给定一个原字符串 S，和 n 个禁止模式字符串 $P_1, P_2, \cdots, P_n$。请修改字符串 S，使得其中不包含任何禁止模式。每次修改操作只能将 S 中的某个字符修改为其他字符。如果不存在这样的修改，请输出-1，否则，输出所需的最少修改回数。

⚠限制条件
- $1 \leqslant |S| \leqslant 1000$
- $1 \leqslant n \leqslant 50$
- $1 \leqslant |P_i| \leqslant 20$

输入

```
S = "AAAG", P = {"AAA", "AAG"}
```

输出

1

样例 2

输入

```
S = "TGAATG", P = {"A", "TG"}
```

输出

4

样例 3

输入

```
S = "AGT", P = {"A", "G", "C", "T"}
```

输出

-1

这个问题看起来与前面的问题很相似。所以我们考虑从左向右修改，依然以已修改到的位置和对应的后缀为状态进行动态规划。只不过与前面不同的是，这里禁止出现的字符串不只一个，而是有多个。那么应该用哪些状态来表示后缀才好呢？

实际上，这并不难。在前面的问题中，我们取字符串 S 的所有前缀为状态，这里也只要取所有字符串 P_i 的所有前缀为状态就好了。不过需要注意的是，我们可能从不同的字符串得到相同的前缀。譬如说，"AA" 既是 "AAA" 的前缀，也是 "AAG" 的前缀。在 "AA" 后面添加 'A' 可以得到 "AAA"，添加 'G' 则会得到 "AAG"。因此，需要把像 "AA" 这样的多个字符串的公共前缀作为同一个状态进行正确地处理。

与前面的问题一样，下面的代码中，首先是预处理出状态及其转移关系，然后再进行动态规划。预处理的复杂度是 $O(n^2l^2+nl^3\log(nl))$，动态规划的复杂度是 $O(nl|S|)$，其中 l 表示 P_i 的最大长度。

```cpp
const char *AGCT = "AGCT";

// 输入
int N;
string S, P[MAX_N];

// 预处理得到的数据
int next[MAX_STATE][4];    // 添加某个字符后转移到的状态
bool ng[MAX_STATE];        // 是否是禁止转移到的状态

int dp[MAX_LEN_S + 1][MAX_STATE];
```

```cpp
void solve() {
  // 首先枚举出所有的字符串前缀
  vector<string> pfx;
  for (int i = 0; i < N; i++) {
    for (int j = 0; j <= P[i].length(); j++) {
      pfx.push_back(P[i].substr(0, j));
    }
  }
  // 排序并去重
  sort(pfx.begin(), pfx.end());
  pfx.erase(unique(pfx.begin(), pfx.end()), pfx.end());
  int K = pfx.size();

  // 计算各个状态的相关信息
  for (int i = 0; i < K; i++) {
    // 如果后缀和禁止模式匹配的话，就是禁止转移到的状态
    ng[i] = false;
    for (int j = 0; j < N; j++) {
      ng[i] |= P[j].length() <= pfx[i].length()
          && pfx[i].substr(pfx[i].length() - P[j].length(), P[j].length()) == P[j];
    }
    for (int j = 0; j < 4; j++) {
      // 添加一个字符后得到的字符串
      string s = pfx[i] + AGCT[j];
      // 反复删除第一个字符，直到等于某个状态的字符串，该状态就是转移到的状态
      int k;
      for (;;) {
        k = lower_bound(pfx.begin(), pfx.end(), s) - pfx.begin();
        if (k < K && pfx[k] == s) break;
        s = s.substr(1);
      }
      next[i][j] = k;
    }
  }

  // 动态规划的边界初值
  dp[0][0] = 1;
  for (int i = 1; i < K; i++) dp[0][i] = 0;
  // 动态规划
  for (int t = 0; t < S.length(); t++) {
    for (int i = 0; i < K; ++i) dp[t + 1][i] = INF;

    for (int i = 0; i < K; i++) {
      if (ng[i]) continue;
      for (int j = 0; j < 4; j++) {
        int k = next[i][j];
        dp[t + 1][k] = min(dp[t + 1][k], dp[t][i] + (S[t] == AGCT[j] ? 0 : 1));
      }
    }
  }

  int ans = INF;
  for (int i = 0; i < K; ++i) {
```

```
      if (ng[i]) continue;
      ans = min(ans, dp[S.length()][i]);
    }
    if (ans == INF) puts("-1");
    else printf("%d\n", ans);
  }
```

专栏　Trie

像这样以字符串的前缀为状态的动态规划，也被称为 Trie 上的动态规划。所谓 Trie，指的是某个字符串集合对应的形如下图的有根树。树的边上对应有一个字符，每个顶点代表从根到该节点的路径所对应的字符串。其中双圆圈表示顶点所代表的字符串是实际字符串集合的元素。

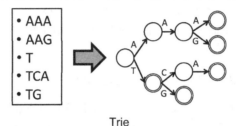

Trie

虽然在程序设计竞赛中并非非用不可，但我们可以把Trie当作一个高效维护字符串集合的数据结构。比如说，如果利用二叉查找树来维护n个字符串的话，查找长度为l的字符串的复杂度为$O(l \log n)$，而换作Trie则只要$O(l)$。前面的动态规划的状态，也正对应于Trie中的顶点。顺带一提，Trie读作"try"。

专栏　更加高效地完成字符串DP的预处理

这里介绍的两道题，都包含计算状态转移关系的预处理。如果利用 KMP 算法或 Aho-Corasick 算法等字符串匹配算法进行预处理的话，则可以在字符串长度（多字符串时则是长度之和）的线性时间内计算出这个转移关系。

4.7.2　字符串匹配

寻找字符串S中字符串T出现的位置或次数的问题属于字符串匹配问题。我们在接下来的讨论中假设S的长度为n，T的长度为m。最朴素的想法是，枚举所有起始位置，再直接检查是否匹配，复杂度为$O(nm)$的算法。还有几个更为高效的算法。而在此我们只介绍实现起来较为容易，而在一些稍作变化的问题中同样适用，并且可以简单地推广到二维情况的哈希算法[①]。

---

① 哈希也叫做散列。——译者注

将哈希算法用于字符串匹配的原理非常简单。对于每个起始位置，我们不是$O(m)$地直接比较字符串是否匹配，而是$O(l)$地比较长度为m的字符串子串的哈希值与T的哈希值是否相等。虽然即使哈希值相等字符串也未必相等，但如果哈希值是随机分布的话，不同的字符串哈希值相等的概率是很低的，可以当作这种情况不会发生[①]。

但是，如果我们采用$O(m)$的算法计算长度为m的字符串子串的哈希值的话，那复杂度还是$O(nm)$。这里我们要使用一个叫做滚动哈希的优化技巧。选取两个合适的互素常数b和$h(l<b<h)$，假设字符串$C=c_1c_2\cdots c_m$，定义哈希函数

$$H(C)=(c_1b^{m-1}+c_2b^{m-2}+c_3b^{m-3}+\cdots+c_mb^0) \bmod h$$

其中b是基数，相当于把字符串看作b进制数。这样，字符串$S=s_1s_2\cdots s_n$从位置$k+1$开始长度为m的字符串子串$S[k+1..k+m]$的哈希值，就可以利用从位置k开始的字符串子串$S[k..k+m-1]$的哈希值，直接进行如下计算。

$$H(S[k+1..k+m])=(H(S[k..k+m-1]) \times b-s_kb^m+s_{k+m}) \bmod h$$

于是，只要不断这样计算开始位置右移一位后的字符串子串的哈希值，就可以在$O(n)$时间内得到所有位置对应的哈希值，从而可以在$O(n+m)$时间内完成字符串匹配。在实现时，可以用64位无符号整数计算哈希值，并取h等于2^{64}，通过自然溢出省去求模运算。[②]

```
typedef unsigned long long ull;

const ull B = 100000007;    // 哈希的基数

// a是否在b中出现
bool contain(string a, string b) {
  int al = a.length(), bl = b.length();
  if (al > bl) return false;

  // 计算B的al次方
  ull t = 1;
  for (int i = 0; i < al; i++) t *= B;

  // 计算a和b长度为al的前缀对应的哈希值
  ull ah = 0, bh = 0;
  for (int i = 0; i < al; i++) ah = ah * B + a[i];
  for (int i = 0; i < al; i++) bh = bh * B + b[i];
```

[①] 虽然在许多实际应用中，这种"鸵鸟法"确实行得通，但需要注意的是，哈希值发生冲突的概率也许比直观想象中来得高。根据生日攻击理论，对于哈希值在$[0, n)$均匀分布的哈希函数，首次冲突发生的期望不是$O(n)$，而是$O(\sqrt{n})$。在选取哈希算法参数时，可以把这一结论作为一个参考。——译者注

[②] 这种利用滚动哈希的字符串匹配算法叫做Rabin-Karp算法。不过，原本的Rabin-Karp算法在哈希值相等时，还要用传统的字符串比较算法来判断字符串是否相等。而在程序设计竞赛中，往往会特意准备一些出现大量相等情况的测试数据。如果一一检查的话，就会导致复杂度退化成$O(nm)$。而不同字符串的哈希值发生冲突的概率非常低，通常可以忽视。因此，在程序设计竞赛中，我们通常只比较哈希值，而不再做朴素的检查。

```
// 对b不断右移一位, 更新哈希值并判断
for (int i = 0; i + al <= bl; i++) {
  if (ah == bh) return true;  // b从位置i开始长度为al的字符串子串等于a
  if (i + al < bl) bh = bh * B + b[i + al] - b[i] * t;
}
return false;
}
```

当然, 不光是右移一位, 对于左移一位、左端或右端加长一位或是缩短一位的情况, 也能够进行类似处理。譬如说, 假设要求S的后缀和T的前缀相等的最大长度, 也可以利用滚动哈希在$O(n+m)$的时间内高效地求得。[①]

```
typedef unsigned long long ull;

const ull B = 100000007;  // 哈希的基数

//  a的后缀和b的前缀相等的最大长度
int overlap(string a, string b) {
  int al = a.length(), bl = b.length();
  int ans = 0;
  ull ah = 0, bh = 0, t = 1;
  for (int i = 1; i <= min(al, bl); i++) {
    ah = ah + a[al - i] * t;  // a的长度为i的后缀的哈希值
    bh = bh * B + b[i - 1];    // b的长度为i的前缀的哈希值
    if (ah == bh) ans = i;
    t *= B;
  }
  return ans;
}
```

星座（POJ 3690）

给定一个由'*'和'0'组成的, 大小为$N \times M$（N行M列）的匹配对象和T个大小为$P \times Q$的匹配模式。请输出在匹配对象中至少出现过一次的匹配模式的个数。

⚠️限制条件
- $1 \leq N, M \leq 1000$
- $1 \leq T \leq 100$
- $1 \leq P, Q \leq 50$

[①] 本题也可以用KMP算法解决。

样例

输入

```
N=M=3, P=Q=2, T=2

匹配对象:
*00
0**
*00

匹配模式:
**  *0
00  **
```

输出

```
1（只有第一个模式）
```

这里要做的不是字符串匹配，而是二维网格的匹配，同样可以运用循环哈希。首先把每一行看成一个字符串，计算从每个位置开始长度为Q的字符串子串的哈希值。然后再把得到的哈希值在列方向看成一个字符串，计算从每个位置开始长度为P的字符串子串的哈希值。这样，我们高效地计算得到了所有P×Q的子阵的哈希值。在两次哈希值的计算中，我们选用了不同的基数。[①]

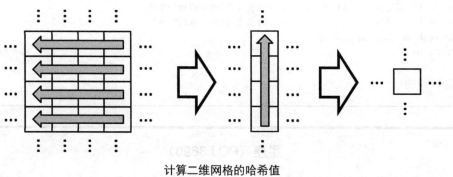

计算二维网格的哈希值

```
typedef unsigned long long ull;

// 输入
int N, M, T, P, Q;
char field[MAX_SIZE][MAX_SIZE];              // 匹配对象
char patterns[MAX_T][MAX_SIZE][MAX_SIZE];    // 匹配模式

ull hash[MAX_SIZE][MAX_SIZE], tmp[MAX_SIZE][MAX_SIZE];

// 计算a的所有P×Q子阵对应的哈希值
void compute_hash(char a[MAX_SIZE][MAX_SIZE], int n, int m) {
```

---

① 本题也可以用Aho-Corasick算法解决。

```
    const ull B1 = 9973;
    const ull B2 = 100000007;

    ull t1 = 1;   // B1的Q次方
    for (int j = 0; j < Q; j++) t1 *= B1;

    // 按行方向计算哈希值
    for (int i = 0; i < n; i++) {
      ull e = 0;
      for (int j = 0; j < Q; j++) e = e * B1 + a[i][j];

      for (int j = 0; j + Q <= m; j++) {
        tmp[i][j] = e;
        if (j + Q < m) e = e * B1 - t1 * a[i][j] + a[i][j + Q];
      }
    }

    ull t2 = 1;   // B2的P次方
    for (int i = 0; i < P; i++) t2 *= B2;

    // 按列方向计算哈希值
    for (int j = 0; j + Q <= m; j++) {
      ull e = 0;
      for (int i = 0; i < P; i++) e = e * B2 + tmp[i][j];

      for (int i = 0; i + P <= n; i++) {
        hash[i][j] = e;
        if (i + P < n) e = e * B2 - t2 * tmp[i][j] + tmp[i + P][j];
      }
    }
}

void solve() {
  // 将所有模式的哈希值放入multiset中
  multiset<ull> unseen;
  for (int k = 0; k < T; k++) {
    compute_hash(patterns[k], P, Q);
    unseen.insert(hash[0][0]);
  }

  // 将出现的哈希值从multiset中删除
  compute_hash(field, N, M);
  for (int i = 0; i + P <= N; i++) {
    for (int j = 0; j + Q <= M; j++) {
      unseen.erase(hash[i][j]);
    }
  }

  // 通过相减得到出现的模式的个数
  int ans = T - unseen.size();
  printf("%d\n", ans);
}
```

4.7.3   后缀数组

字符串后缀（Suffix）指的是从字符串的某个位置开始到其末尾的字符串子串。我们认为原串和空串也是后缀。反之，从字符串开头到某个位置的字符串子串则称为前缀。

后缀数组（Suffix Array）指的是将某个字符串的所有后缀按字典序排序后得到的数组。不过数组中并不需要直接保存所有的后缀字符串，只要记录对应的起始位置就好了。下文中，我们用$S[i..]$来表示字符串S从位置i开始的后缀。

"abracadabra"对应的后缀数组sa

i	sa[i]	S[sa[i]...]	i	sa[i]	S[sa[i]...]
0	11	（空字符串）	6	8	bra
1	10	a	7	1	bracadabra
2	7	abra	8	4	cadabra
3	0	abracadabra	9	6	dabra
4	3	acadabra	10	9	ra
5	5	adabra	11	2	racadabra

后缀数组不但能够高效计算得到，而且能够用于解决许多问题，是非常强有力的工具。

1. 后缀数组的计算

假设我们要计算长度为n的字符串S的后缀数组。最朴素的做法就是直接把所有后缀进行排序，将n个长度为$O(n)$的字符串进行排序的复杂度为$O(n^2\log n)$。而如果灵活运用所有的字符串都是S的后缀这一性质，就可以得到更高效的算法。下面就给大家介绍其中较为简单的一种——由Manber和Myers发明的$O(n \log^2 n)$复杂度的算法。

该算法的基本思想是倍增。首先计算从每个位置开始的长度为2的子串的顺序，再利用这个结果计算长度为4的子串的顺序，接下来计算长度为8的子串的顺序，不断倍增，直到长度大于等于n就得到了后缀数组。下面，我们用$S[i, k]$来表示从位置i开始的长度为k的字符串子串。其中，当从位置i开始，剩余字符不足k个时，表示的是从位置i开始到字符串末尾的子串。

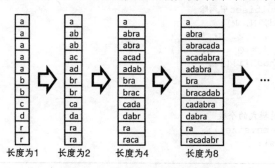

计算abracadabra的后缀数组的过程

要计算长度为2的子串的顺序，只要排序两个字符组成的数对就好了。现在假设已经求得了长度为 k 的子串的顺序，要求长度为 $2k$ 的子串的顺序。记 $rank_k(i)$ 为 $S[i, k]$ 在所有排好序的长度为 k 的子串中是第几小的。要计算长度为 $2k$ 的子串的顺序，就只要对两个 rank 组成的数对进行排序就好了。我们通过对 $rank_k(i)$ 与 $rank_k(i+k)$ 的数对和 $rank_k(j)$ 与 $rank_k(j+k)$ 的数对的比较来替代对 $S[i, 2k]$ 和 $S[j, 2k]$ 的直接比较。因为比较 $rank_k(i)$ 和 $rank_j(j)$ 就相当于比较 $S[i, k]$ 和 $S[j, k]$，比较 $rank_k(i+k)$ 和 $rank_j(j+k)$ 就相当于比较 $S[i+k, k]$ 和 $S[j+k, k]$。所以，我们可以这样高效地比较长度为 $2k$ 的子串，并将它们排序。

排序时，用长度为2的 rank 的数对的比较来替代长度为4的子串的直接比较

第几小

sa[i]	S[sa[i], 2]	$rank_2(sa[i])$
11	(空字符串)	0
10	a	1
0	ab	2
7	ab	2
3	ac	3
5	ad	4
1	br	5
8	br	5
4	ca	6
6	da	7
2	ra	8
9	ra	8

首先排序长度为2的子串

sa[i]	S[sa[i],4]	$rank_2(sa[i])$	$rank_2(sa[i]+2)$
11	(空字符串)	0	-1
10	a	1	-1
0	abra	2	8
7	abra	2	8
3	acad	3	4
5	adab	4	2
8	bra	5	1
1	brac	5	3
4	cada	6	7
6	dabr	7	5
9	ra	8	0
2	raca	8	6

再利用其结果对长度为4的子串进行排序

利用长度为2的顺序计算长度为4的顺序

```
int n, k;
int rank[MAX_N + 1];
int tmp[MAX_N + 1];

// 比较(rank[i], rank[i + k])和(rank[j], rank[j + k])
bool compare_sa(int i, int j) {
  if (rank[i] != rank[j]) return rank[i] < rank[j];
  else {
    int ri = i + k <= n ? rank[i + k] : -1;
    int rj = j + k <= n ? rank[j + k] : -1;
    return ri < rj;
  }
}

// 计算字符串S的后缀数组
void construct_sa(string S, int *sa) {
  n = S.length();

  // 初始长度为1, rank直接取字符的编码
  for (int i = 0; i <= n; i++) {
    sa[i] = i;
    rank[i] = i < n ? S[i] : -1;
  }

  // 利用对长度为k的排序的结果对长度为2k的排序
```

```
for (k = 1; k <= n; k *= 2) {
    sort(sa, sa + n + 1, compare_sa);

    // 先在tmp中临时存储新计算的rank，再转存回rank中
    tmp[sa[0]] = 0;
    for (int i = 1; i <= n; i++) {
        tmp[sa[i]] = tmp[sa[i - 1]] + (compare_sa(sa[i - 1], sa[i]) ? 1 : 0);
    }
    for (int i = 0; i <= n; i++) {
        rank[i] = tmp[i];
    }
}
}
```

此外还有许多不同的计算后缀数组的算法。譬如说像SA-IS这样线性复杂度的高效算法等。不过在程序设计竞赛中，多数情况下使用上述的算法就足够了。

2. 基于后缀数组的字符串匹配

后缀数组最基本的应用便是字符串匹配了。假设已经计算好了字符串S的后缀数组，现在要求字符串T在字符串S中出现的位置，只要通过二分搜索就可以在$O(|T|\log|S|)$时间完成。当$|S|$比较大时，比前面介绍的$O(|T|+|S|)$的算法更为高效，所以需要对同样的字符串做多次匹配时，该算法更有优势。

```
bool contain(string S, int *sa, string T) {
    int a = 0, b = S.length();
    while (b - a > 1) {
        int c = (a + b) / 2;
        // 比较S从位置sa[c]开始长度为|T|的子串与T
        if (S.compare(sa[c], T.length(), T) < 0) a = c;
        else b = c;
    }
    return S.compare(sa[b], T.length(), T) == 0;
}
```

3. 后缀数组的应用

Sequence （POJ 3581）

给定 N 个数字组成的序列 $A_1, A_2, \cdots, A_n$。其中 A_1 比其他数字都大。现在要把这个序列分成三段，并将每段分别反转，求能得到的字典序最小的序列是什么？要求分得的每段都不为空。

⚠️限制条件
- $N \leqslant 200000$

样例

输入

```
N = 5
A = {10, 1, 2, 3, 4}
```

输出

1 10 2 4 3（分成{10, 1}, {2}, {3, 4}三段）

首先，确定第一段的分割位置是比较简单的。由于有A_1比其他数字都大这一条件，确定第一段的分割位置时只需考虑第一段就足够了。简单来讲，就是只需选择反转之后字典序最小的前缀就好了。这等价于求反转后的字符串中字典序最小的后缀，利用后缀数组即可轻松解决。

然后，把剩余部分分割成两段。不过这次这两部分不是独立的，不能光比较前半部分的字典序取其中最小者。不过，将序列分割成两段再分别反转得到的序列，可以看作是将两个原序列拼接得到的新序列中的某个子串反转后得到的序列，请参见下图。因此，只要计算新序列反转后的后缀数组，在从中选取字典序最小的合适的后缀就好了。

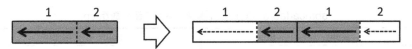

将两个原序列拼接得到的新序列

```
// 输入
int N, A[MAX_N];

int rev[MAX_N * 2], sa[MAX_N * 2];

void solve() {
  // 将A反转，并计算其后缀数组
  reverse_copy(A, A + N, rev);
  construct_sa(rev, N, sa);  // 计算整数序列后缀数组的函数

  // 确定第一段的分割位置
  int p1;
  for (int i = 0; i < N; i++) {
    p1 = N - sa[i];
    if (p1 >= 1 && N - p1 >= 2) break;
  }

  // 将p1之后的字符串反转并重复2次，再计算其后缀数组
  int m = N - p1;
  reverse_copy(A + p1, A + N, rev);
  reverse_copy(A + p1, A + N, rev + m);
  construct_sa(rev, m * 2, sa);

  // 确定后两段的分割位置
```

```
int p2;
for (int i = 0; i <= 2 * m; i++) {
  p2 = p1 + m - sa[i];
  if (p2 - p1 >= 1 && N - p2 >= 1) break;
}

reverse(A, A + p1);
reverse(A + p1, A + p2);
reverse(A + p2, A + N);
for (int i = 0; i < N; i++) printf("%d\n", A[i]);
}
```

4. 高度数组（LCP Array，Longest Common Prefix Array）

所谓高度数组,指的是由后缀数组中相邻两个后缀的最长公共前缀(LCP ,Longest Common Prefix)
的长度组成的数组。记后缀数组为 sa,高度数组为 lcp,则有后缀 $S[sa[i]...]$ 与 $S[sa[i+1]...]$ 的最长公
共前缀的长度为 lcp[i]。我们可以在 $O(n)$ 时间内高效地求得高度数组,有了高度数组,后缀数组将
成为一个更加有力的工具。高度数组的计算虽然简单,但非常巧妙,使用了类似尺取法的技巧。
记 rank[i] 为位置 i 开始的后缀在后缀数组中的顺序,即有 rank[sa[i]]=i。

abracadabra所对应的后缀数组sa和高度数组lcp

i	sa[i]	lcp[i]	S[sa[i]...]	i	sa[i]	lcp[i]	S[sa[i]...]
0	11	0	（空字符串）	6	8	3	bra
1	10	1	a	7	1	0	bracadabra
2	7	4	abra	8	4	0	cadabra
3	0	1	abracadabra	9	6	0	dabra
4	3	1	acadabra	10	9	2	ra
5	5	0	adabra	11	2	–	racadabra

我们从位置0的后缀开始,从前往后依次计算后缀 $S[i...]$ 与后缀 $S[sa[rank[i]-1]...]$（即后缀数组中的前
一个后缀）的最长公共前缀的长度。此时,假设我们已经求得了位置 i 对应的高度 h_i,那么我们可以
证明位置 i+1 对应的高度不小于 h_i-1。为什么呢？记 k=sa[rank[i]-1],已知后缀 $S[i...]$ 和 $S[k...]$ 的头部 h_i
个字符是相等的,那么后缀 $S[i+1...]$ 和 $S[k+1...]$ 分别是二者去除首个字符的结果,所以它们头部 h_i-1
个字符是相等的。虽然在后缀数组中,$S[i+1...]$ 前面一个元素未必就是 $S[k+1...]$,但即便如此,公共
前缀的长度也是只增不减的。因此,只要从 h_i-1 开始检查,计算最长公共前缀的长度就好了。

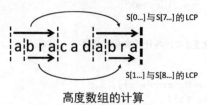

高度数组的计算

因为高度最多增加 n 次,所以总的复杂度是 $O(n)$。如果把这个问题当作位置 i 对应的区间是 $[i, i+h_i)$

的尺取法来看，就很容易理解。区间的左右端点始终不会向左移，并且是不超过*n*的整数。

```
int rank[MAX_N + 1];

// 传入字符串S和对应的后缀数组sa, 计算高度数组lcp
void construct_lcp(string S, int *sa, int *lcp) {
  int n = S.length();
  for (int i = 0; i <= n; i++) rank[sa[i]] = i;

  int h = 0;
  lcp[0] = 0;
  for (int i = 0; i < n; i++) {
    // 计算字符串中从位置i开始的后缀及其在后缀数组中的前一个后缀的LCP
    int j = sa[rank[i] - 1];

    // 将h先减去首字母的1长度，在保持前缀相同前提下不断增加
    if (h > 0) h--;
    for (; j + h < n && i + h < n; h++) {
      if (S[j + h] != S[i + h]) break;
    }

    lcp[rank[i] - 1] = h;
  }
}
```

如果再将后缀数组与数据结构一节中介绍的Range Minimum Query相结合，我们就不光可以得到后缀数组内相邻两个后缀的最长公共前缀，还可以得到任意两个后缀的最长公共前缀。假设有rank[*i*]<rank[*j*]，那么从位置*i*和*j*开始的后缀的最长公共前缀的长度就是lcp[rank[*i*]], lcp[rank[*i*]+1],…, lcp[rank[*j*]−1]中的最小值。

5. 后缀数组与高度数组的应用

最长公共子串 （POJ 2217）

给定两个字符串 *S* 和 *T*。请计算两个字符串最长的公共字符串子串的长度。

⚠**限制条件**
- $1 \leq |S|, |T| \leq 10000$

样例

输入

```
S = ABRACADABRA
T = ECADADABRBCRDAR
```

输出

5（最长公共子串为ADABR）

注意本题和初级篇动态规划一节中所讲的最长公共子序列问题是不同的。这里的是子串而非子序列，子串要求是连续的，而子序列则不然[①]。利用后缀数组和高度数组，就可以高效地求解本问题。

首先来考虑一个简化的问题，计算一个字符串中至少出现两次的最长子串。答案一定会在后缀数组中相邻两个后缀的公共前缀之中，所以只要考虑它们就好了。这是因为子串的开始位置在后缀数组中相距越远，其公共前缀的长度也就越短。因此，高度数组的最大值其实就是答案。

再来考虑原问题的解法。因为对于两个字符串，不好直接运用后缀数组，所以我们可以把S和T，通过在中间插入一个不会出现的字符（例如'\0'）拼成一个字符串S'。然后，和刚才一样计算S'的后缀数组，检查后缀数组中的所有相邻后缀。其中，分属于S和T的不同字符串的后缀的lcp的最大值就是答案。而要知道后缀是属于S还是T，可以由其在S'中的位置直接判断。[②]

```
// 输入
string S, T;

int sa[MAX_L], lcp[MAX_L];

void solve() {
  int sl = S.length();
  S += '\0' + T;

  construct_sa(S, sa);
  construct_lcp(S, sa, lcp);

  int ans = 0;
  for (int i = 0; i < S.length(); i++) {
    if ((sa[i] < sl) != (sa[i + 1] < sl)) {
      ans = max(ans, lcp[i]);
    }
  }
  printf("%d\n", ans);
}
```

---

① 子序列（subsequence）指的是在不改变序列中元素顺序的前提下，删除一些元素后得到的新序列。子串（substring）则是原串中连续的一段，也可以定义为前缀的后缀或后缀的前缀。在这里，序列（sequence）和串（string）是同一概念，而不是狭义的数列和字符串。是否要求连续是子序列和子串唯一的区别。——译者注

② 这里，我们在中间插入了不会出现在字符串中的null字符('\0')。这是因为POJ 2217对输入的字符串中的字符没有特别限制。通常，多数情况有输入的字符串只包含字母之类的限制。由于使用null字符可能引入意想不到的bug，所以这时不用null字符，而是用'$'之类的字符比较好。

最长回文子串

给定字符串 S。请计算其中是回文的最长字符串子串的长度。所谓回文，指的是正着读和反着读都一样的字符串。

⚠限制条件
- $1 \le |S| \le 100000$
- S 只包含小写英文字母

样例

输入

```
S = mississippi
```

输出

```
7 (ississi是回文)
```

首先，看一下长度为奇数的回文。对于字符串上的每个位置 i，如果知道从 i 开始的后缀和到 i 为止的前缀反转后的字符串的最长公共前缀的长度的话，也就知道了以第 i 个字符为对称中心的最长回文的长度了。因此，我们用在 S 中不会出现的字符（例如'$'）将 S 和 S 反转后的字符串拼接起来，得到字符串 S′，再计算 S′ 的后缀数组。于是，从 i 开始的后缀和到 i 为止的前缀反转后的字符串就都是 S′ 中的后缀了，利用高度数组，就可以轻而易举地求得它们最长公共前缀的长度。对于长度为偶数的回文的处理也基本相同。[1]

```cpp
// 输入
string S;

int sa[MAX_L + 1], lcp[MAX_L],  rank[MAX_L + 1];

void solve() {
  int n = S.length();
  string T = S;
  reverse(T.begin(), T.end());
  S += '$' + T;

  construct_sa(S, sa);
  construct_lcp(S, sa, lcp);
  for (int i = 0; i <= S.length(); i++) rank[sa[i]] = i;
  construct_rmq(lcp, S.length() + 1);  // 初始化RMQ

  int ans = 0;
```

---

[1] 查找回文，还有Manacher算法等更为高效简单的算法。

```
// 以第i个字符对称的奇数长回文
for (int i = 0; i < n; i++) {
  int j = n * 2 - i;
  int l = query_rmq(min(rank[i], rank[j]), max(rank[i], rank[j]));
  ans = max(ans, 2 * l - 1);
}

// 以第i-1和第i个字符对称的偶数长回文
for (int i = 1; i < n; i++) {
  int j = n * 2 - i + 1;
  int l = query_rmq(min(rank[i], rank[j]), max(rank[i], rank[j]));
  ans = max(ans, 2 * l);
}

printf("%d\n", ans);
}
```

4.8 一起来挑战 GCJ 的题目（3）

➡GCJ中设有一些需要灵活的想象力的难题。最后，我们就来挑战一下这样的问题吧。

4.8.1 Mine Layer

Mine Layer（2008 World Final C）

类似于扫雷游戏，在一些格子中散布着一些地雷，具体的埋藏位置并不清楚，但知道每个格子及其周围八个格子的地雷的总数。请问此时正中间那一行最多可能有多少地雷？（题目假定所有的输入都是奇数行的）

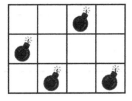

输入信息的例子和对应的地雷分布的例子

⚠**限制条件**

- 输入有 R 行 C 列

Small

- R=3, 5
- $3 \leq C \leq 5$

Large

- $3 \leq R \leq 49$，R 是奇数
- $3 \leq C \leq 49$

样例 1

输入

```
R = 3, C = 3
各个格子的信息如下
2 2 1
3 4 3
2 3 2
```

输出

1(地雷的分布只有右图一种)

样例1对应的地雷的分布

样例 2

输入

```
R = 3, C = 3
各个格子的信息如下
2 2 1
3 4 3
2 3 2
```

输出

1(对应题目描述中的例图)

1. 穷竭搜索

稍加思索便会发现要妥善处理地雷的影响并不容易,要应用动态规划之类的方法比较困难。

于是首先想到的解法便是穷竭搜索。利用递归函数,从左上角开始,枚举每个格子有地雷或者没有地雷。但是,Large的输入规模行列都达到了49,要用这个算法解决是很困难的。

2. 一维的情况

首先让我们从如下简化的一维版的问题开始考虑。每个格子内有一个数字,但具体数字不详。但知道该格子和左右两个相邻的格子内的数字之和(下面称这个和为信息)。

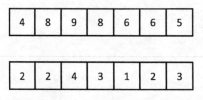

一维版问题的例子和格子中的数字的例子

那么，这时正中央格子中的数字最大是多少呢？

3. 按模3的余数分类讨论

首先让我们来考虑一下上面的样例。把下图灰色格子的信息加起来，就可以得到所有格子的数字之和。

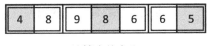

计算全体之和

而把下图灰色格子的信息加起来，就得到了除正中央格子以外所有格子的数字之和。

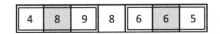

计算正中央之外的数字之和

将这两个结果相减，就可以推出正中央的数字为(4+8+5)−(8+6)=3。

当长度模3余1时，我们都可以这样计算得到正中央的数字。例如，对于长度为13的情况，就可以像下图这样计算。注意比上面的例子更大的模3余1的长度应该是13，而不是10，因为长度应该是奇数，这样才存在正中央的格子。

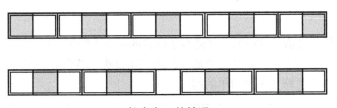

长度为13的情况

同样地，当长度模3余2时，也可以像下图一样，求出两种和并相减，得到正中央的数字。

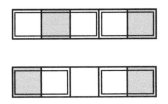

长度为5（模3余2）的情况

另一方面，当长度模3余0时，无法直接计算除正中央格子以外所有格子的数字之和。但是，可以像下图一样，求出重复计算了正中央格子两次的和，再通过与全体之和相减得到正中央的数字。

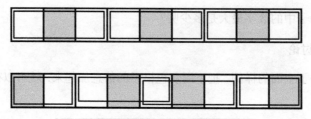

长度为9（模3余0）的情况

4. 推广到二维

原问题是二维的，但不会带来什么困难。只要先用前面介绍的方法对各行算出全体之和，我们就可得知每行及其上下两行所含的地雷总数。然后再对各行的全体之和运用一维版问题的方法，就可以求得正中央那一行地雷的个数了。

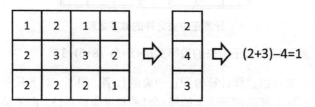

二维情况的例子

5. 本题的陷阱

本题要求最大值，但其实值是唯一的，这是本题设置的一个大陷阱。写成求最大值就是想引选手上当，而事实上值只有一个。尤其是对于那些知道扫雷这类游戏没有简单算法可解的选手来说，它们很容易想偏，从而忽略了这种简单的解法。

```
// 输入
int R, C;
int A[MAX_RC][MAX_RC];


// 计算长度为n的一维版问题的总和
int total(int *a, int n) {
  int res = 0;
  // 按模3的余数分类讨论
  if (n % 3 == 1 || n % 3 == 2) {
    for (int i = 0; i < n; i += 3) {
      res += a[i];
    }
  }
  else {
    for (int i = 1; i < n; i += 3) {
      res += a[i];
```

```
    }
  }
  return res;
}


// 计算长度为n的一维版问题正中央的数字
int center(int *a, int n) {
  int res;
  // 按模3的余数分类讨论
  if (n % 3 == 1) {
    res = total(a, n);
    for (int i = 1; i < n / 2; i += 3) {
      res -= a[i];
      res -= a[n - i - 1];
    }
  }
  else if (n % 3 == 2) {
    res = total(a, n);
    for (int i = 0; i < n / 2; i += 3) {
      res -= a[i];
      res -= a[n - i - 1];
    }
  }
  else {
    res = 0;
    for (int i = 0; i < n / 2; i += 3) {
      res += a[i];
      res += a[n - i - 1];
    }
    res -= total(a, n);
  }
  return res;
}




void solve() {
  // 计算各行的总和
  int rows[49];
  for (int i = 0; i < R; i++) {
    rows[i] = total(A[i], C);
  }

  // 求解一维版问题
  int ans = center(rows, R);
  printf("%d\n", ans);
}
```

4.8.2　Year of More Code Jam

Year of More Code Jam （2009 World Final A）

女孩 Sphinny 非常喜欢参加程序设计竞赛，她对参加今年的联赛非常有兴趣。今年共将举办 T 场联赛，其中第 i 场联赛包含 m_i 轮，其中的第 j 轮将在联赛开始后的第 $d_{i,j}$ 天举行（联赛开始的日期就是举行第 1 轮的日期，即总有 $d_{i,1}=1$）。各个联赛的开始日期还未确定，有可能会发生不同的联赛的一些轮次在同一天举行的情况。Sphinny 非常喜欢解题，同一天内举行的轮次越多，她的幸福感也越高。如果同一天内有 S 轮比赛的话，该天的幸福感就是 S^2。一年共有 N 天，各个联赛的开始日期在所有日期均匀分布。请计算她今年的幸福感的期望值，并以 $K+A/B$ 的形式输出（注：如果联赛在年底开始，其中一些轮次在第二年举行的话，这些幸福感是不属于今年的）。

⚠**限制条件**

- $1 \leqslant N \leqslant 10^9$
- $2 \leqslant m_i \leqslant 50$
- $1 = d_{i,1} < d_{i,2} < d_{i,3} < \cdots < d_{i,m_i} \leqslant 10000$

Small

- $1 \leqslant T \leqslant 2$

Large

- $1 \leqslant T \leqslant 50$

样例 1

输入

```
N = 1
T = 1
m = {2}
d = {{1, 2}}
```

输出

1+0/1（由于N=1，所以联赛必定在第1天开始，只有第1轮会在今年举行）

样例 2

输入

```
N = 4
T = 2
m = {3, 2}
d = {{1, 2, 4}, {1, 3}}
```

输出

如果第1场联赛在第1天开始，第2场联赛在第2天开始的话，那么每天分别举办1，2，0，2轮比赛，总的幸福感为9。

首先，让我们先来推导期望值的计算公式。幸福感的定义是

$$\sum_{a=1}^{N} (第\,a\,天举办的轮数)^2$$

这样，幸福感的期望就是

$$E\left[\sum_{a=1}^{N} (第a天举办的轮数)^2\right] = \sum_{a=1}^{N} E\left[(第a天举办的轮数)^2\right]$$

于是每场联赛的开始日期都有从第1天到第N天共N种选择，一共就有N^T种，所以无法穷举所有方案。因此，为了高效地计算平方项的期望值，我们定义一个变量$X_{i,a}$。如果联赛i的某轮在第a天举办则为1，否则为0。就可以展开得到

$$E\left[(第a天举办的轮数)^2\right] = E\left[\left(\sum_{i=1}^{T} X_{i,a}\right)^2\right]$$

也许想把原式变形为

$$E\left[\left(\sum_{i=1}^{T} X_{i,a}\right)^2\right] = \left(\sum_{i=1}^{T} E\left[X_{i,a}\right]\right)^2$$

但要注意这个变形是不对的。因为虽然$i\neq j$时$X_{i,a}$和$X_{j,a}$是独立的，有$E[X_{i,a}X_{j,a}]=E[X_{i,a}]E[X_{j,a}]$成立，但$E[X_{i,a}^2]=E[X_{i,a}]E[X_{i,a}]$并不成立。我们单独计算这部分非独立的部分，就有

$$E\left[\left(\sum_{i=1}^{T} X_{i,a}\right)^2\right] = E\left[\sum_{i=1}^{T}\sum_{j=1}^{T} X_{i,a}X_{j,a}\right] = \sum_{1\leq i,j\leq T, i\neq j} E\left[X_{i,a}\right]E\left[X_{j,a}\right] + \sum_{i=1}^{T} E\left[X_{i,a}^2\right]$$

$$= \left(\sum_{i=1}^{T} E\left[X_{i,a}\right]\right)^2 - \sum_{i=1}^{T} E\left[X_{i,a}\right]^2 + \sum_{i=1}^{T} E\left[X_{i,a}^2\right]$$

又有这里 $X_{i,a}^2 = X_{i,a}$，就得到

$$\left(\sum_{i=1}^{T} E\left[X_{i,a}\right]\right)^2 - \sum_{i=1}^{T} E\left[X_{i,a}\right]^2 + \sum_{i=1}^{T} E\left[X_{i,a}\right]$$

像这样对式子进行变形之后，只要对每场联赛i独立地计算$E[X_{i,a}]$就可以求得全体的期望值了。又有

联赛i的某轮在第a天矩形 $\Leftrightarrow$ 存在j使得$s_i-1+d_{i,j}=a$

所以

$$E\left[X_{i,a}\right] = \frac{\left|\{j \mid d_{i,j} \le a\}\right|}{N}$$

只要按顺序计算，就可以均摊$O(1)$地计算出每天的期望值。不过一共有N天，这样还是太大。但是注意到$d_{i,j} \le 10000$的限制条件，对于$a > 10000$总有$E[X_{i,a}] = E[X_{i,a-1}]$成立，于是只要对$1 \le a \le 10000$计算就好了。另外，即便缺少了这个限制条件，也可以通过对概率保持不变的天一起求出期望值来进行优化，这样的区间个数为$O(Tm)$。

```
// 输入
int N, T;
int m[MAX_T];
int d[MAX_T][MAX_M];

// 期望值表（分母为N）
int E[MAX_T][MAX_D + 1];

void solve() {
  // 对每场联赛分别计算期望
  for (int i = 0; i < T; i++) {
    for (int j = 0; j < m[i]; j++) {
      E[i][d[i][j]]++;
    }
    for (int a = 1; a <= MAX_D; a++) {
      E[i][a] += E[i][a - 1];
    }
  }
  // 计算整体期望值
  // 以K+A/B的形式计算，计算过程中注意溢出问题
  long long K = 0, A = 0, B = (long long) N * N;
  for (int a = 1; a <= N && a <= MAX_D; a++) {
    long long sum = 0, sum2 = 0;
    for (int i = 0; i < T; i++) {
      sum += E[i][a];
      sum2 += E[i][a] * E[i][a];
    }
    if (a < MAX_D) {
      A += sum * sum - sum2 + sum * N;
      K += A / B;
      A %= B;
    } else {
      // 大于MAX_D的部分的期望值相同
      // 请注意直接计算可能溢出
      long long n = N - MAX_D + 1;
      K += sum * n / N;
      A += (sum * sum - sum2) * n + sum * n % N * N;
      K += A / B;
      A %= B;
      if (A < 0) {
        A += B;
        K--;
      }
```

```
    }
  }
  long long d = gcd(A, B);
  printf("%lld+%lld/%lld\n", K, A / d, B / d);
}
```

> **专栏　高精度运算**
>
> 本题中的数据范围非常大，所以即便使用 long long 也有溢出的风险，需要注意。另外，偶尔也会遇到只有利用高精度运算才能求解的问题。遇到这类问题时，可以使用标准中支持高精度运算的 Java 等其他语言，或者预先准备好一些模块。

4.8.3　Football Team

> ### Football Team （2009 Round 3 C）
>
> N 名足球队员排成若干排拍照。给定每名队员的位置 (x, y)，保证所有 x 均不相同。为了保证相片的美观，要让相邻的队员穿上不同颜色的衬衫。当位置为 (x_1, y_1) 的队员与位置为 (x_2, y_2) 的另一名队员满足如下条件时，我们称他们是相邻的。
>
> - $y_1 - 1 \leq y_2 \leq y_1 + 1$
> - 没有队员在满足 $x_1 < x_3 < x_2$ 的位置 (x_3, y_2) 上。
>
> 最少需要多少种不同颜色的衬衫？
>
> ⚠ **限制条件**
> - $1 \leq x \leq 1000$
>
> **Small**
> - $1 \leq y \leq 15$
> - $1 \leq N \leq 100$
>
> **Large**
> - $1 \leq y \leq 30$
> - $1 \leq N \leq 1000$

样例 1

输入

```
N = 3
x = {10, 8, 12}
y = {10, 15, 7}
```

输出

1（所有人同样颜色）

样例 2

输入

```
N = 5
x = {1, 2, 3, 4, 5}
y = {1, 1, 1, 1, 1}
```

输出

2（第1、3、5个人和第2、4个人分别用不同颜色）

样例 3

输入

```
N = 3
x = {1, 2, 3}
y = {1, 2, 1}
```

输出

3（所有人的颜色互不相同）

首先把问题转化为图的模型，以队员为顶点，在应该穿不同颜色衬衫的队员之间连一条边。于是问题就转化成了图的着色问题。普通的着色问题是NP困难的，像本题这样规模的问题是无法求解的，所以这里的图应该隐含有一些特殊的性质。让我们来看看从题目的连边的条件推出的各种性质中哪些是有利于解题的。

1. 条件1：平面图

着色问题中有一个著名的四色定理，它指出任意平面图都可以用不超过四种颜色着色。实际上，本图就是平面图，适用这个定理。

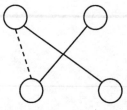

假设实线的边发生交叉将产生矛盾（虚线处应该有边）

确定了图是平面图之后，根据四色定理，只要有至少四种颜色，就总能完成着色。色数为1的图只有不含边的图，色数为2的图只有二分图。不过，只跟据平面图的性质，不能直接区分色数为3的图和色数为4的图，需要再寻找别的性质。

2. 条件2：内部面都是三角形

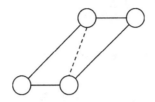

假设存在度数不小于4的内部面将产生矛盾（虚线处应该有边）

可以发现这里的图除了外部面外的所有面都是三角形。利用这一点可以高效地判断图的色数是否是3吗？首先，三角形的3个点应该要涂上不同的颜色。让我们来考虑两个三角形有一条公共边的情况。

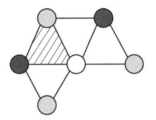

有公共边时，确定了阴影三角形的着色也就唯一确定了其余三角形的着色

如上图所示，只要确定了一个三角形的着色，有公共边的三角形剩下的那个顶点的颜色也就唯一确定了。不断传递下去，所有通过边相连的三角形的颜色均可唯一确定。没有公共边，而只有公共点的情况又将如何呢？

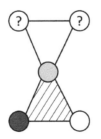

有公共点时，确定了一个三角形的着色不能唯一确定其余点的着色

此时还有两个待着色的顶点，有两种着色方案，看似需要枚举两种可能。但是，由于所有的内部面都是三角形，删去公共点后，图就分成了两个独立部分，不论选择何种着色方案都是一样的。因此，要判断色数是否可能为3，只要考虑有公共边的三角形组成的子图就好了。

综上，我们能够高效地判断色数是否为3。

```
// 输入
int N;
int x[MAX_N], y[MAX_N];

bool g[MAX_N][MAX_N];        // 邻接矩阵
int color[MAX_N];            // 顶点的颜色
bool used[MAX_N][MAX_N];     // 边是否检查过的标记

// 判断色数是否为3
// 从确定2点v和u的颜色的状态开始，递归地给包含边v-u的三角形着色
bool rec(int v, int u) {
  used[v][u] = used[u][v] = true;
  int c = 3 - color[v] - color[u];   // 剩余的颜色
  for (int w = 0; w < N; w++) {
    if (g[v][w] && g[u][w]) {
      if (color[w] < 0) {
        color[w] = c;
        // 对三角形的其余两边递归处理
        if (!rec(v, w) || !rec(u, w)) {
          return false;
        }
      } else if (color[w] != c) {
        // 相邻顶点涂有相同颜色
        return false;
      }
    }
  }
  return true;
}

void solve() {
  // 建图
  for (int i = 0; i < N; i++) {
    int v[3] = {-1, -1, -1};
    for (int j = 0; j < N; j++) {
      if (x[i] < x[j]) {
        int k = y[j] - y[i] + 1;
        if (0 <= k && k < 3 && (v[k] < 0 || x[j] < x[v[k]])) {
          v[k] = j;
        }
      }
    }
    for (int k = 0; k < 3; k++) {
      if (v[k] >= 0) {
        g[i][v[k]] = g[v[k]][i] = true;
      }
    }
  }

  // 找出三角形并计算着色数
  int res = 1;

  // 虽然是三重循环，不过因为边数是O(N)，所以这部分的复杂度为O(N^2)
  for (int v = 0; v < N; v++) {
```

```
    for (int u = 0; u < N; u++) {
      if (g[v][u] && !used[v][u]) {
        // 如果有边则色数至少为2
        res = max(res, 2);
        for (int w = 0; w < N; w++) {
          if (g[v][w] && g[u][w]) {
            // 如果存在三角形，则着色数至少为3
            res = max(res, 3);
            memset(color, -1, sizeof(color));
            color[v] = 0;
            color[u] = 1;
            if (!rec(v, u)) {
              // 如果色数超过3则一定为4
              printf("4\n");
              return;
            }
            break;
          }
        }
      }
    }
  }

  printf("%d\n", res);
}
```

4.8.4 Endless Knight

Endless Knight （2008 Round3 D）

在 $H \times W$ 的棋盘上，马在移动过程中要保证 X 坐标和 Y 坐标同时增加。问从 $(1, 1)$ 到 (H, W) 有多少不同的移动方案。输出 mod 10007 后的结果。此外，有 R 个格子被石头占据了，不能移动到这些格子上。

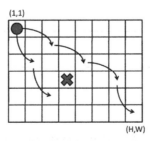

移动的方法

⚠限制条件

- $0 \leqslant R \leqslant 10$

Small
- $1 \leqslant W \leqslant 100$
- $1 \leqslant H \leqslant 100$

Large
- $1 \leqslant W \leqslant 10^8$
- $1 \leqslant H \leqslant 10^8$

样例 1

输入

```
H = 4, W = 4, R = 1
石头的位置={2,1}
```

输出

```
2(1,1)->(2,3)->(4,4), (1,1)->(3,2)->(4,4)两种
```

样例 2

输入

```
H = 3, W = 3, R = 0
石头的位置{}
```

输出

```
0（无法从(1,1)移动到(3,3)，故0种）
```

样例 3

输入

```
H = 7, W = 10, R = 2
石头的位置={(1,2),(7,1)}
```

输出

```
5
```

解说

如果直接按马斜着移动处理有些不方便，所以我们对棋盘进行坐标变换，将其变换为水平和竖直方向的移动。

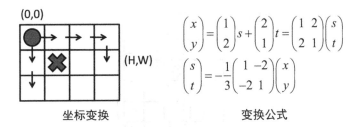

坐标变换　　　　　　　　　　变换公式

如果变换后的坐标不是整数，那说明不存在满足条件的移动方案，答案为0。接下来，我们的讨论都是针对变换后的坐标的，依然记变换后的终点为(H, W)。首先考虑Small的解法。记走到(x, y)的方案数为$dp(x, y)$。那么走到$(x+1, y+1)$的方案只有先走到$(x, y+1)$再向下走一步，或先走到$(x+1, y)$再向右走一步这两种，所以$dp(x+1, y+1)=dp(x, y+1)+dp(x+1, y)$。当然，不允许移动到被石头占据的格子，所以对这些格子有$dp(x, y)=0$。于是，我们就能够在$O(H×W)$的时间内计算得到$dp(H, W)$。

虽然对Small可以采用上述算法，但Large中的W和H都太大了，显然要用更为高效的解法。这里，注意到不能移动到的格子最多只有10个。记这些格子的集合为S，如果对任意的$S⊃T$，我们都能求得通过了所有属于T的格子的方案数的话，利用下面的容斥原理公式，就可以求得答案。

$$（不通过S移动到（H,W）的方案数）= \sum_{T⊂S} (-1)^{|T|} （通过T的所有格子移动到（H,W）的方案数）$$

考虑没有必须要通过的格子时的情况。此时从$(0,0)$移动到(H,W)的方案数就等于W个→和H个↓的排列的总数，也就是${}_{w+h}C_w$。

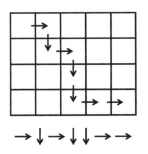

→和↓的排列与移动方案一一对应

当有若干个必须要通过的格子时，由于移动中x坐标和y坐标都是单调不减的，所以其通过的顺序是唯一的。也可能存在无法全部通过的情况，此时方案数显然为0。确定了通过顺序之后，那么两个相邻必须通过的格子之间就等价于没有必须通过的格子的情况，所以总的方案数就是至多R个${}_{w+h}C_w$形式的数的乘积。

就像4.1节所介绍的那样，通过预处理出$k!$ mod 10007的表，我们就能够在$O(\log n)$时间内计算组合数。这样，本题能够在$O(2^R R \log(W+H))$时间内解决。

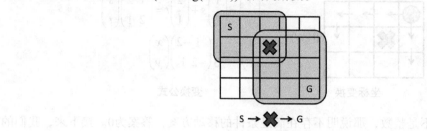

$$S \rightarrow \times \rightarrow G$$

必须要通过×的情况

```cpp
const int MOD = 10007;

typedef pair<int, int> P;

// 坐标变换为水平和竖直方向的移动
// 如果是无法移动到的点则返回false
bool normarize(int& x, int& y) {
  --x; --y;
  int xx = -x + 2 * y, yy = 2 * x - y;
  if (xx < 0 || yy < 0 || xx % 3 != 0 || yy % 3 != 0) return false;
  x = xx / 3; y = yy / 3;
  return true;
}

int count_bit(int a) {
  int res = 0;
  for (; a > 0; a >>= 1) res += a & 1;
  return res;
}


// 输入
int H, W, R;
P ps[MAX_R + 1];   // 石头的坐标

void solve() {
  int pn = 0;
  // 对石头进行坐标变换，预先将不可能到达的石头除去
  for (int i = 0; i < R; i++) {
    if (normarize(ps[i].first, ps[i].second)) {
      ps[pn++] = ps[i];
    }
  }

  // 如果不能移动到终点则答案是0
  ps[pn] = P(H, W);
  if (!normarize(ps[pn].first, ps[pn].second)) {
    printf("0\n");
    return ;
  }
  int res = 0;
  sort(ps, ps + pn);
```

```
for (int i = 0; i < 1 << pn; i++) {
  int add = 1, prevx = 0, prevy = 0;
  for (int j = 0; j < pn + 1; j++) {
    if ((i >> j) % 2 == 1 || j == pn) {
      int mx = ps[j].first - prevx, my = ps[j].second - prevy;
      add = add * mod_comb(mx + my, mx, MOD) % MOD;
      prevx = ps[j].first;
      prevy = ps[j].second;
    }
  }
  if (count_bit(i) % 2 == 0) {
    res = (res + add) % MOD;
  } else {
    res = (res - add + MOD) % MOD;
  }
}
printf("%d\n", res);
}
```

实际上，通过DP还可以将复杂度降到$O(R^2\log(W+H))$。有兴趣的读者可以思考一下。

4.8.5 The Year of Code Jam

The Year of Code Jam （2008 World Final E）

女孩 Sphinny 非常喜欢程序设计竞赛，她给今年的日历做了如下标记。

白：没有比赛的日子
蓝：参加比赛的日子
？：有比赛，但还在犹豫是否参加的日子

她的日历里有 N 个月，每个月各有 M 天。假定每一天都与其上个月的同一天、下个月的同一天、同个月的前一天、同个月的后一天是相邻的。现在她要决定每个？的日子是否参加比赛，来最大化她参加比赛所获得的幸福感。每参加一场比赛所获得的幸福感可以按照如下规则计算。

- 幸福感的初值为 4
- 每参加一场相邻日子里的比赛，幸福感减一

请计算她今年所能得到的最大幸福感。

⚠️限制条件
Small
- $1 \leqslant M, N \leqslant 15$
Large
- $1 \leqslant M, N \leqslant 50$

样例 1

输入

```
N = 3
M = 3
日历如下图（'.'代表白色，'#'代表蓝色）

.?.
.?.
.#.
```

输出

```
8（每月2日参加）
```

样例 2

输入

```
N = 5
M = 8
```

```
.#...##.
.##..?..
.###.#.#
??#..?..
###?#...
```

输出

```
42
```

本题是2008年的全球总决赛中通过人数最少的问题，不过利用目前已学的图论知识，只要稍加提示就能解出。首先考虑将日子表示为顶点，在相邻的日子之间连一条边建图。于是问题可以进行如下描述。

(1) 图中有三种顶点：蓝、白、？，？的顶点要变成蓝或白。
(2) 最大化(蓝点的个数)×4−(蓝点之间的边的条数)×2。

将图的顶点划分为两个集合并希望费用最小的问题，可以依据最大流最小割定理，通过最大流求解。这在以前的问题中已经实践过了。让我们来看一下本题应该如何转换。

1. 图中有三种顶点：蓝、白、?，?的顶点要变成蓝或白

假设得到的割中，和源点同侧的顶点是蓝色的，和汇点同侧的顶点是白色的。在以前的问题中，每个点属于任何一个集合都可以，但在本题中，其中一些点所在的集合一开始便已确定。不过，这只要通过将它属于另一个集合带来的费用设得足够大就能够简单处理了。

2. 最大化（蓝点的个数）×4 −（蓝点之间的边的条数）×2

因为我们要做的是最小化费用的问题，所以将之变形为最小化(白点的个数)×4+(蓝点之间的边的条数)×2。计算白点的费用虽然简单，但要计算蓝点之间的边的费用却不太容易。因为当两个顶点被分到不同的集合中时，它们之间所连的边的费用就包含在割中。所以，如果只有不同的集合间的边有费用的话，貌似可以转成最小化(白点的个数)×4−(白点和蓝点之间的边的个数)×2问题。

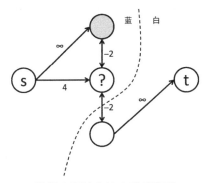

按照上面的方法变形后的图

但是，求包含负权边的图的最小割是NP困难的，尚未找到高效算法，所以这个方法也行不通。那么，该如何是好呢？因为只有连接两个蓝点的边上有费用，所以利用上原图还是一个二分图的性质，就能够很好地处理了。之前我们讨论的割，都是以和源点同侧的顶点为蓝色，和汇点同侧的顶点为白色的，而这里我们将二分图的其中一侧取反。这样，连接两个蓝点的边就属于割的一部分了。

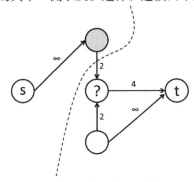

按照上面的方法变形后的图

假设原图按二分图分为$U \cup V$，则我们按下面的规则给边赋权。

$u \in U$，u是蓝色的 $\rightarrow w(s, u) = \text{INF}$
$u \in U$，u是白色的 $\rightarrow w(u, t) = \text{INF}$
$u \in U$，u是? $\rightarrow w(s, u) = 4$
$v \in V$，v是蓝色的 $\rightarrow w(v, t) = \text{INF}$
$v \in V$，v是白色的 $\rightarrow w(s, v) = \text{INF}$

$v \in V, \; v是? \; \to w(v, t) = 4$

$u \in U, \; v \in V \to w(u, v) = 2$（反向的边则不加。因为只有蓝点之间的边有费用，而白点之间的边没有费用）

建好图之后，答案就是无视费用可能得到的最高分（=蓝与? 的顶点个数×4）减去该图的最大s-t流流量。

```
const int dx[4] = {-1, 0, 0, 1}, dy[4] = {0, -1, 1, 0};

// 输入
int N, M;
char cld[MAX_N][MAX_M + 1];  // 日历

void solve() {
  int res = 0;
  int s = N * M, t = s + 1;
  for (int i = 0; i < N; i++) {
    for (int j = 0; j < M; j++) {
      if ((i + j) % 2 == 0) {
        if (cld[i][j] == '#') {
          res += 4;
          add_edge(s, i * M + j, INF);
        } else if (cld[i][j] == '.') {
          add_edge(i * M + j, t, INF);
        } else {
          res += 4;
          add_edge(s, i * M + j, 4);
        }
        for (int k = 0; k < 4; k++) {
          int i2 = i + dx[k], j2 = j + dy[k];
          if (0 <= i2 && i2 < N && 0 <= j2 && j2 < M) {
            add_edge(i * M + j, i2 * M + j2, 2);
          }
        }
      } else {
        if (cld[i][j] == '#') {
          res += 4;
          add_edge(i * M + j, t, INF);
        } else if (cld[i][j] == '.') {
          add_edge(s, i * M + j, INF);
        } else {
          res += 4;
          add_edge(i * M + j, t, 4);
        }
      }
    }
  }
  res -= max_flow(s, t);
  printf("%d\n", res);
}
```

练 习 题

4.1　更加复杂的数学问题

■　模运算的世界

POJ 1150: The Last Non-zero Digit

POJ 1284: Primitive Roots

POJ 2115: C Looooops

POJ 3708: Recurrent Function

POJ 2720: Last Digits

GCJ Japan 2011 决赛 B：细菌繁殖

■　矩阵

POJ 2345: Central heating

POJ 3532: Resistance

POJ 3526: The Teacher's Side of Math

■　计数

POJ 2407: Relatives

POJ 1286: Necklace of Beads

POJ 2409: Let it Bead

AOJ 2164: Revenge of the Round Table

AOJ 2214: Warp Hall

4.2　找出游戏的必胜策略

■　推理与动态规划算法

POJ 1082: Calendar Game

POJ 2068: Nim

POJ 3688: Cheat in the Game

POJ 1740: A New Stone Game

■　Nim与Grundy数

POJ 2975: Nim

POJ 3537: Crosses and Crosses

Codeforces 138D: World of Darkraft

POJ 2315: Football Game

4.3　成为图论大师之路

■　强连通分量分解

POJ 3180: The Cow Prom

POJ 1236: Network of Schools

■　2-SAT

POJ 3678: Katu Puzzle

POJ 2723: Get Luffy Out

POJ 2749: Building roads

■　LCA

POJ 1986: Distance Queries

POJ 3728: The merchant

4.4　常用技巧精选（二）

■　栈

POJ 3250: Bad Hair Day

POJ 2082: Terrible Sets

POJ 3494: Largest Submatrix of All 1's

■　双端队列

POJ 2823: Sliding Window

POJ 3260: The Fewest Coins

POJ 1180: Batch Scheduling

AOJ 1070: FIMO sequence

4.5　开动脑筋智慧搜索

■　剪枝

POJ 1011: Sticks

POJ 2046: Gap

POJ 3134: Power Calculus

■　A*与IDA*

POJ 3523: The Morning after Halloween

POJ 2032: Square Carpets

UVA 10181: 15-Puzzle Problem

4.6　划分、解决、合并：分治法

■　数列上的分治法

POJ 1854: Evil Straw Warts Live

■　平面上的分治法

GCJ 2009 World Finals B: Min Perimeter

Codeforces 97B: Superset

■　树上的分治法

POJ 2114: Boatherds

UVa 12161: Ironman Race in Treeland

SPOJ QTREE5: Query on a tree V

4.7　华丽地处理字符串

■　动态规划算法

AOJ 2212: Stolen Jewel

Codeforces 86C: Genetic Engineering

■　字符串匹配

Codeforces 25E: Test

AOJ 1312: Where's Wally

■　后缀数组

POJ 1509: Glass Beads

POJ 3415: Common Substrings

POJ 3729: Facer's string

AOJ 2292: Common Palindromes

Codeforces 123D: String

本书中未涉及的拓展主题

图论、组合优化

■ 欧拉回路

欧拉回路指的是经过所有边恰好一次的回路。其存在性的判定和解的构造都可以在线性时间完成。

■ 最小树形图

最小树形图是推广到有向图上的最小生成树，目标是寻找一个边权和最小的生成子图，使得从给定的节点出发沿生成子图的边可以到达所有节点。存在通过反复强连通分量分解求解的$O(VE)$时间的算法。

■ 斯坦纳树

斯坦纳树问题是最小生成树问题的一般化，目标是寻找一个边权和最小的子图，使得指定的顶点子集连通，不过所构造子图中可以包含不属于给定顶点子集的顶点。该问题是NP-Hard问题，不过利用状态压缩DP或容斥原理，可以找到给定顶点个数的指数时间的算法。

■ 割点、割边

割点和割边分别指的是，将其删除后将导致图的连通分量个数增加的顶点和边。它们可以通过深度优先搜索在$O(E)$时间内求得。

■ 全局最小割

全局最小割指的是，为了破坏图的连通性，所需删除的权值和最小的边集。虽然可以通过固定源点s、枚举汇点t求s–t割的最小值求得，但是使用更为高效的Stoer-Wagner算法可以在$O(V^3)$时间内求得。

■ 单纯形法

单纯形法是通过不断进行诸如高斯消元法中所用的转轴操作，求解线性规划问题的算法。虽然该算法在某些刻意构造的数据上需要花费指数时间，但是它通常只需要约束条件个数的常数倍次迭代即可求得结果，非常实用。

■ 拟阵

拟阵是对向量空间中的线性无关的一般化，与贪心算法关系密切。例如，求解最小生成树问题可以看作求解拟阵的最大权独立集问题，从而可以自然而然地推出Kruskal算法。又如，求解二分图最大匹配和最小树形图可以看作是求解两种拟阵的公共独立集，这称为拟阵交问题。拟阵交能够在多项式时间内求解，在求解多个互不相交的生成树等许多问题中会用到。

数值计算

■ 三分搜索、黄金分割搜索

它们是计算拟凸函数的最大值和最小值的简单方法。与三分搜索相比，黄金分割搜索可以重复利用上一步的计算结果，减小计算量。

■ Karatsuba法、快速傅里叶变换（FFT）

高精度整数和多项式的乘法运算都是卷积运算。朴素的计算方法需要$O(N^2)$时间，而利用Karatsuba算法只需$O(N^{1.59})$时间，利用快速傅里叶变换则能够在$O(N\log N)$时间完成。

数论

■ 离散对数

离散对数问题指的是，给定整数a, b, m，要求满足$a^x \equiv b(\bmod m)$的最小非负整数x。利用Baby-step Giant-step算法能够在$O(\sqrt{m})$时间内求得。取k为$\sqrt{m}$附近的整数，假设解$x=yk+z(0 \leqslant z<k)$，如果我们预先计算好a^z的表，那么枚举y的时候就可以通过查表判断是否有对应的z。

■ Stern-Brocot树

Stern-Brocot树的每一个顶点代表一个有理数区间，可用于给出无理数的既约分数近似。它的根是$(0/1, 1/0)$，而顶点$(a/b, c/d)$有两个儿子$(a/b, (a+c)/(b+d))$和$((a+c)/(b+d), c/d)$，所有区间的端点都是既约分数。

搜索

■ α-β剪枝

α-β剪枝是将博弈类游戏最优策略的搜索进行有效优化的一种技术。游戏双发的目标都是令自己的得分尽量大，所以如果发现当前可能获得的分数比已经找到的最优解要差的时候，就可以剪枝。利用该剪枝，通常可以将搜索的节点数降到直接搜索的平方根规模。

数据结构

■ 平衡二叉树

平衡二叉树是不论进行何种操作，总能通过旋转调整等保持平衡的二叉搜索树。有时为了满足某些特殊需求，需要自己实现。在程序设计竞赛中，常用的有实现起来相对轻松的Treap、Splay和Scapegoat等。

■ 左偏树、斜堆

左偏树和斜堆都支持高效合并操作、且实现起来比较简单的堆。

■ 树链剖分

树链剖分是处理树上查询的有效方法。对于一颗给定的树，它可以将路径作为节点构造一棵高度不超过$O(\log n)$的新树，从而实现高效处理。

字符串算法

■ KMP算法、Aho-Corasick算法

二者都是模式匹配算法。KMP用于完成单串匹配；而Aho-Corasick能够在线性时间内完成多串匹配，其原理是通过预处理将模式串转成自动机。在程序设计竞赛中，常用到这类自动机。

■ Manacher算法

Manacher算法是寻找回文子串的算法。它可以在线性时间内求出以各个位置为中心的最长回文的长度。

■ 语法解析

程序设计竞赛中也经常出现要求解析满足给定语法规则的字符串的题目。相关方法有基于动态规划的CYK算法、按最低优先级的运算符分割处理的方法、构建递归下降语法解析器的方法等。

书中例题列表

参 考 文 献

「アルゴリズムC」近代科学社
英文版名为 *Algorithms in C*
中文版名为《算法：C语言实现》（机械工业出版社）

「アルゴリズムC++」近代科学社
英文版名为 *Algorithms in C++*

「アルゴリズムイントロダクション」近代科学社
英文版名为 *Introduction To Algorithms*
中文版名为《算法导论》（有多个版本的中文译本）
该书是算法的标准教材。通过它可以学习到排序、搜索、字符串、计算几何、图论和数学等众多领域的基础算法。

「アルゴリズムデザイン」共立出版
英文版名为 *Algorithms Design*
中文版名为《算法设计》（清华大学出版社）
与《算法：C语言实现》和《算法导论》不同，该书着重介绍的不是算法，而是算法的设计方法，即如何推出正确的算法。

「組合せ最適化—理論とアルゴリズム」シュプリンガージャパン
英文版名为 *Combinatorial Optimization Theory and Algorithms*
该书涵盖了图论及离散数学相关的算法。

「コンピュータの数学」共立出版
英文版名为 *Concrete Mathematics: A Foundation for Computer Science*
中文版名为《具体数学：计算机科学基础》（有两个版本的中文译本）
该书介绍了求和、数论、数列和离散概率等数学知识。

「コンピュータ・ジオメトリ—計算幾何学：アルゴリズムと応用」近代科学社
英文版名为 *Computational Geometry: Algorithms and Applications*
该书涵盖了计算几何相关的数据结构与算法。

「目指せ！プログラミング世界一」近代科学社
《目标：程序设计世界冠军!》近代科学社
该书由ACM-ICPC日本赛区的主办方组织编写。包含ICPC的详细介绍和题目解析。